최상위 사고력을 위한 특별 학습 서비스

문제풀이 동영상

최고난도 문제를 동영상으로 제공하여 줍니다.

최상위 사고력 2A

펴낸날 [초판 1쇄] 2018년 9월 7일 [초판 4쇄] 2024년 2월 28일
펴낸이 이기열
펴낸곳 (주)디딤돌 교육
주소 (03972) 서울특별시 마포구 월드컵북로 122 청원선와이즈타워
대표전화 02-3142-9000
구입문의 02-322-8451
내용문의 02-323-9166
팩시밀리 02-338-3231
홈페이지 www.didimdol.co.kr
등록번호 제10-718호
구입한 후에는 철회되지 않으며 잘못 인쇄된 책은 바꾸어 드립니다.

초등 2A

상위권의 기준

최상위 사고력

수학 좀 한다면

선 하나를 내리긋는 힘!

직사각형이 있습니다.
윗변의 어느 한 점과 밑변의 두 끝을 연결한
삼각형을 만듭니다.

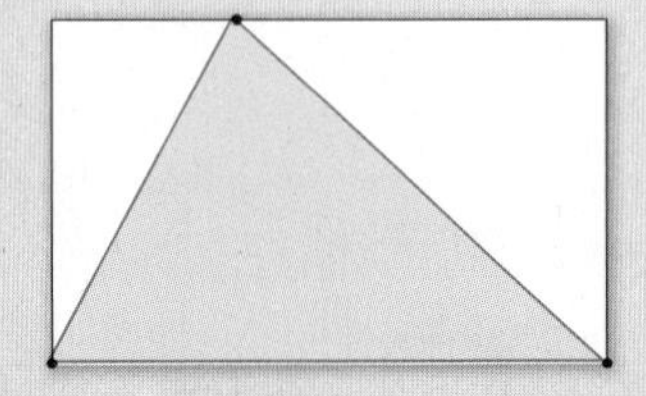

이 삼각형은 직사각형 전체 넓이의 얼마를 차지할까요?

옛 수학자가 이 문제를 푸느라
몇 날 며칠 밤, 땀을 뻘뻘 흘립니다.

그러다 문득!
삼각형의 위쪽 꼭짓점에서 수직으로 선을 하나 내리긋습니다.

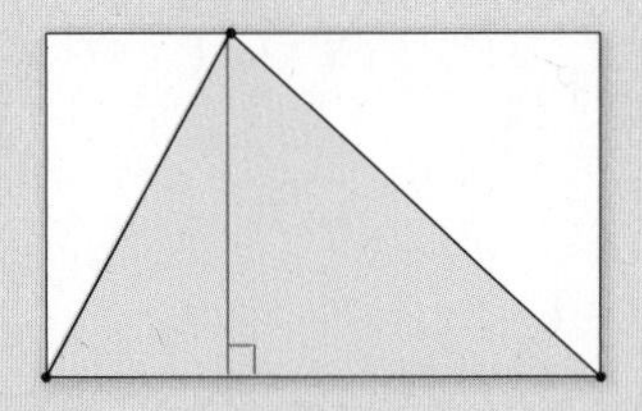

이제 모든 게 선명해집니다.
직사각형은 2개로 나뉘었고
각각의 직사각형은 삼각형의 두 변에 의해 반씩 나누어 집니다.

정답은 $\frac{1}{2}$

그러나 중요한 건 정답이 아닙니다.
문제를 해결하려 땀을 뻘뻘 흘리다, 뇌가 번쩍하며
선 하나를 내리긋는 순간!
스스로 수학적 개념을 발견하는 놀라움!

삼각형, 직사각형의 넓이 구하는 공식을 달달 외워
기계적으로 문제를 푸는 것이 아닌

진짜 수학적 사고력이란 이런 것입니다.
문제에 부딪혔을 때, 문제를 해결하는 과정 속에서
스스로 수학적 개념을 발견하고 해결하는 즐거움.
이러한 즐거운 체험의 연속이 수학적 사고력의 본질입니다.

선 하나를 내리긋는 놀라운 생각.
디딤돌 최상위 사고력입니다.

수학적 개념을 발견하고 해결하는 즐거운 여행

정답을 구하는 것이 목적이 아니라
생각하는 과정 자체가 목적이 되는 문제들로 구성하였습니다.

낯설지만 손이 가는 문제

어려워 보이지만 풀 수 있을 것 같은,
도전하고 싶은 마음이 생깁니다.

4-2. 모양을 겹쳐서 도형 만들기

1 겹쳐진 부분을 찾아 색칠하고 색칠한 도형의 개수를 각각 쓰시오.

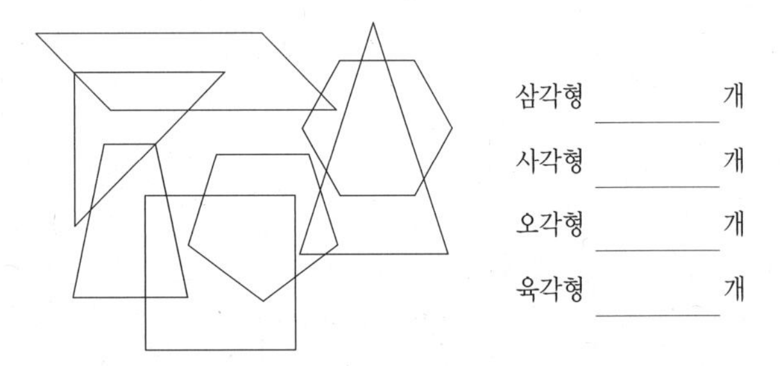

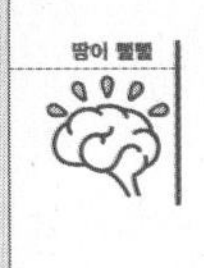

2 크기와 모양이 같은 삼각형 2개를 겹쳤을 때 겹쳐진 부분의 모양이 오각형과 육각형이 되도록 그리시오.

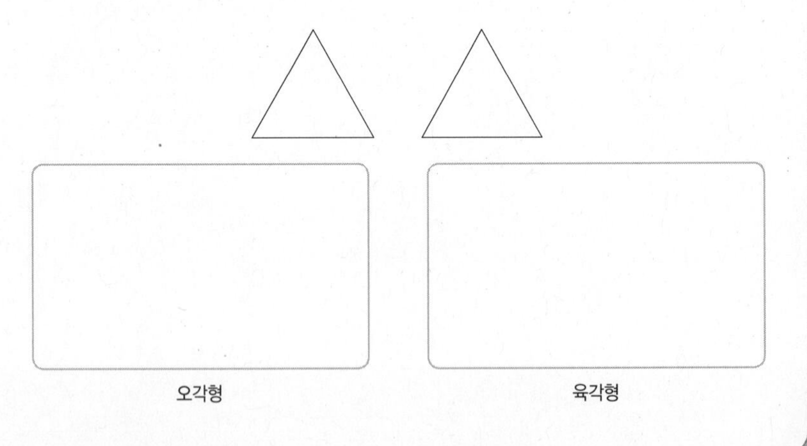

땀이 뻘뻘

첫 번째 문제와 비슷해 보이지만 막상 풀려면
수학적 개념을 세우느라 머리에 땀이 납니다.

뇌가 번쩍

앞의 문제를 자신만의 방법으로 풀면서 뒤죽박죽 생각했던 것들이 명쾌한 수학개념으로 정리됩니다. 이제 똑똑해지는 기분이 듭니다.

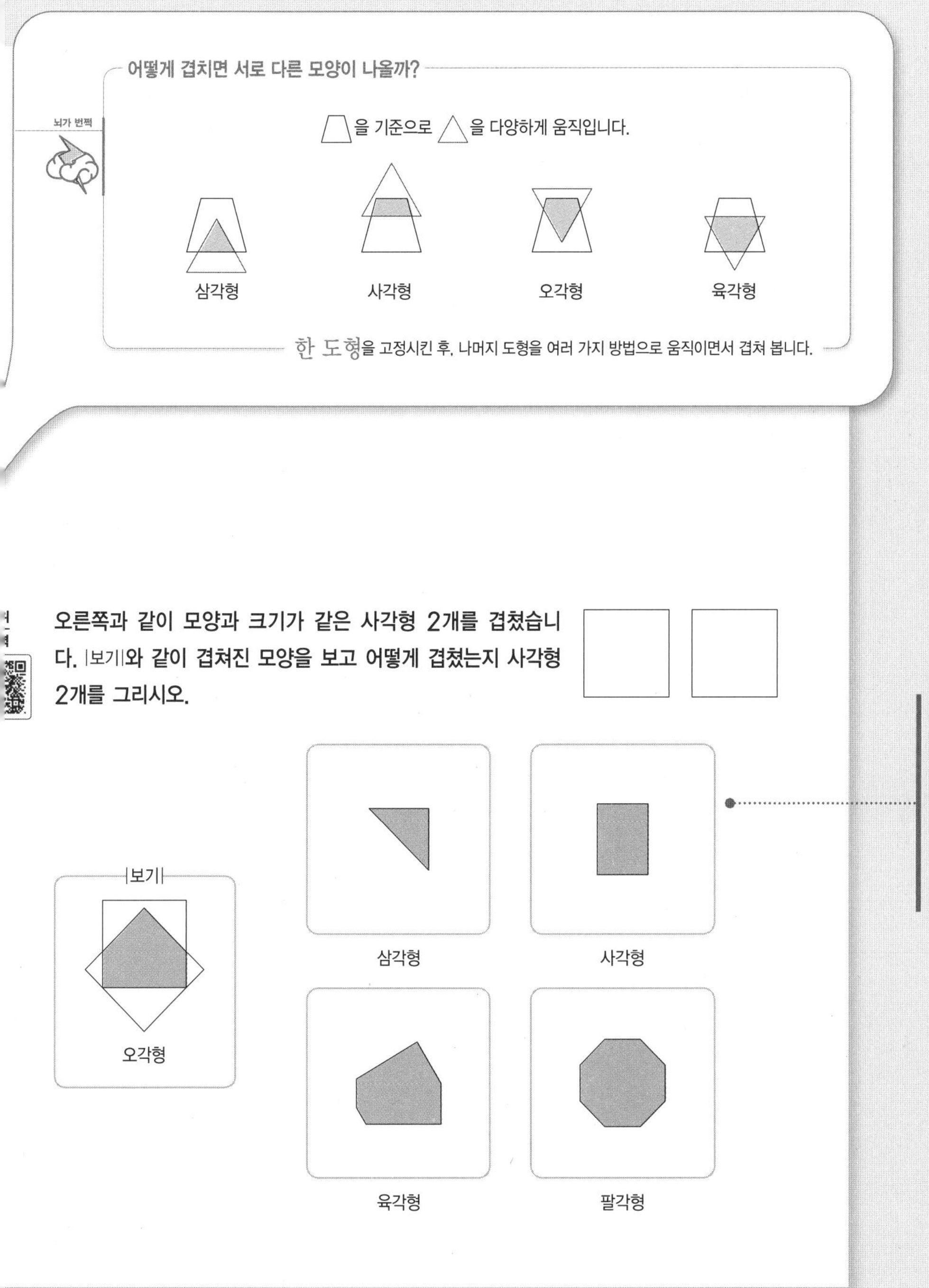

최상위 사고력 문제

뇌가 번쩍을 통해 알게된 개념을 다양한 관점에서 이해하고 해석해 봄으로써 한 단계 더 깊게 생각하는 힘을 기릅니다.

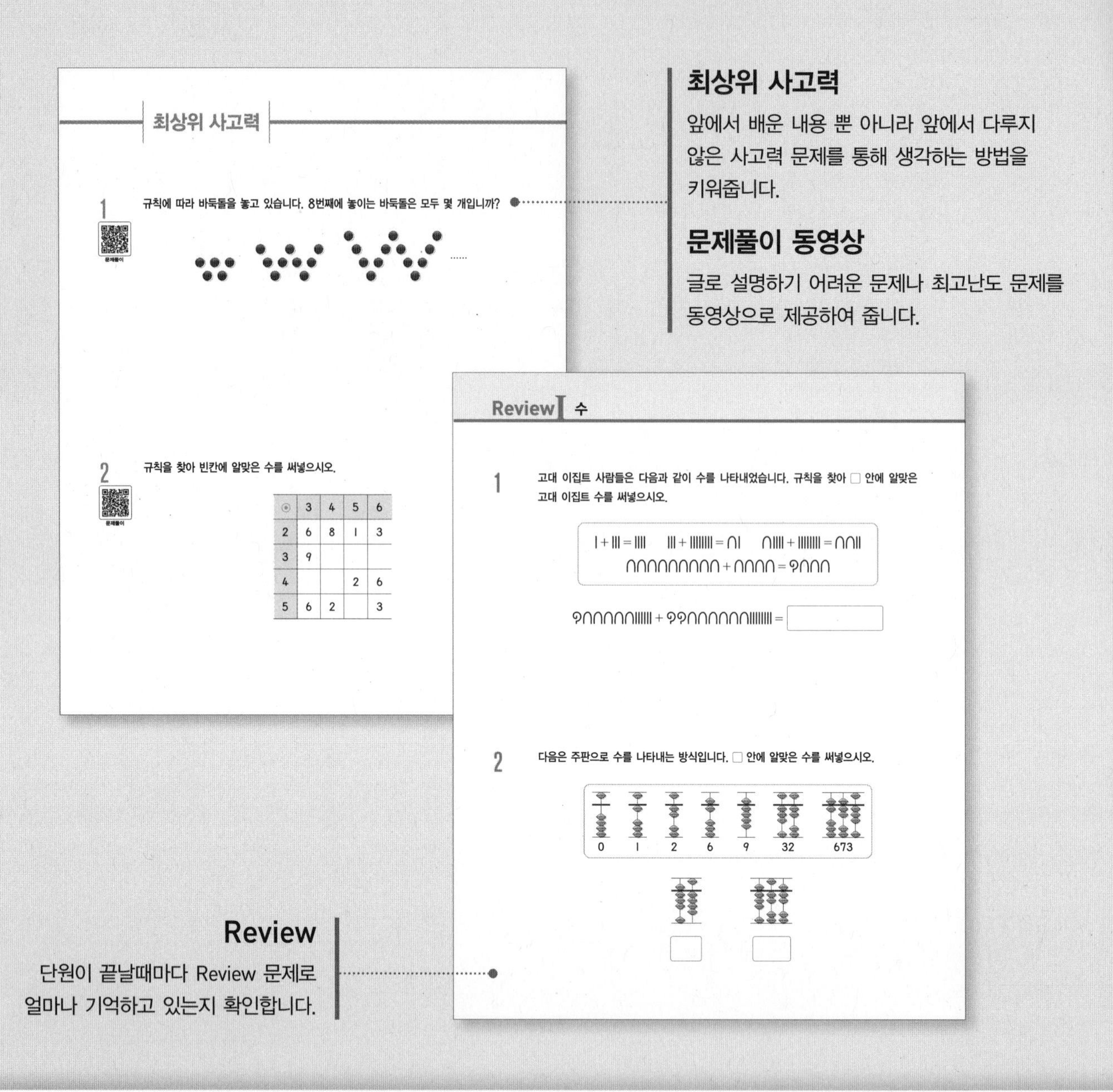

최상위 사고력

앞에서 배운 내용 뿐 아니라 앞에서 다루지 않은 사고력 문제를 통해 생각하는 방법을 키워줍니다.

문제풀이 동영상

글로 설명하기 어려운 문제나 최고난도 문제를 동영상으로 제공하여 줍니다.

Review

단원이 끝날때마다 Review 문제로 얼마나 기억하고 있는지 확인합니다.

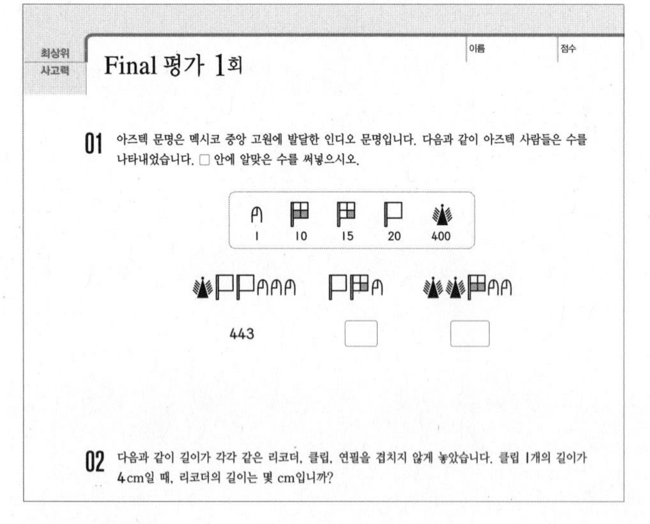

Final 평가

이 책에서 다룬 사고력 문제를 시험지 형식으로 풀어보며 실전 감각을 키웁니다.

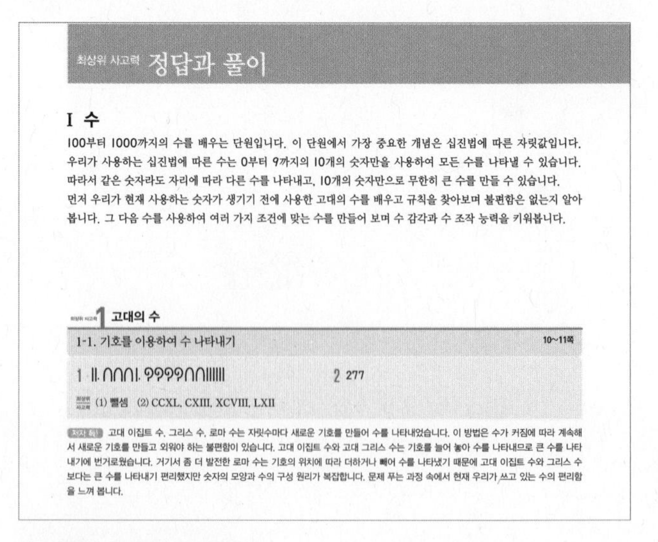

친절한 정답과 풀이

단원 배경 설명, 저자 톡!을 통해 문제를 선정하고 배치한 이유를 알려줍니다. 문제마다 좀 더 보기 쉽고, 이해하기 쉽게 설명하려고 하였습니다.

contents

Ⅰ 수

교과 과정
1.세 자리 수

Ⅱ 도형

교과 과정
2.여러 가지 도형

Ⅲ 연산

교과 과정
3.덧셈과 뺄셈

Ⅳ 측정

교과 과정
4.길이 재기

Ⅴ 확률과 통계

교과 과정
5.분류하기

수

1 고대의 수

1-1 기호를 이용하여 수 나타내기
1-2 위치를 이용하여 수 나타내기
1-3 규칙을 이용하여 수 나타내기

2 수 만들기

2-1 수 카드로 빠짐없이 수 만들기
2-2 자릿값을 이용하여 수 만들기
2-3 여러 가지 방법으로 금액 만들기

3 조건에 맞는 수 찾기

3-1 큰 수, 작은 수
3-2 뒤집힌 수 카드 맞히기
3-3 여러 가지 조건에 맞는 수

I

1-1. 기호를 이용하여 수 나타내기

1 고대 이집트 사람들은 주위에서 볼 수 있는 사물의 모양을 본떠서 수를 나타내었습니다. □ 안에 알맞은 고대 이집트 수를 써넣으시오.

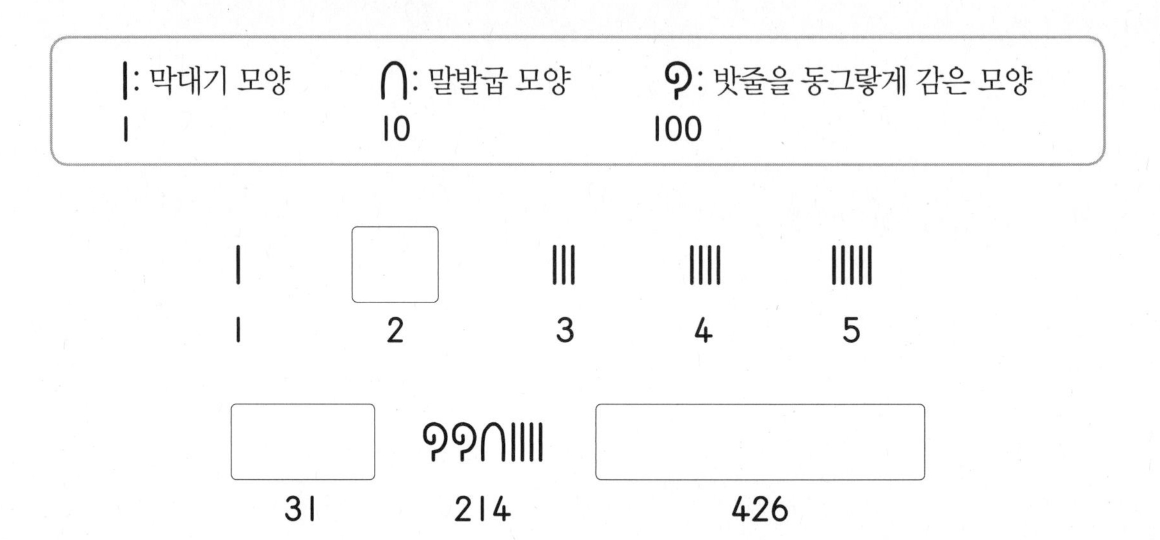

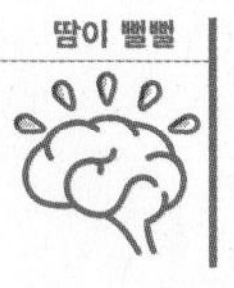

2 고대 그리스 사람들이 사용하던 수입니다. 고대 그리스 수가 나타내는 수를 □ 안에 알맞게 써넣으시오.

I	II	III	IIII	Γ	ΓI	ΓIIII	Δ	Γ̄Δ	H	Γ̄H
1	2	3	4	5	6	9	10	50	100	500

HHΓ̄ΔΔΔΓII ➡ □

어떤 방법으로 수를 써야 편리할까?

우리가 현재 사용하는 수입니다.

	고대 이집트 수	고대 그리스 수	인도-아라비아 수
삼백오십칠 ➡	999∩∩∩∩∩IIIIIII	HHH𐅄ΠII	357

0부터 9까지의 숫자와 자릿값으로 수를 쓰는 것이 편리합니다.

최상위 사고력

지금까지도 사용하고 있는 로마 수를 보고 물음에 답하시오.

(1) □ 안에 알맞은 말을 써넣으시오.

I	V	X	L	C	➡ 큰 수를 나타낼 때 기준 수를 만들어 사용했습니다.
1	5	10	50	100	

VI	XII	LXXX	CXX	➡ 작은 수가 오른쪽에 있으면 덧셈을 나타냅니다.
6	12	80	120	

IV	IX	XL	XC	➡ 작은 수가 왼쪽에 있으면 □을 나타냅니다.
4	9	40	90	

(2) 로마 수를 큰 수부터 차례로 쓰시오.

LXII　　CXIII　　CCXL　　XCVIII

정답과 풀이 11쪽 ►

1-2. 위치를 이용하여 수 나타내기

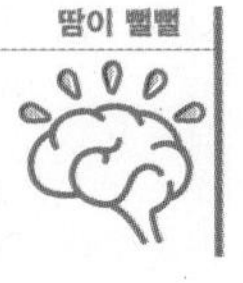

1 고대 잉카 문명에는 끈을 매듭으로 묶어서 수를 나타내는 '키푸'라는 방법이 있었습니다. 매듭을 묶는 부분을 ×표 하여 키푸의 방법으로 수를 나타내시오.

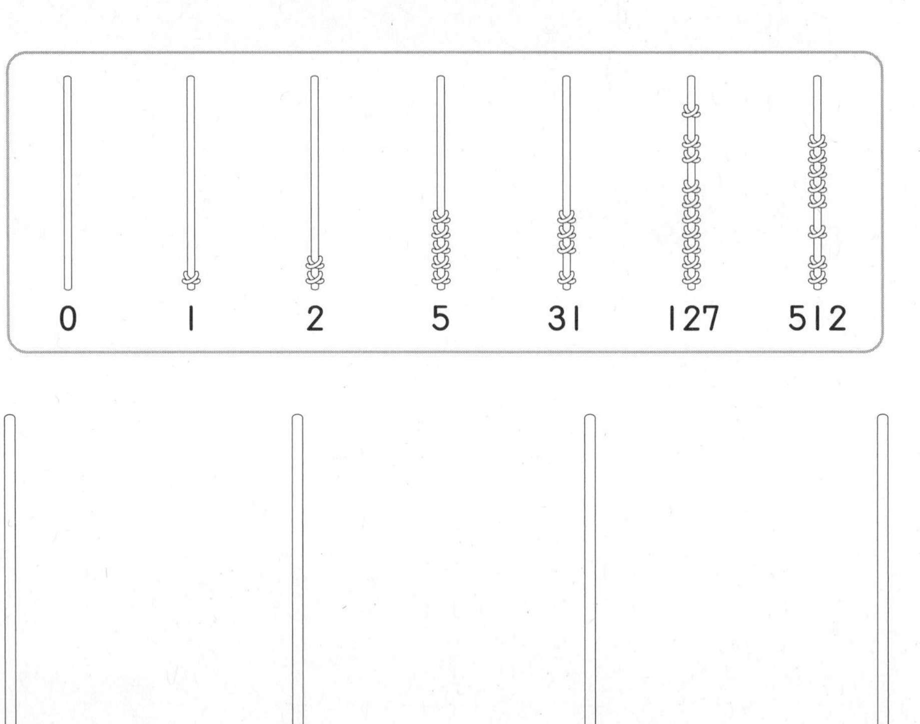

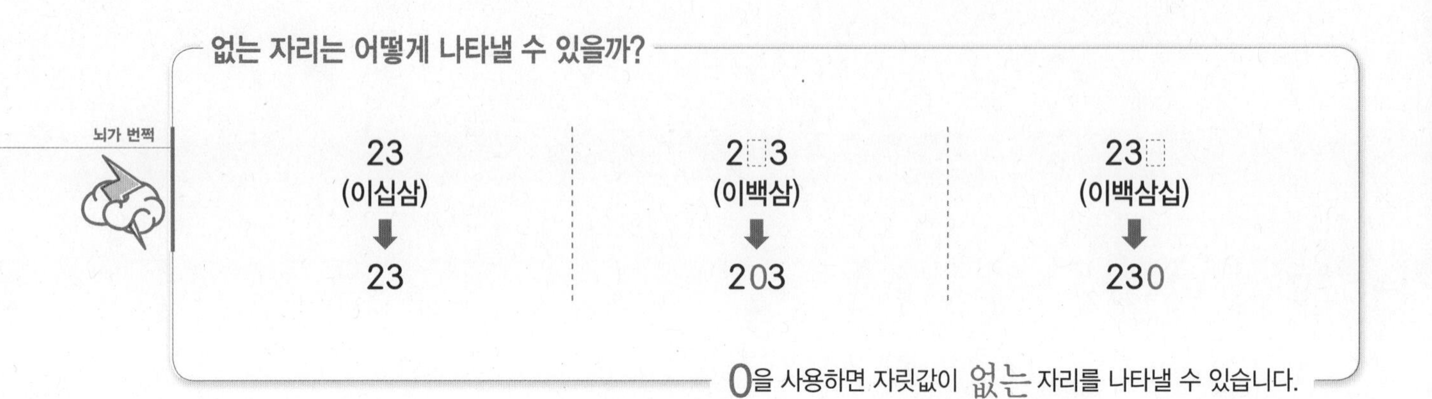

최상위 사고력

고대 중국에서는 산가지를 이용하여 수를 나타내었습니다. 물음에 답하시오.

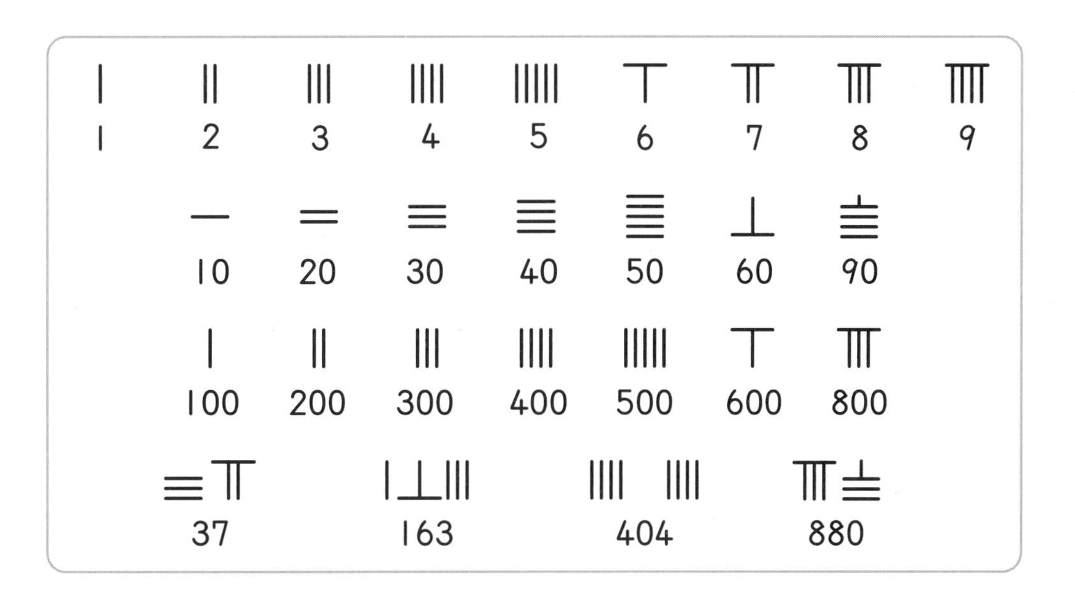

(1) 다음 산가지 수가 나타내는 수를 쓰시오.

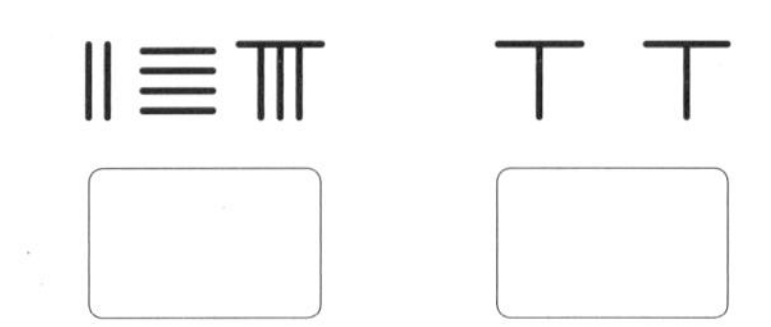

(2) 다음 수를 산가지 수로 나타내시오.

507 971

TIP 세 자리 수를 홀수 자리와 짝수 자리로 나누어 생각해 봅니다.

1-3. 규칙을 이용하여 수 나타내기

1 다음은 수가 적혀 있는 도형을 색칠하여 수를 나타낸 것입니다. 규칙을 찾아 주어진 수에 알맞게 도형을 색칠하시오.

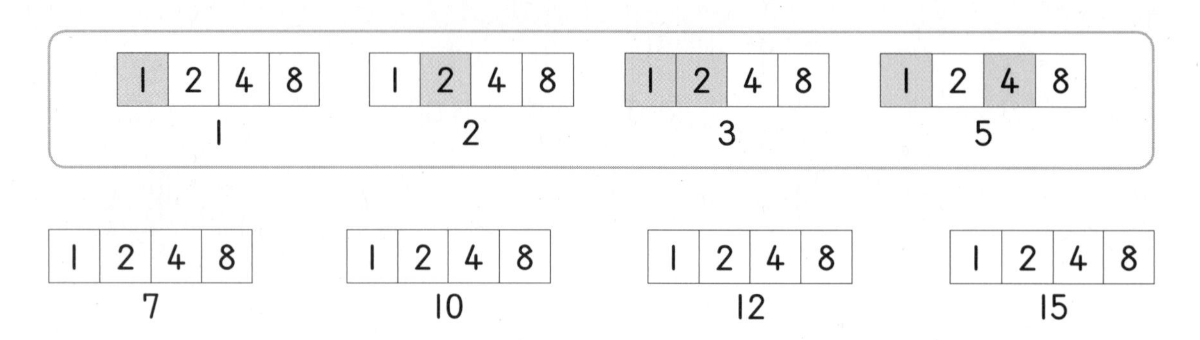

2 다음과 같이 수를 나타낼 때 도형이 나타내는 수를 ☐ 안에 써넣으시오.

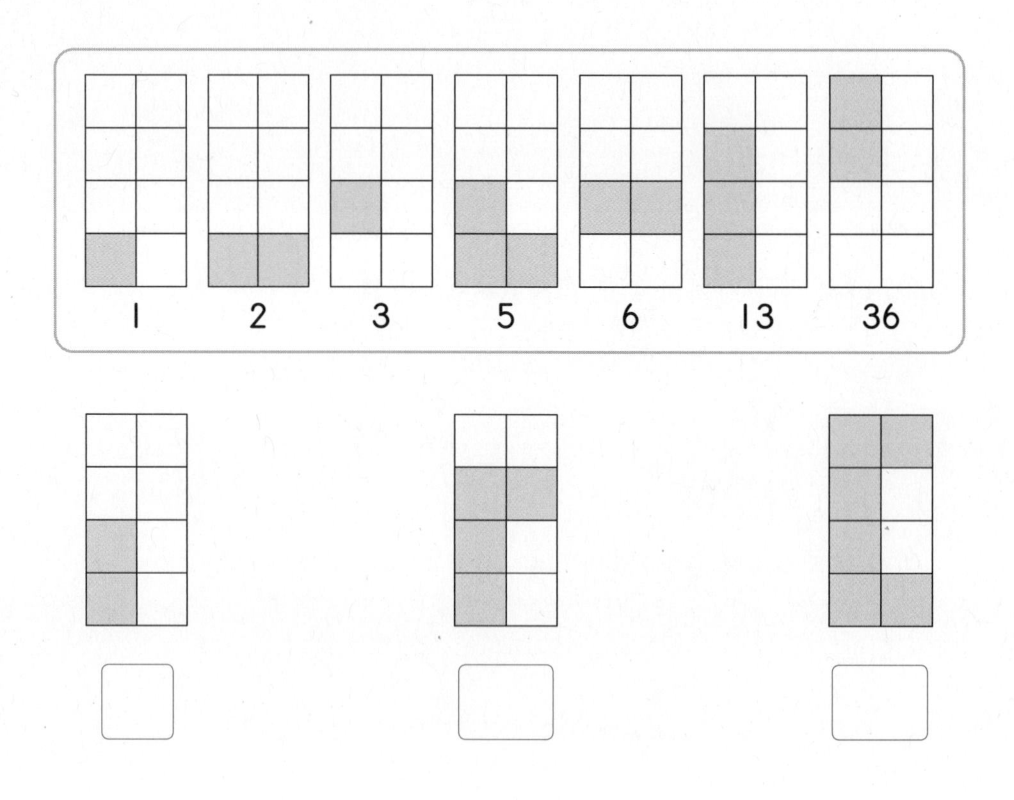

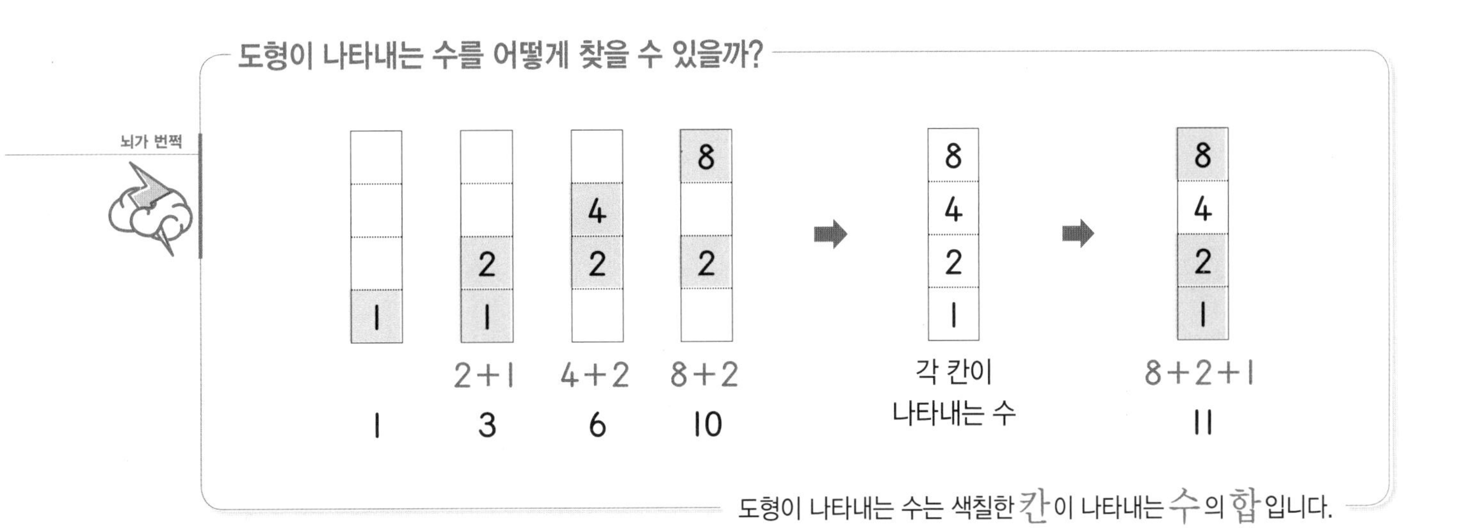

최상위 사고력

다음은 도형 안에 ○를 그려 수를 나타낸 것입니다. 다음 식이 성립하도록 도형 안에 ○를 알맞게 그리시오.

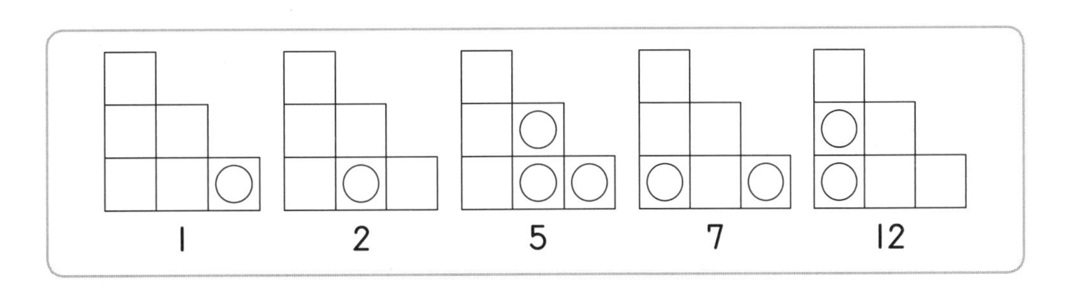

(1) + =

(2) − =

정답과 풀이 13쪽 ►

1 □ 안에 알맞은 로마 수를 써넣으시오.

1	2	3	4	5	6	7	8	9	10
I	II	III	IV	V	VI	VII	VIII	IX	X

XIV + XVIII = □

2 고대 이집트 수 ǀ는 1, ∩는 10, ୨는 100을 나타냅니다. 주어진 카드 3장으로 만들 수 있는 수를 모두 구해 숫자 0, 1을 사용하여 나타내시오.

3

문제풀이

바빌로니아 수는 위치를 이용하여 나타낸 최초의 수입니다. ∨은 위치에 따라 1 또는 60을 나타냅니다. 바빌로니아 수가 나타내는 수를 □ 안에 알맞게 써넣으시오.

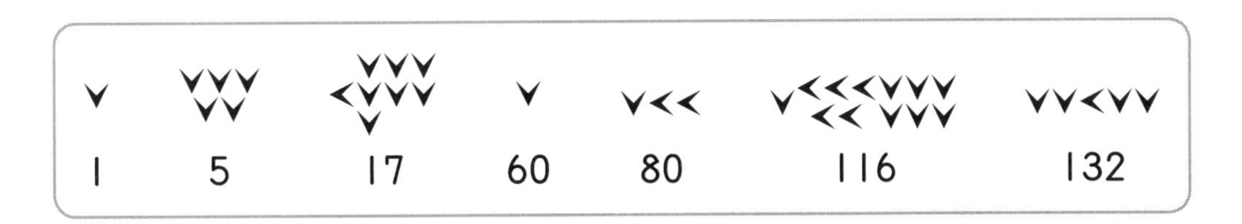

4

문제풀이

수를 나타내는 규칙을 찾아 50을 나타내시오.

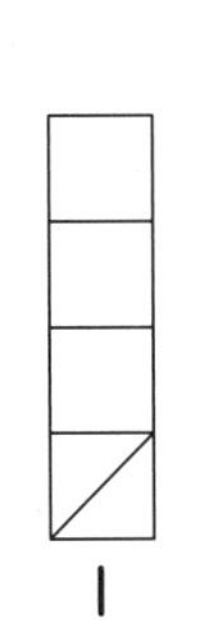

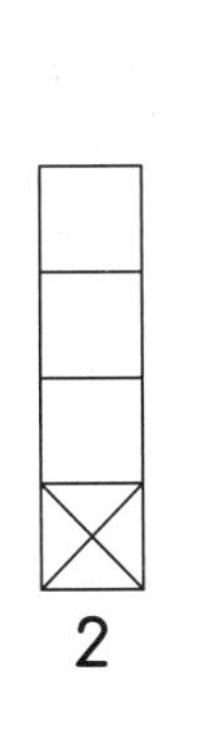

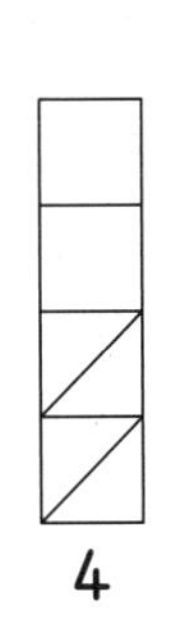

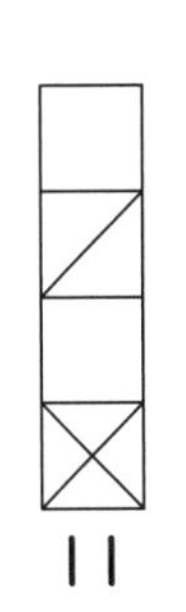

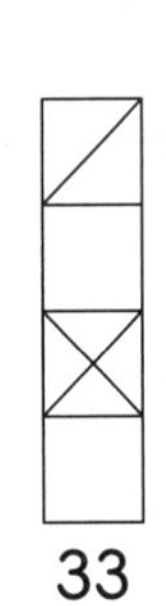

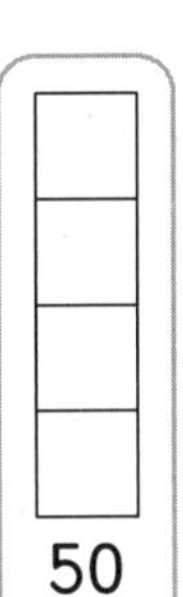

정답과 풀이 14쪽 ►

2-1. 수 카드로 빠짐없이 수 만들기

1 수 카드 2, 3, 0, 2 중 3장을 한 번씩 사용하여 세 자리 수를 만들려고 합니다. 빈칸에 알맞은 수를 써넣으시오.

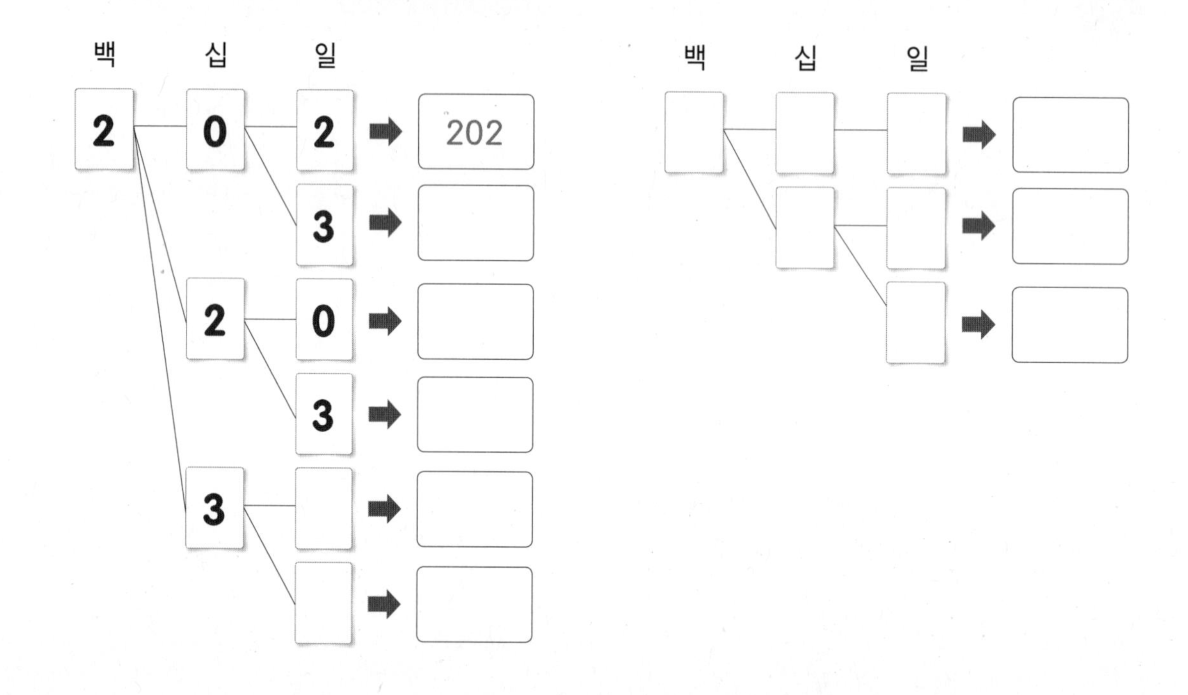

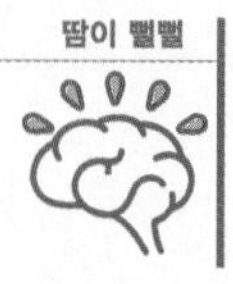

2 다음 수 카드 중 3장을 한 번씩 사용하여 만들 수 있는 세 자리 수는 모두 몇 개인지 구하시오.

4 7 0 6

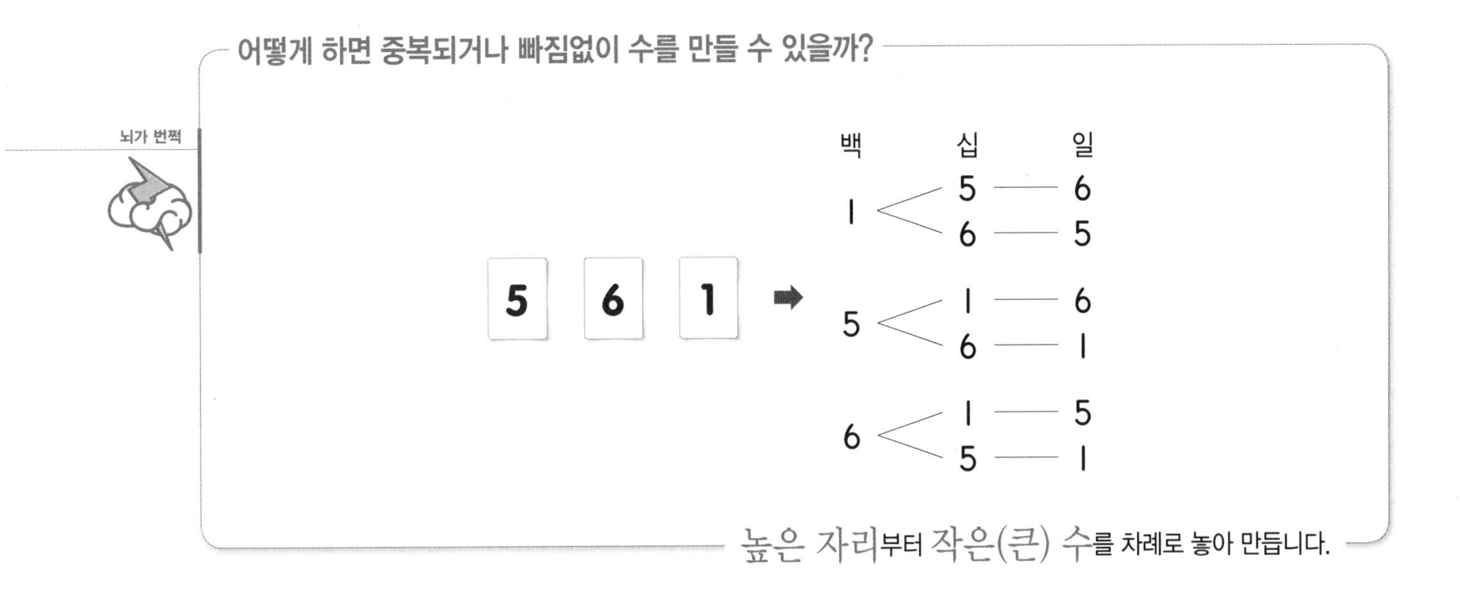

최상위 사고력

민수와 희수가 수 카드를 각각 4장씩 가지고 있습니다. 이 수 카드 중 3장을 한 번씩 사용하여 세 자리 수를 만든다면 누가 몇 개 더 많이 만들 수 있는지 구하시오.

정답과 풀이 15쪽 ►

2-2. 자릿값을 이용하여 수 만들기

1 정우는 과녁에 화살 2발을 쏘았습니다. 과녁 밖으로 빗나간 화살이 없다고 할 때 얻을 수 있는 점수를 과녁에 ×표 하여 모두 구하시오.

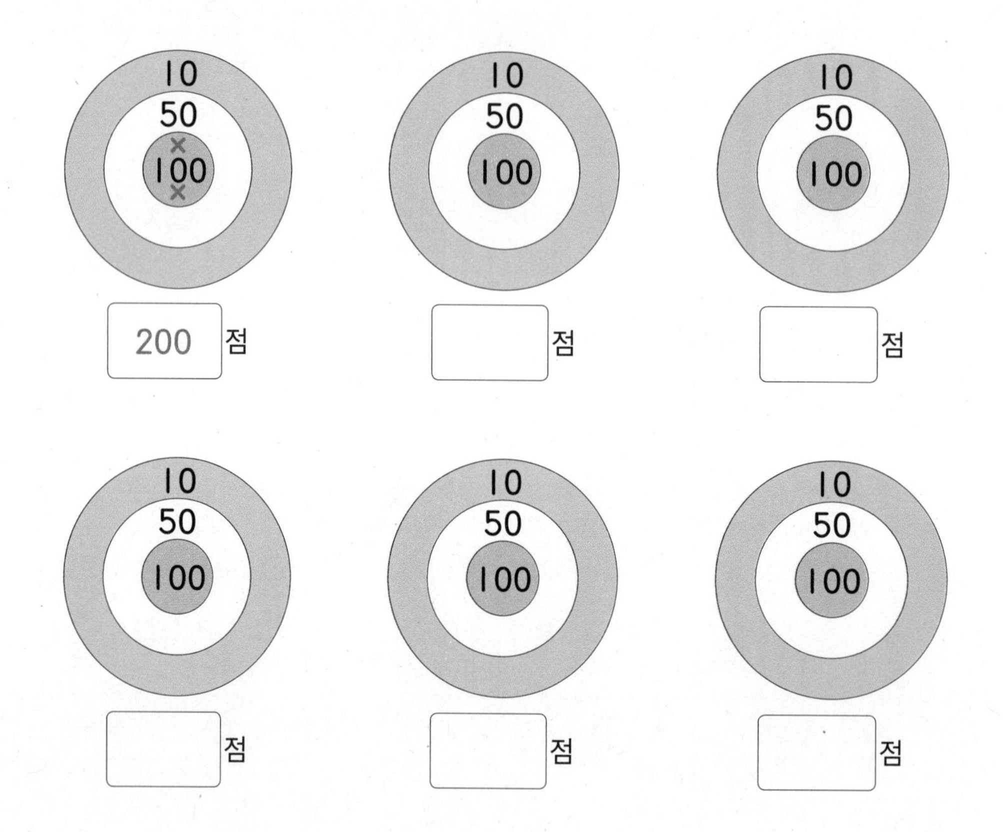

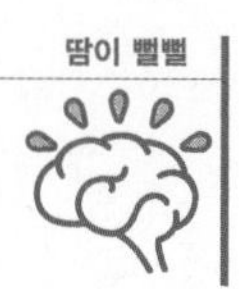

2 4가지 물건 중에서 서로 다른 종류의 물건 3가지를 사려고 합니다. 나올 수 있는 금액을 모두 구하시오.

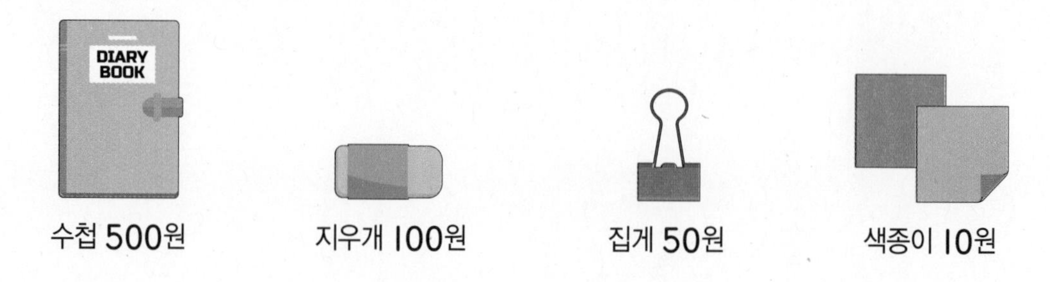

뇌가 번쩍

어떻게 선택해야 모든 경우를 빠짐없이 찾을 수 있을까?

가, 나, 다, 라 중에서 서로 다른 3개를 고르는 방법

가	나	다	라
○	○	○	×
○	○	×	○
○	×	○	○
×	○	○	○

➡ 4가지

표로 나타낸 후 선택하는 방법이 같지 않게 표시하여 찾습니다.

최상위 사고력

수 모형 6개 중에서 3개를 사용하여 나타낼 수 있는 세 자리 수를 모두 구하시오.

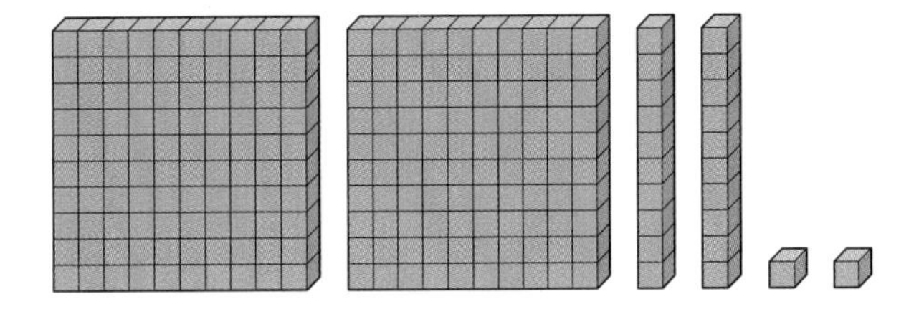

정답과 풀이 16쪽 ►

2-3. 여러 가지 방법으로 금액 만들기

1 네 종류의 동전 500, 100, 50, 10으로 주어진 금액을 만들려고 합니다. 주어진 금액과 동전의 수에 맞도록 ◌ 안에 알맞은 수를 써넣으시오.

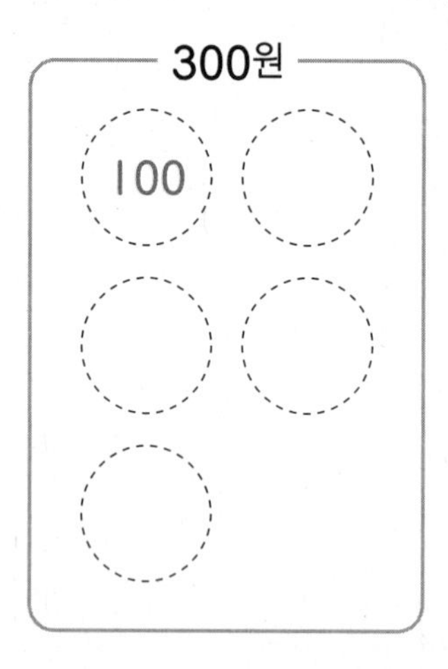

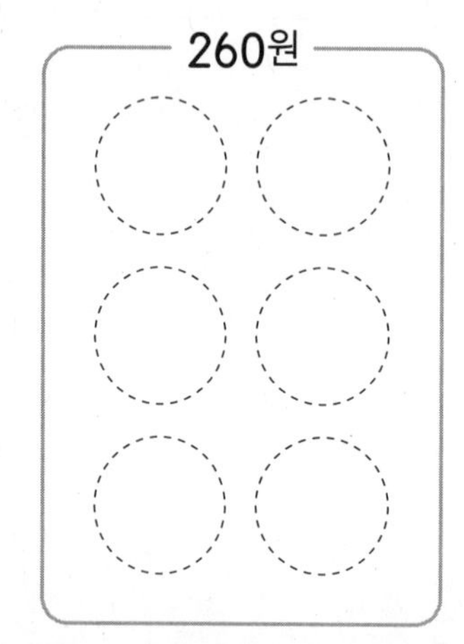

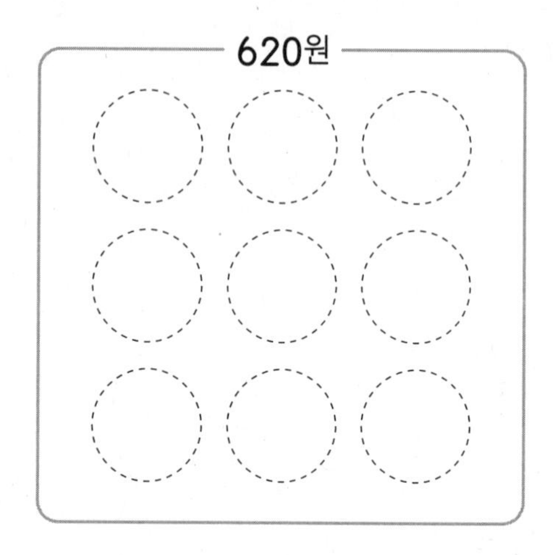

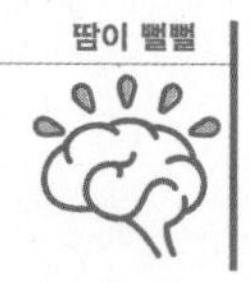

2 주형이는 300원이 있었는데 일부를 다른 동전으로 바꾸었더니 동전 5개가 더 늘어났습니다. 주형이가 가진 동전의 수를 종류별로 각각 구하시오.

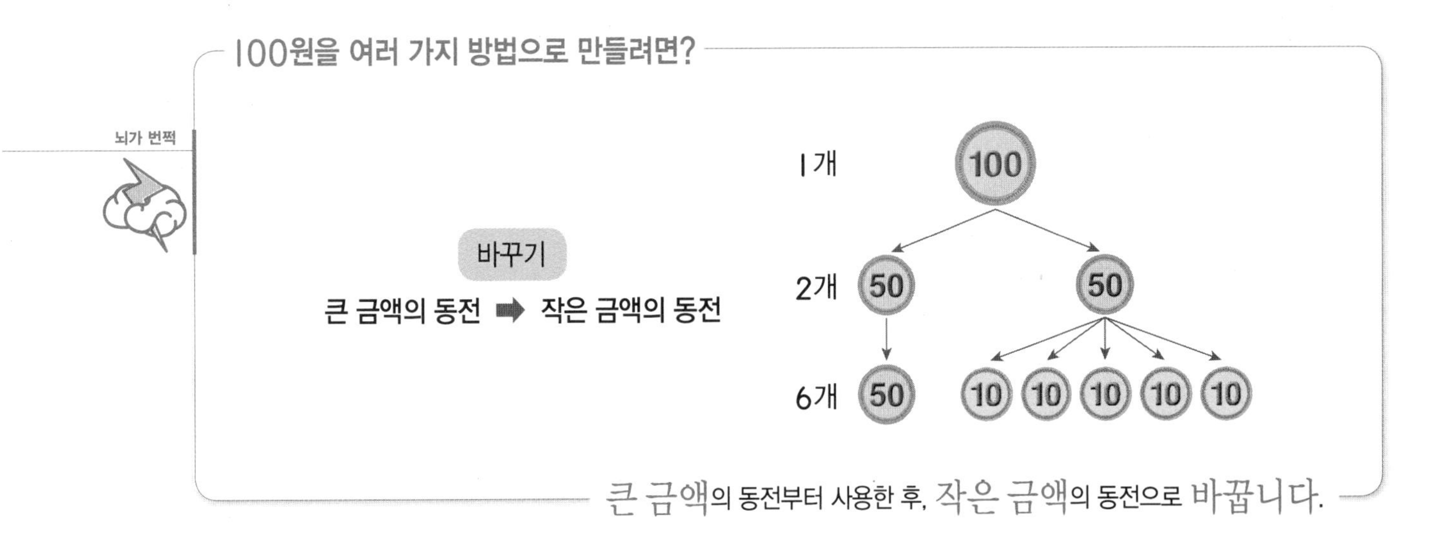

최상위 사고력

|조건|을 보고 세 종류의 동전 (100), (50), (10)을 한 줄로 놓으려고 합니다. ◌ 안에 알맞은 수를 차례로 써넣으시오.

|조건|
- 동전 7개의 금액의 합은 410원입니다.
- 같은 종류의 동전은 바로 옆에 있지 않습니다.
- 네 번째에 있는 동전의 금액은 두 번째에 있는 동전의 금액보다 큽니다.

정답과 풀이 17쪽 ►

최상위 사고력

1 다음과 같은 세 종류의 동전 여러 개로 500원을 만들려고 합니다. 세 종류의 동전을 적어도 1개씩은 사용해야 할 때 동전의 수가 가장 적은 경우와 가장 많은 경우 동전의 수를 차례로 구하시오.

2 1 또는 5가 적힌 수 카드 여러 장으로 서로 다른 세 자리 수를 8개 만들었습니다. □ 안에 알맞은 수를 모두 써넣으시오.

111	115		

3

문제풀이

다음과 같은 과녁에 화살 10발을 쏘았더니 470점이 되었습니다. 50점짜리 과녁에 명중한 화살은 몇 발인지 구하시오. (단, 과녁 밖으로 빗나간 화살은 없습니다.)

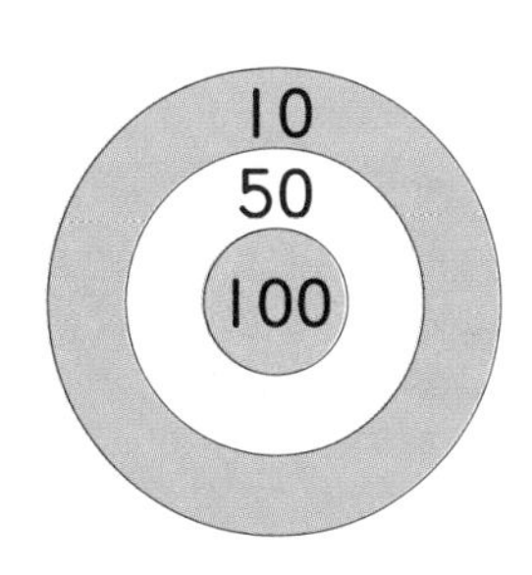

4

문제풀이

지유는 950원이 있었는데 일부를 다른 동전으로 바꾸었더니 동전 8개가 더 늘어났습니다. 동전을 바꿀 수 있는 방법은 모두 몇 가지인지 구하시오.

50

정답과 풀이 18쪽 ►

3-1. 큰 수, 작은 수

1 민주, 소희, 정수, 경미 네 사람이 각각 3장의 수 카드를 한 번씩 사용하여 세 자리 수를 만들려고 합니다. 가장 큰 수를 만들 수 있는 사람과 가장 작은 수를 만들 수 있는 사람을 찾아 차례로 이름을 쓰시오.

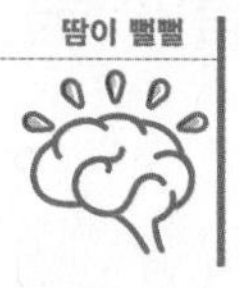

2 다음 수 카드 중 3장을 한 번씩 사용하여 만들 수 있는 세 자리 수 중 세 번째로 큰 수와 세 번째로 작은 수를 차례로 쓰시오.

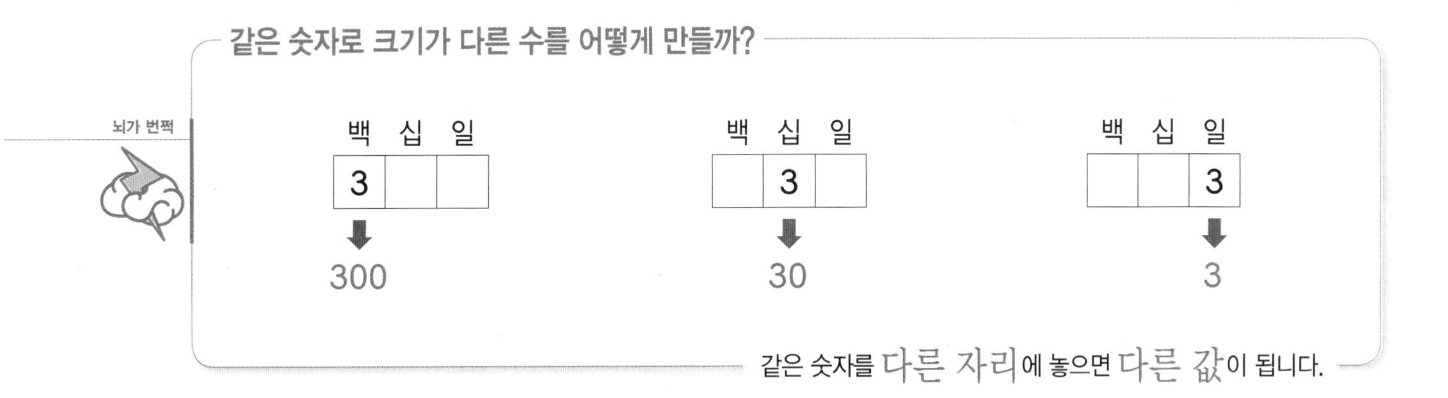

최상위 사고력

정우와 현서가 수 카드 3, 6, 6, 9 중 3장을 한 번씩 사용하여 세 자리 수를 만들었습니다. 정우가 636을 만들고 현서는 정우보다 큰 수를 만들었다고 할 때 현서가 만들 수 있는 수는 모두 몇 개인지 구하시오.

정답과 풀이 20쪽 ►

3-2. 뒤집힌 수 카드 맞히기

땀이 뻘뻘

1 서로 다른 한 자리 수(1, 2, 3 …… 9)가 적힌 3장의 수 카드 중 1장이 뒤집혀 있습니다. 수 카드를 한 번씩 사용하여 만들 수 있는 세 자리 수 중 가장 큰 수, 가장 작은 수가 될 수 있는 경우를 모두 찾으려고 합니다. 뒤집힌 카드의 수를 □라 할 때 빈칸에 알맞게 써넣으시오.

	□<3인 경우	3<□<6인 경우	6<□인 경우
가장 큰 수	63□		
가장 작은 수			

TIP 0은 한 자리 수가 아닙니다.

뇌가 번쩍

뒤집힌 수 카드가 있는 문제는 어떻게 풀까?

예 서로 다른 한 자리 수가 적힌 수 카드를 한 번씩 사용하여 가장 큰 세 자리 수 만들기

뒤집힌 카드의 수를 □라 하여 3가지 경우로 나누어 생각해 봅니다.

- □<4 ➡ 74□
- 4<□<7 ➡ 7□4
- 7<□ ➡ □74

구간을 나누어 생각합니다.

최상위 사고력 A

서로 다른 한 자리 수가 적힌 3장의 수 카드 중 1장이 뒤집혀 있습니다. 수 카드 [ ], [5], [8] 를 한 번씩 사용하여 세 번째로 큰 세 자리 수를 만들었더니 □85가 되었습니다. □ 안에 들어갈 수 있는 수를 모두 구하시오.

최상위 사고력 B

서로 다른 한 자리 수가 적힌 3장의 수 카드 중 1장이 뒤집혀 있습니다. 수 카드를 한 번씩 사용하여 만든 가장 큰 세 자리 수와 가장 작은 세 자리 수의 합이 1150입니다. 뒤집힌 카드의 수를 구하시오.

[2]  [7]

정답과 풀이 21쪽 ►

3-3. 여러 가지 조건에 맞는 수

1 가로와 세로로 숫자를 3개씩 묶어 조건에 맞는 세 자리 수를 모두 찾고 □ 안에 알맞은 수를 써넣으시오. (단, 수는 오른쪽 또는 아래쪽으로 읽습니다.)

(1) 십의 자리 숫자가 7보다 큰 수

8	5	2	9
3	9	1	0
7	3	4	9
8	1	8	6

[391] [ ] [ ]

(2) 각 자리 숫자의 합이 5인 수

3	2	1	2
8	4	1	2
4	2	3	0
7	3	1	4

[ ] [ ] [ ] [ ]

땀이 뻘뻘

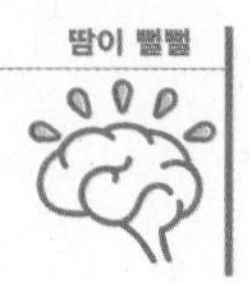

2 다음 |조건|에 맞는 수를 모두 구하시오.

|조건|
- 각 자리 숫자가 다른 세 자리 수입니다.
- 백의 자리 숫자는 6입니다.
- 각 자리 숫자의 합이 22입니다.

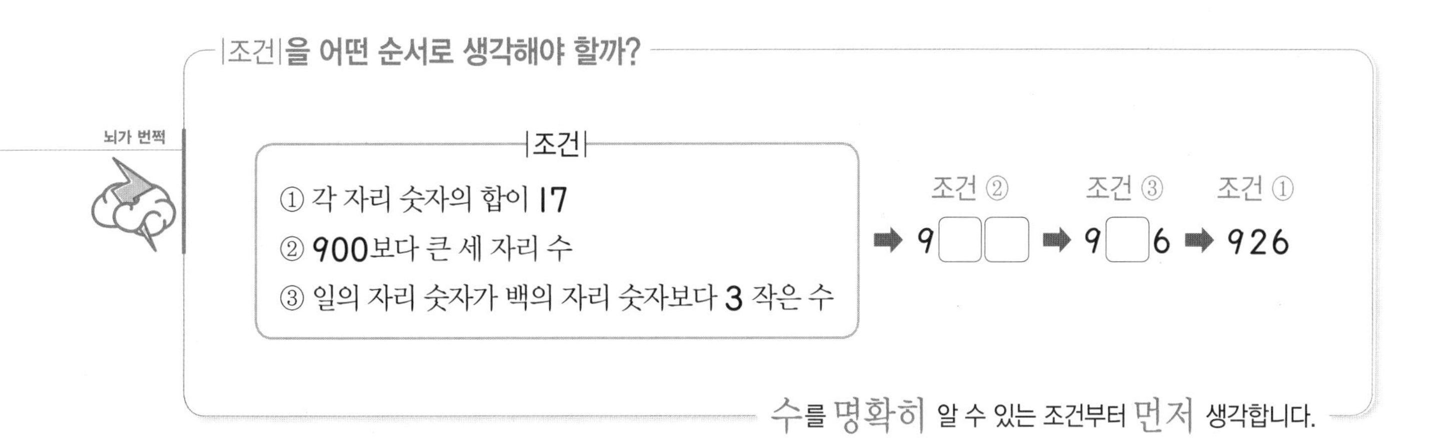

최상위 사고력

금고의 비밀번호는 600보다 작고 각 자리 숫자의 합이 7인 세 자리 수 중에서 여섯 번째로 큰 수입니다. 비밀번호를 구하시오.

정답과 풀이 22쪽 ►

최상위 사고력

1 다음 수 카드 중 3장을 한 번씩 사용하여 조건에 맞는 세 자리 수를 만드시오.

2 3 7 4 9

백의 자리 숫자가 2인 가장 큰 수	백의 자리 숫자가 7인 가장 작은 수

일의 자리 숫자가 7인 두 번째 큰 수	십의 자리 숫자가 2인 두 번째 작은 수

2 한 자리 수가 적힌 6장의 수 카드 중 1장이 뒤집혀 있습니다. 3장의 수 카드를 한 번씩 사용하여 만든 가장 큰 수가 975이고, 가장 작은 수가 135일 때 뒤집힌 카드의 수를 구하시오.

1 5 9 7 3

3 다음 |조건|에 맞는 세 자리 수는 모두 몇 개인지 구하시오.

|조건|

- 700보다 큰 홀수입니다.
- 일의 자리 숫자와 백의 자리 숫자가 같습니다.
- 각 자리 숫자의 합이 20보다 작습니다.

4 다음을 만족하는 세 자리 수 ㉠46, 7㉡4에서 ㉠과 ㉡으로 만들 수 있는 두 자리 수 ㉠㉡은 모두 몇 개인지 구하시오.

문제풀이

㉠46 < 7㉡4

정답과 풀이 23쪽 ►

1 고대 이집트 사람들은 다음과 같이 수를 나타내었습니다. 규칙을 찾아 □ 안에 알맞은 고대 이집트 수를 써넣으시오.

| + ||| = ||||　　||| + |||||||| = ∩|　　∩|||| + |||||||| = ∩∩||

∩∩∩∩∩∩∩∩∩ + ∩∩∩∩ = 𓍢∩∩∩

𓍢∩∩∩∩∩|||||| + 𓍢𓍢∩∩∩∩∩∩|||||||| = □

2 다음은 주판으로 수를 나타내는 방식입니다. □ 안에 알맞은 수를 써넣으시오.

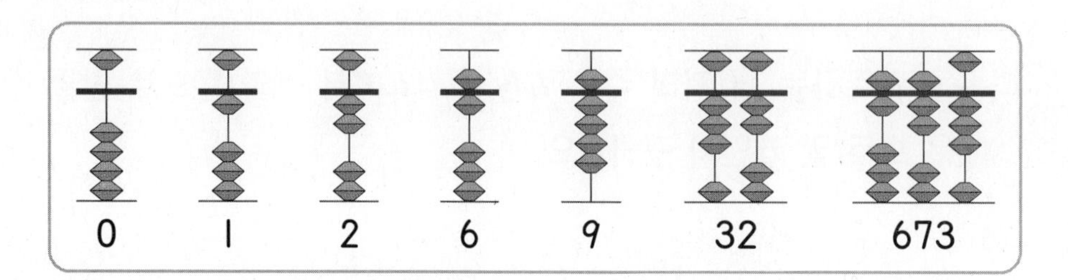

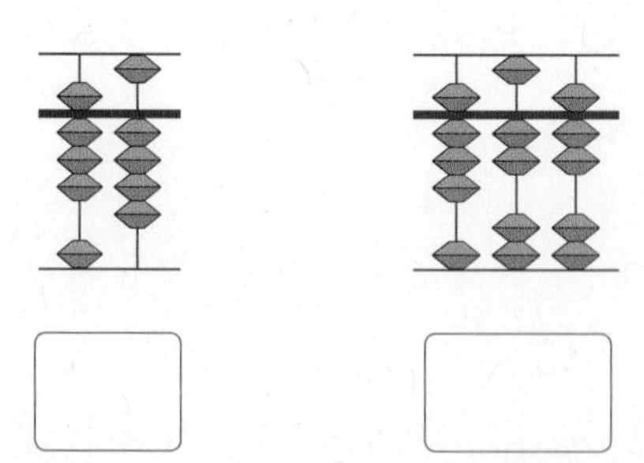

□　□

3 각 자리 숫자가 1씩 커지거나 1씩 작아지는 세 자리 수는 모두 몇 개인지 구하시오.

4 다음과 같이 빈 병을 가져가면 빈 병의 종류에 따라 돈으로 바꾸어 주는 가게가 있습니다. 민우는 빈 병 2개를 가져가 세 자리 금액을 받으려고 합니다. 민우가 받을 수 있는 금액은 모두 몇 가지인지 구하시오.

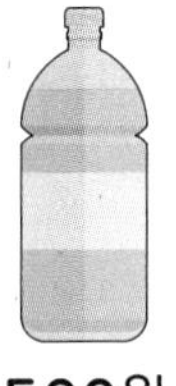
500원

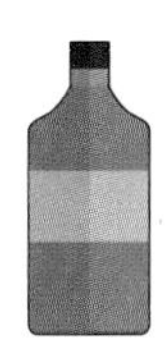
100원

50원

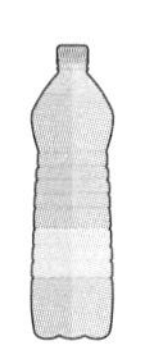
10원

정답과 풀이 24쪽 ►

5 다음 |조건|에 맞는 수를 모두 구하시오.

|조건|
- 500보다 작은 세 자리 수입니다.
- (백의 자리 숫자) > (십의 자리 숫자) > (일의 자리 숫자)
- 각 자리 숫자의 합이 6보다 작습니다.

6 서로 다른 한 자리 수가 적힌 수 카드 3장 중 1장이 뒤집혀 있습니다. 수 카드를 한 번씩 사용하여 세 번째로 큰 세 자리 수를 만들었더니 7□4가 되었습니다. □ 안에 들어갈 있는 수를 모두 구하시오.

7

수영이는 500원짜리, 100원짜리, 50원짜리 동전을 여러 개 가지고 있습니다. 가게에서 450원짜리 아이스크림 2개를 사는데 동전 11개를 냈다고 할 때 100원짜리 동전은 몇 개 냈는지 구하시오.

8

다음은 도형을 색칠하여 수를 나타낸 것입니다. 물음에 답하시오.

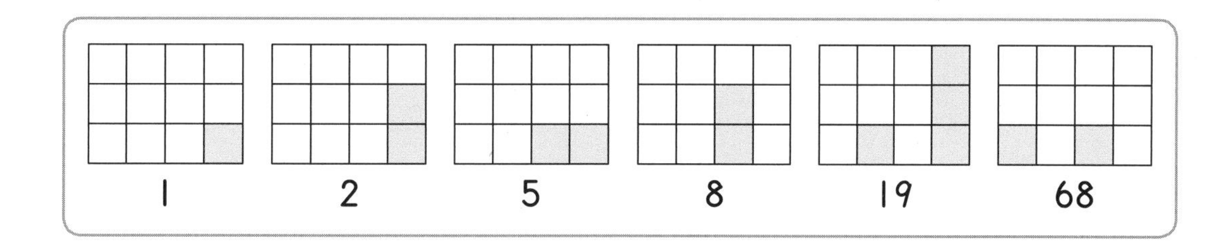

(1) 다음 도형이 나타내는 수는 얼마인지 구하시오.

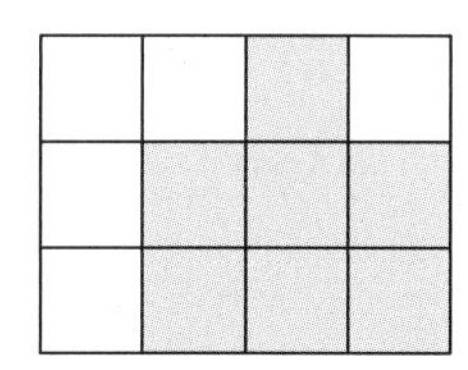

(2) 80에 알맞게 도형을 색칠하시오.

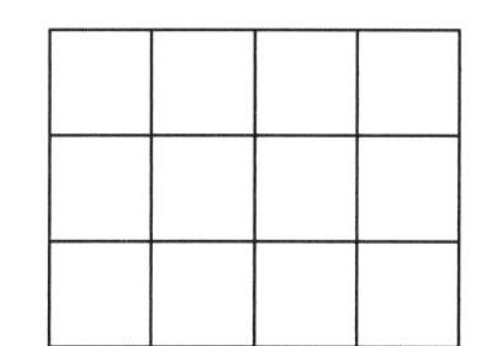

정답과 풀이 24쪽 ►

사고력이 톡톡

퍼즐판에 알맞은 조각은 무엇일까요?

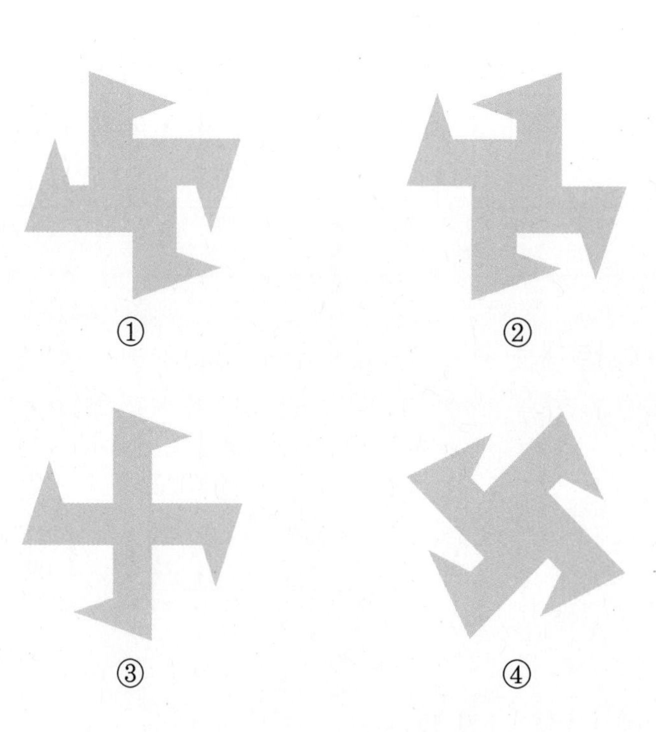

① ② ③ ④

정답과 풀이 26쪽 ►

도형

4-1. 모양을 나누어 도형 만들기

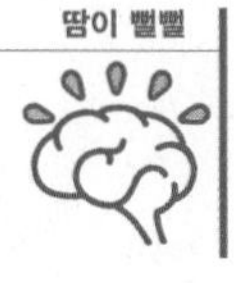

1 색종이에 곧은 선 2개를 그어 도형을 만들려고 합니다. 각각 다른 방법으로 곧은 선 2개를 그어 만들어지는 도형의 이름과 개수를 쓰시오. (단, 도형의 이름과 개수가 같으면 같은 방법으로 생각합니다.)

삼각형 4개

삼각형 2개

사각형 1개

육각형 1개

도형을 나눌 때 곧은 선을 어떻게 그을까?

뇌가 번쩍

방법1 꼭짓점과 꼭짓점 잇기

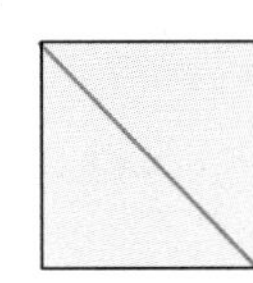

삼각형 2개

방법2 꼭짓점과 변 잇기

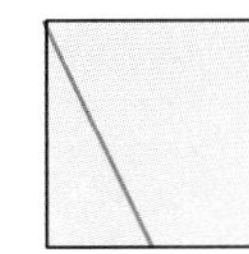

삼각형 1개
사각형 1개

방법3 변과 변 잇기

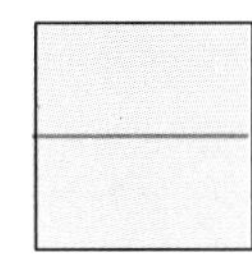

사각형 2개

삼각형 1개
오각형 1개

최상위 사고력

주어진 도형의 개수만큼 만들어지도록 곧은 선 2개를 그으시오.

(1)

사각형 3개
오각형 1개

(2)

삼각형 1개
사각형 1개
오각형 1개
육각형 1개

정답과 풀이 27쪽 ►

4-2. 모양을 겹쳐서 도형 만들기

1 겹쳐진 부분을 찾아 색칠하고 색칠한 도형의 개수를 각각 쓰시오.

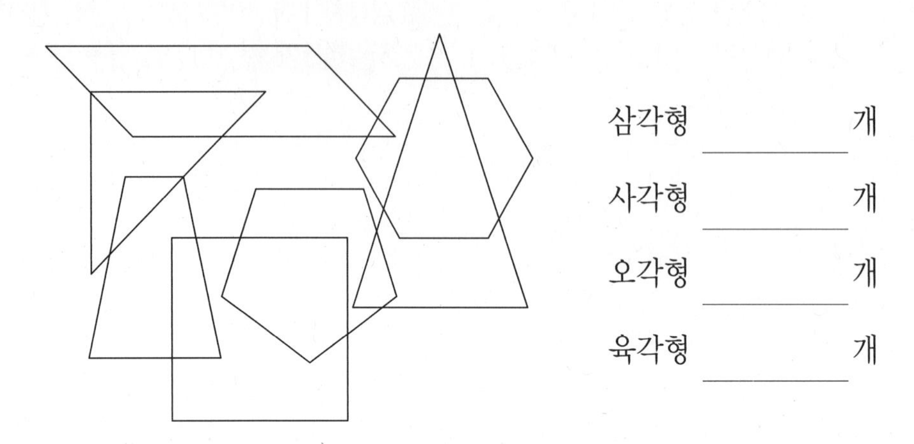

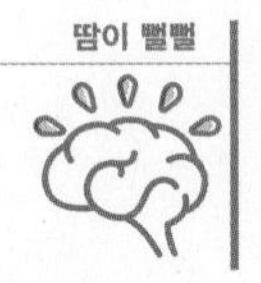

2 크기와 모양이 같은 삼각형 2개를 겹쳤을 때 겹쳐진 부분의 모양이 오각형과 육각형이 되도록 그리시오.

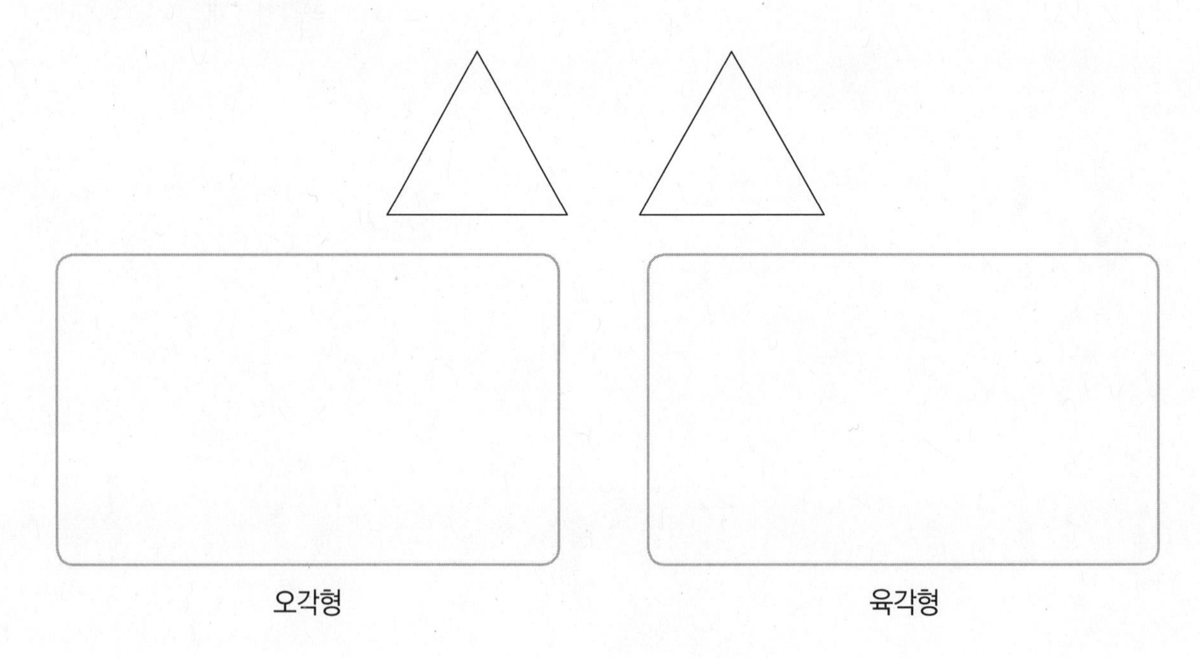

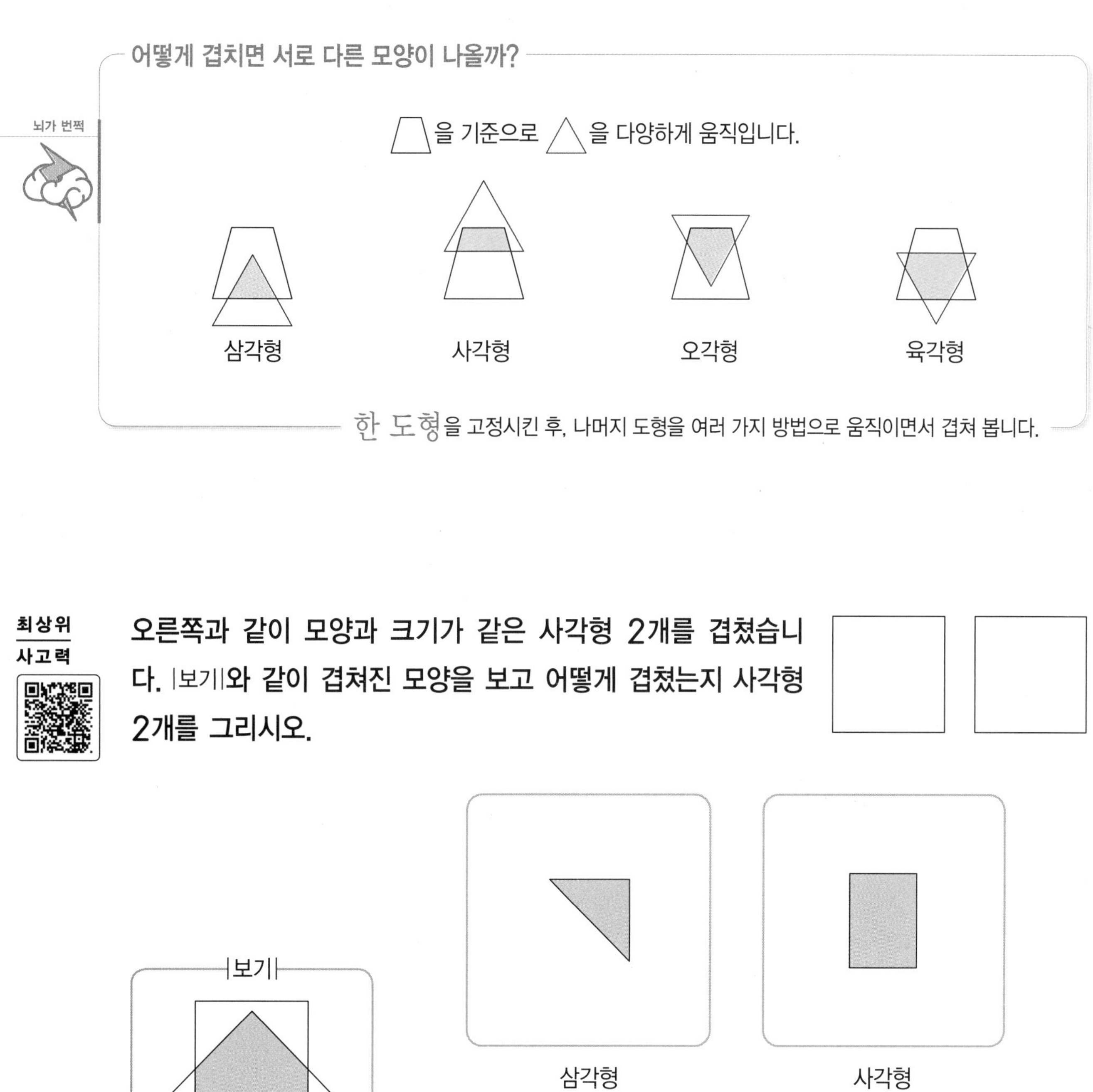

최상위 사고력

오른쪽과 같이 모양과 크기가 같은 사각형 2개를 겹쳤습니다. |보기|와 같이 겹쳐진 모양을 보고 어떻게 겹쳤는지 사각형 2개를 그리시오.

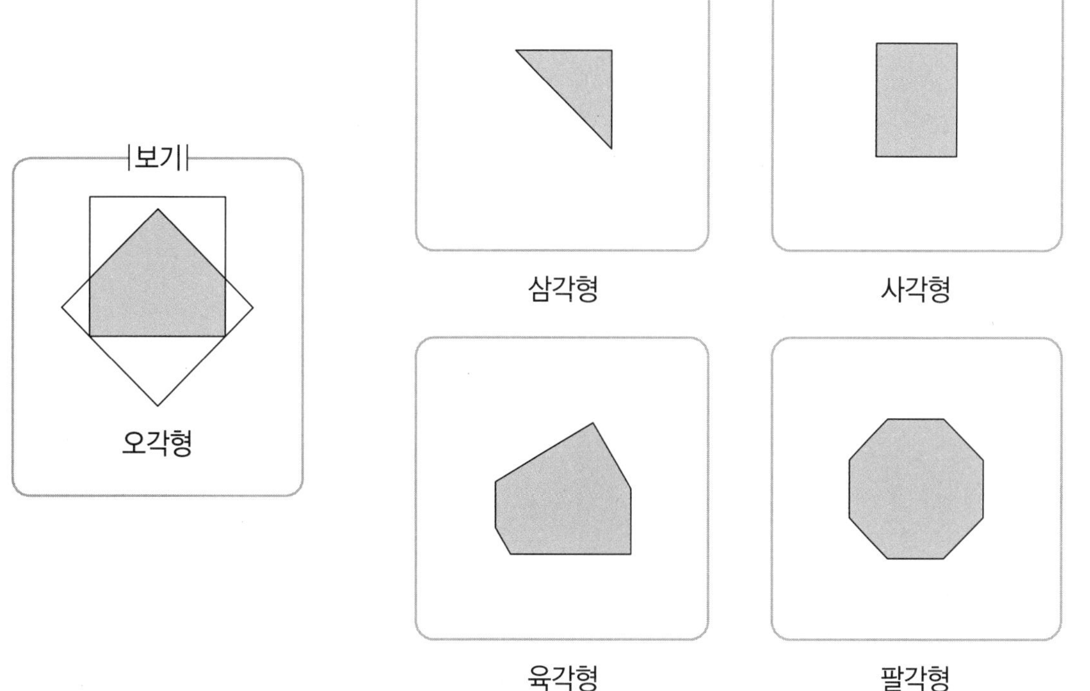

4-3. 색종이로 도형 만들기

1 |보기|와 같이 색종이를 반으로 접은 후 빨간색 선을 따라 잘랐습니다. 펼쳤을 때의 모양을 그리시오.

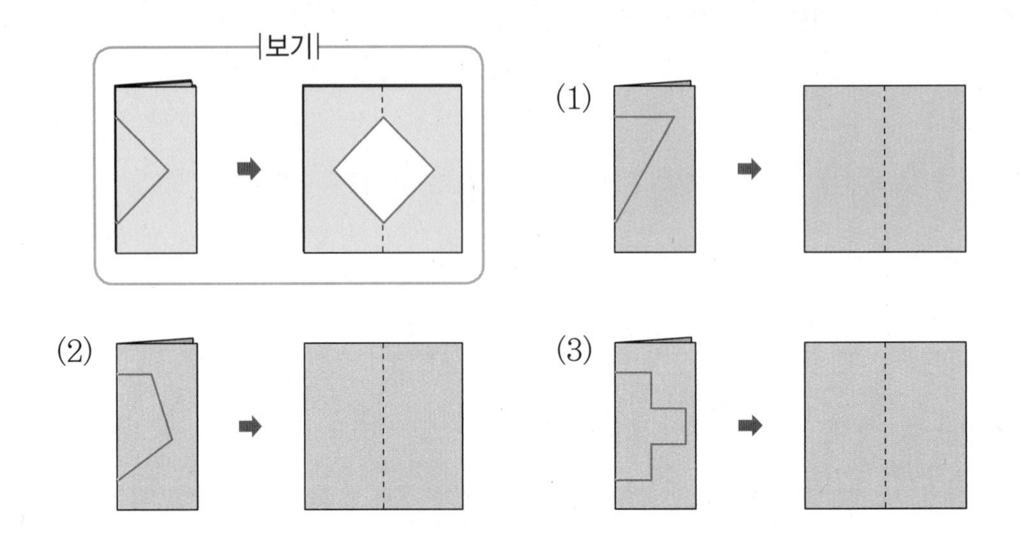

2 그림과 같이 색종이를 2번 접은 후 빨간색 선을 따라 자르면 삼각형과 사각형은 각각 몇 개입니까?

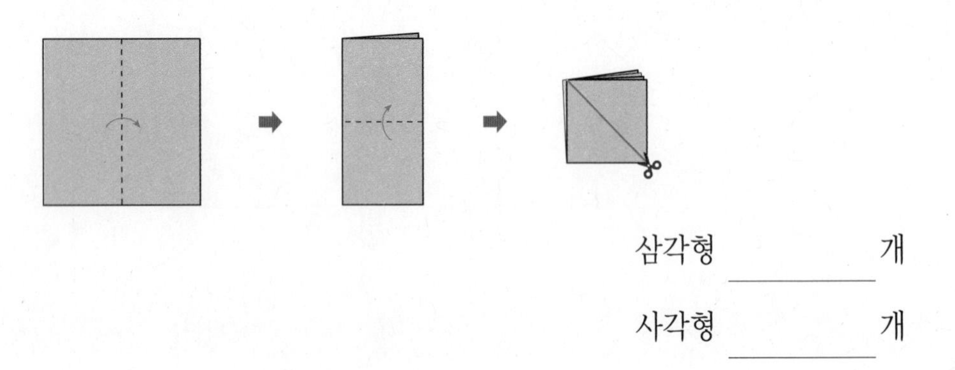

삼각형 ________ 개

사각형 ________ 개

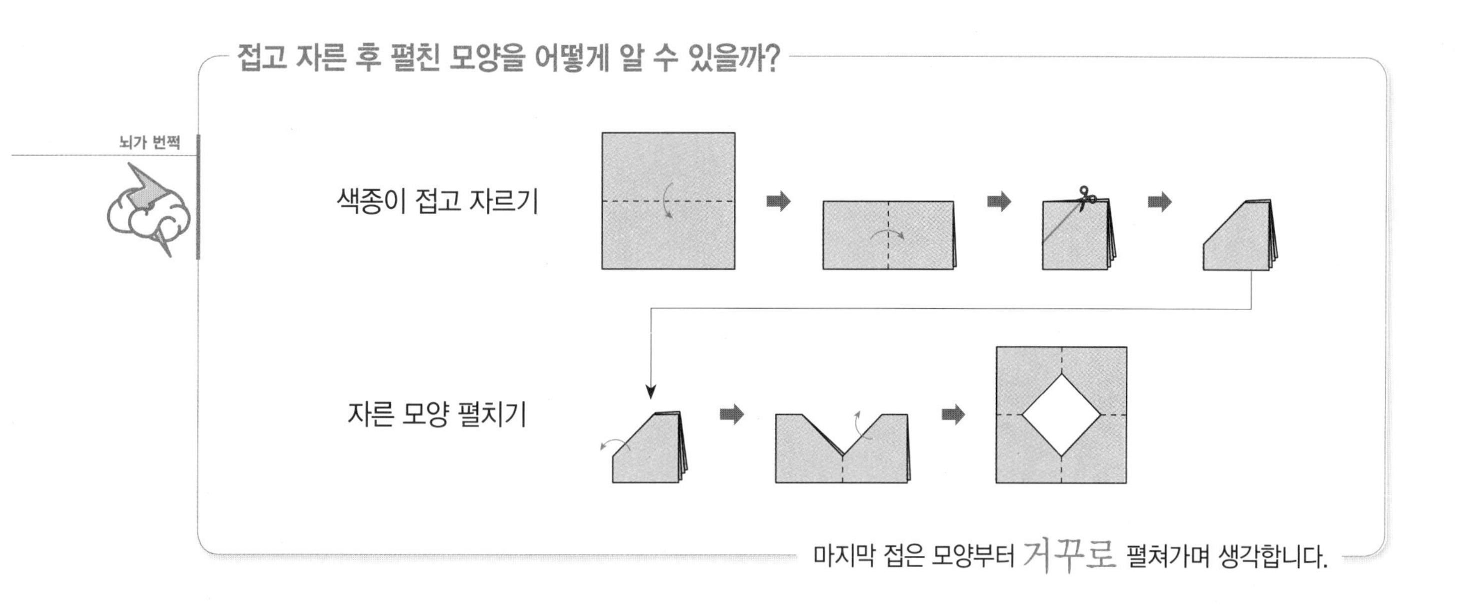

최상위 사고력

그림과 같이 색종이를 2번 접은 후 빨간색 선을 따라 자르면 어떤 도형이 몇 개 만들어 집니까?

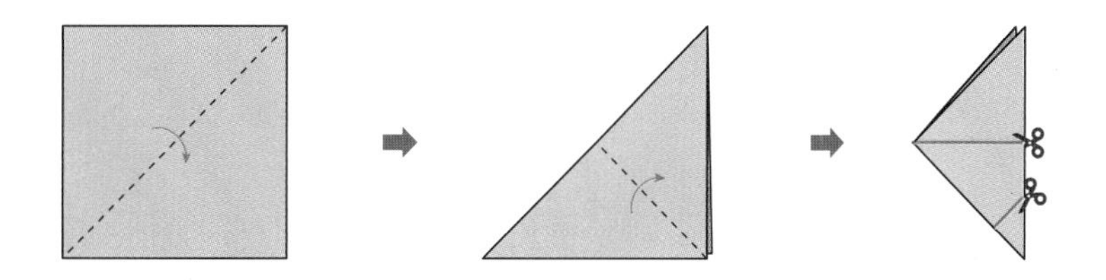

정답과 풀이 29쪽 ►

최상위 사고력

1 주어진 도형의 개수만큼 만들어지도록 곧은 선 2개를 그으시오.

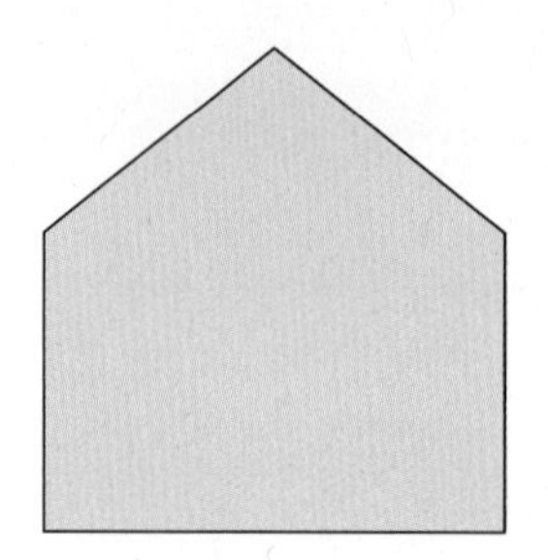

삼각형 1개
사각형 1개
오각형 1개

2 사각형 2개를 겹쳤을 때 겹쳐진 부분의 모양이 될 수 있는 것을 모두 찾아 기호를 쓰시오.

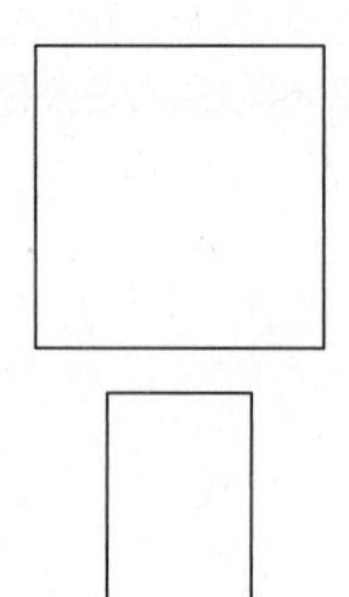

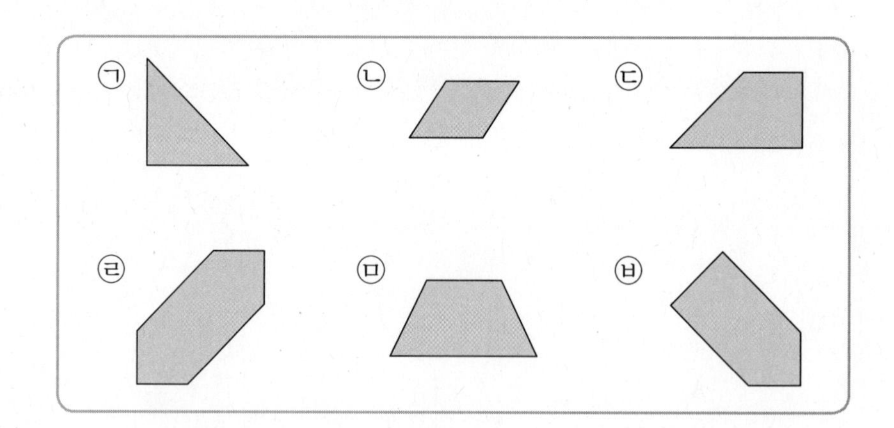

| 경시대회 기출 |

3

문제풀이

한쪽 면에만 수가 적힌 색종이를 수가 보이도록 접은 후 빨간색 선을 따라 주황색 부분을 잘라 냈습니다. 잘려 나간 부분에 있는 수의 합을 구하시오.

1	2	4	3
3	4	2	1
2	1	3	4
4	3	1	2

➡

1	2	4	3
3	4	2	1

➡

4	3
2	1

4

문제풀이

그림과 같이 색종이를 접은 후 빨간색 선을 따라 자르면 어떤 도형이 몇 개 만들어집니까?

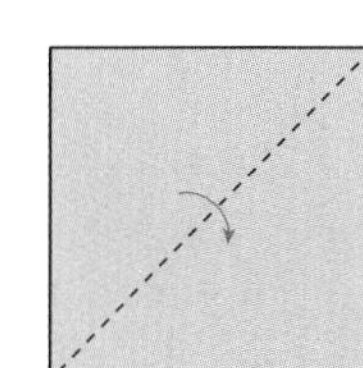
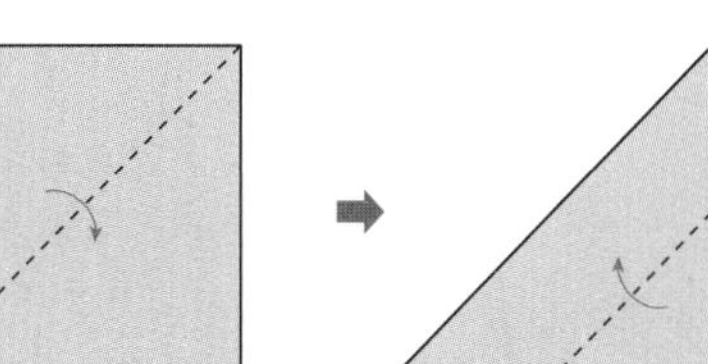
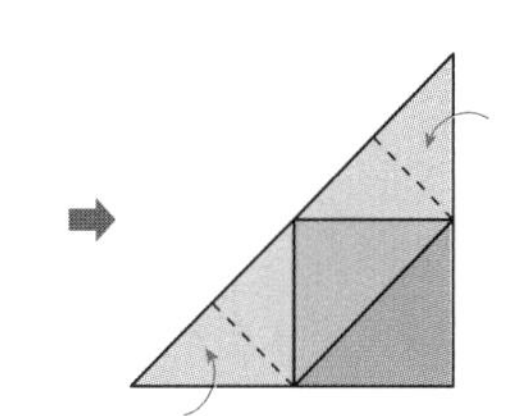
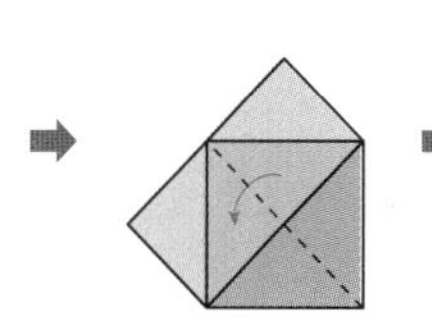
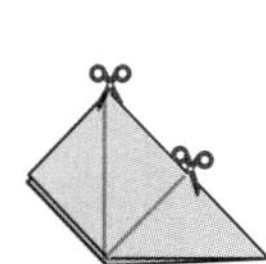

정답과 풀이 30쪽 ►

5-1. 곧은 선을 따라 도형 그리기

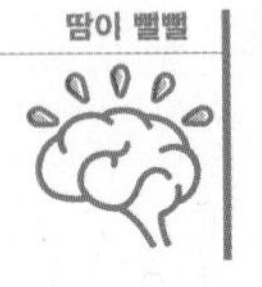

1 |보기|와 같이 작은 도형 3개를 색칠하여 삼각형, 사각형, 오각형, 육각형을 각각 1개씩 만드시오.

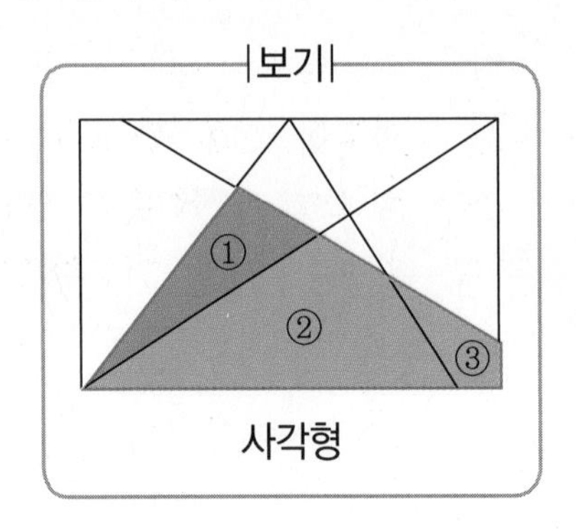

최상위 사고력 A

다음 그림에서 찾을 수 있는 크고 작은 삼각형을 모두 찾아 색칠하시오. (단, 돌리거나 뒤집어서 같은 모양은 같은 것으로 생각합니다.)

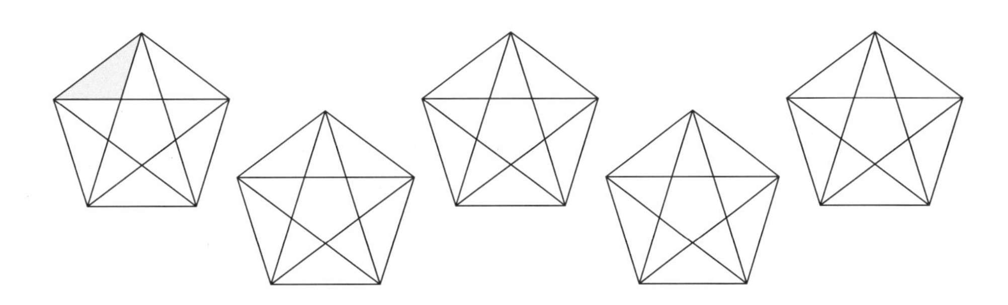

최상위 사고력 B

칠교판의 다섯 조각을 이용하여 다음 도형을 만드시오.

(1) 사각형

(2) 육각형

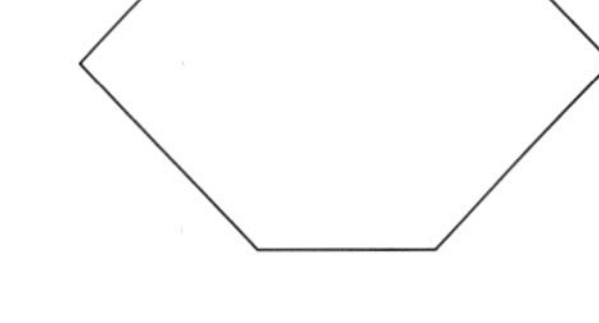

5-2. 크고 작은 도형의 개수 구하기

1 그림에서 찾을 수 있는 크고 작은 삼각형의 수를 빈칸에 써넣으시오.

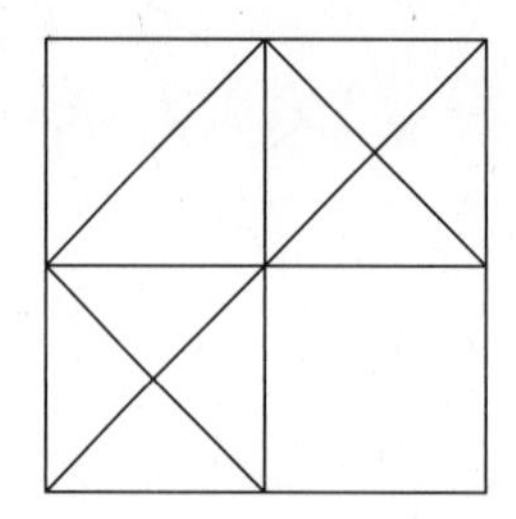

작은 도형의 수(개)	1	2	3	4	5	6
삼각형의 수(개)	10					

2 그림에서 찾을 수 있는 크고 작은 삼각형은 모두 몇 개입니까?

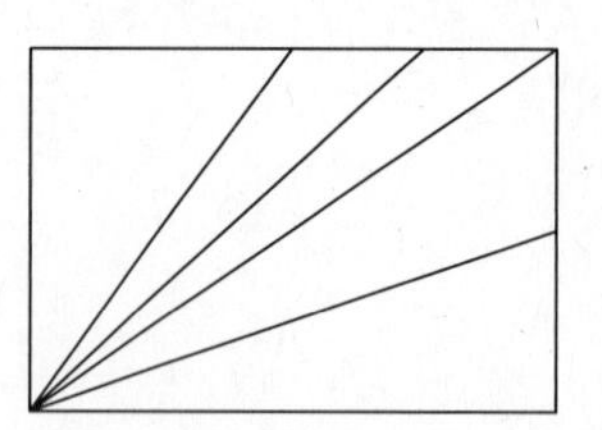

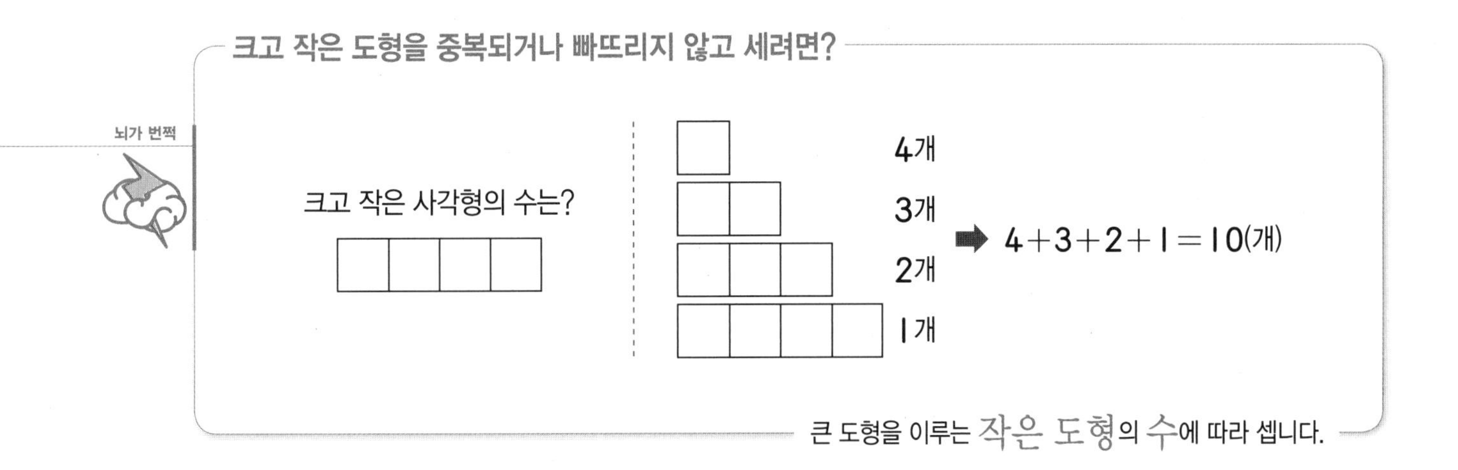

최상위 사고력

그림에서 찾을 수 있는 크고 작은 사각형은 모두 몇 개입니까?

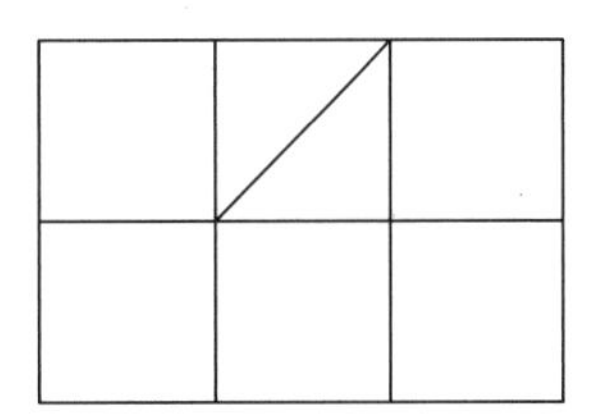

5-3. 개수에 맞게 곧은 선 긋기

1 4개의 삼각형에 2개의 곧은 선을 그었습니다. 각각의 그림에서 찾을 수 있는 크고 작은 삼각형은 모두 몇 개입니까?

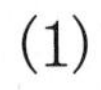
(1)

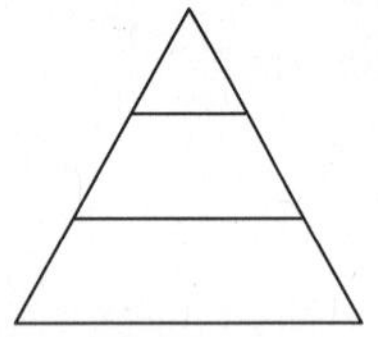

(2)

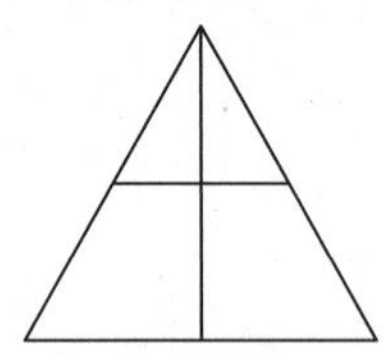

(3)

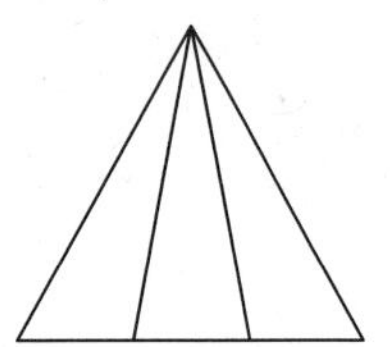

(4)

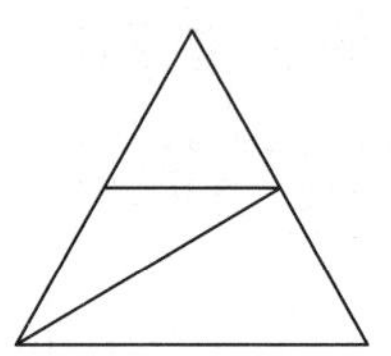

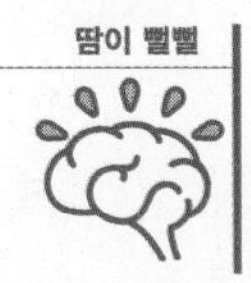

2 다음 도형에서 크고 작은 삼각형의 수가 가장 많아지도록 곧은 선 2개를 긋고, 이때 찾을 수 있는 크고 작은 삼각형은 모두 몇 개인지 구하시오.

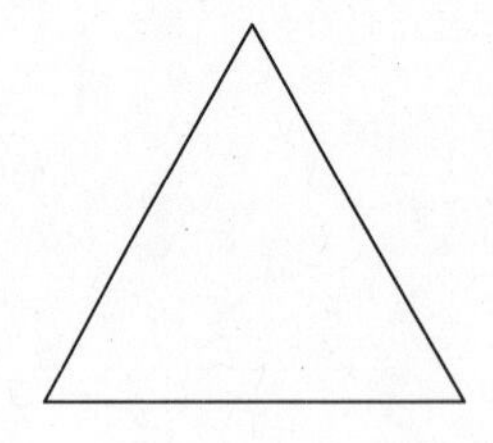

뇌가 번쩍

어떻게 곧은 선을 그어야 도형의 개수가 달라질까?

방법1 꼭짓점과 꼭짓점 잇기

삼각형 4개

방법2 꼭짓점과 변 잇기

삼각형 2개
사각형 2개

방법3 변과 변 잇기

사각형 4개

곧은 선의 처음과 끝을 꼭짓점 또는 변에 놓습니다.

최상위 사고력

다음 도형에 크고 작은 삼각형의 수가 가장 많아지도록 곧은 선 2개를 긋고, 이때 찾을 수 있는 크고 작은 삼각형은 모두 몇 개인지 구하시오.

정답과 풀이 33쪽 ►

1 칠교판의 조각을 이용하여 만든 모양에서 찾을 수 있는 크고 작은 도형의 개수를 각각 쓰시오.

(1)

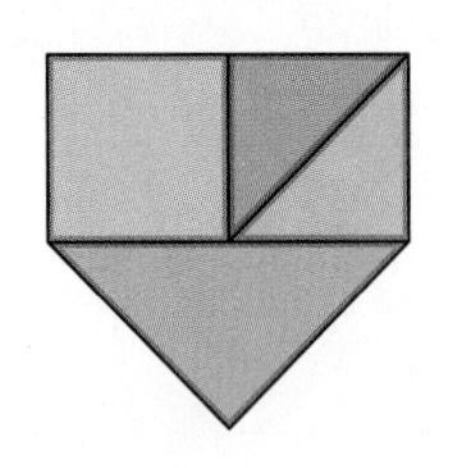

삼각형 ______ 개

사각형 ______ 개

오각형 ______ 개

(2)

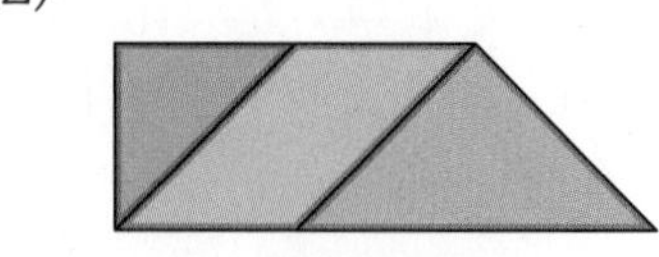

삼각형 ______ 개

사각형 ______ 개

2 다음 그림에서 ★을 포함하는 크고 작은 사각형의 개수를 구하시오.

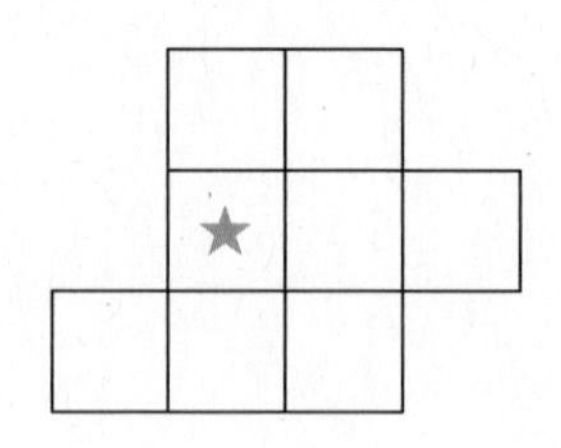

| 경시대회 기출 |

3

다음 도형에서 찾을 수 있는 크고 작은 도형의 개수를 각각 구하시오.

(1) 삼각형의 개수

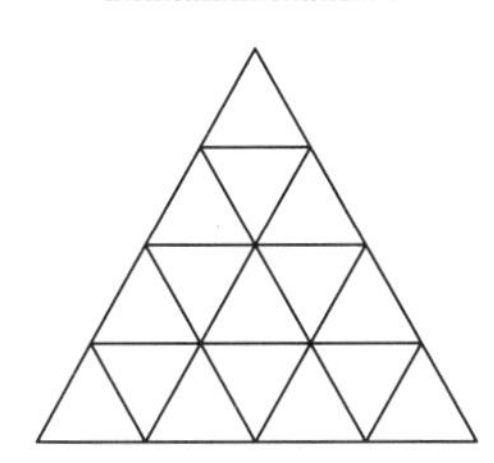

(2) 사각형의 개수

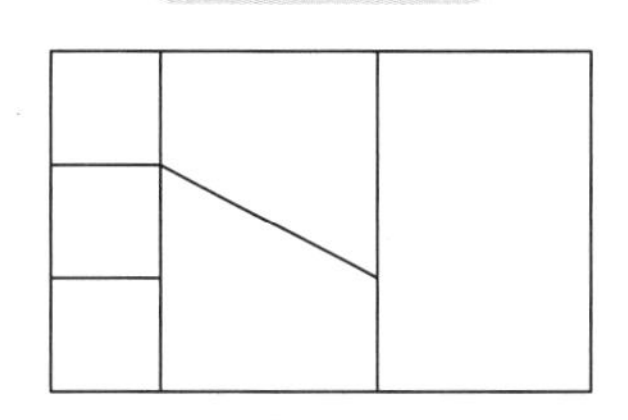

4

문제풀이

다음 도형에 크고 작은 사각형의 수가 가장 많아지도록 곧은 선 2개를 긋고, 이때 찾을 수 있는 크고 작은 사각형은 모두 몇 개인지 구하시오.

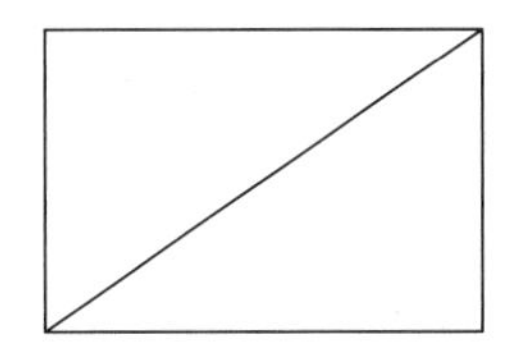

6-1. 닫힌 선 위의 점을 이어서 도형 만들기

1 다음 도형에서 서로 다른 두 꼭짓점을 잇는 곧은 선을 모두 그으려고 합니다. 곧은 선은 몇 개씩 그을 수 있습니까? (단, 이웃한 두 꼭짓점을 잇는 곧은 선은 세지 않습니다.)

(1) 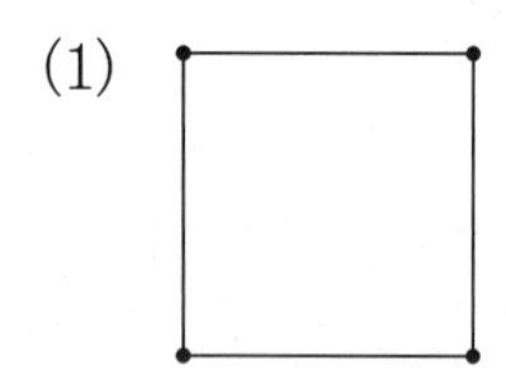

(2) 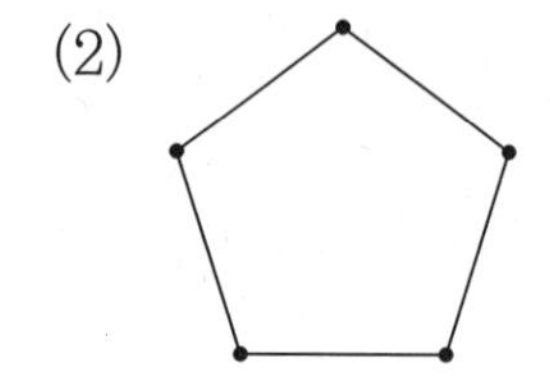

(3) 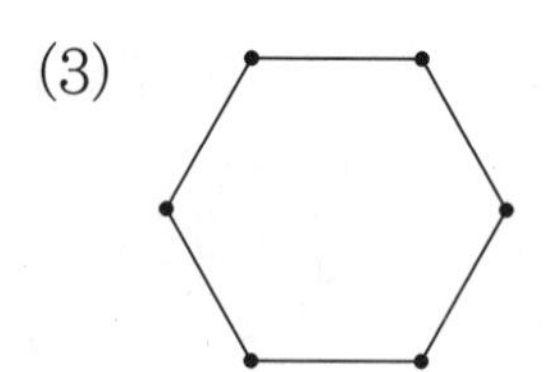

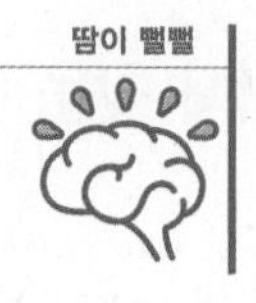

2 원 위에 6개의 점이 있습니다. 서로 다른 두 점을 이어 그을 수 있는 곧은 선은 모두 몇 개입니까?

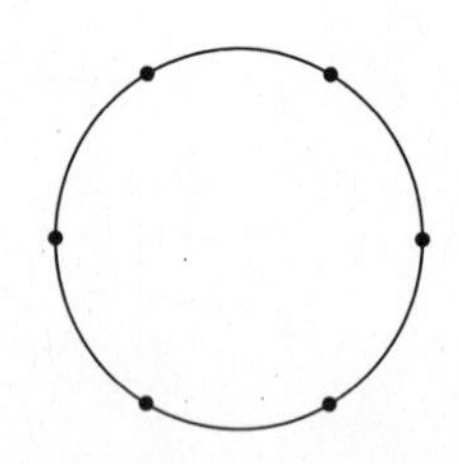

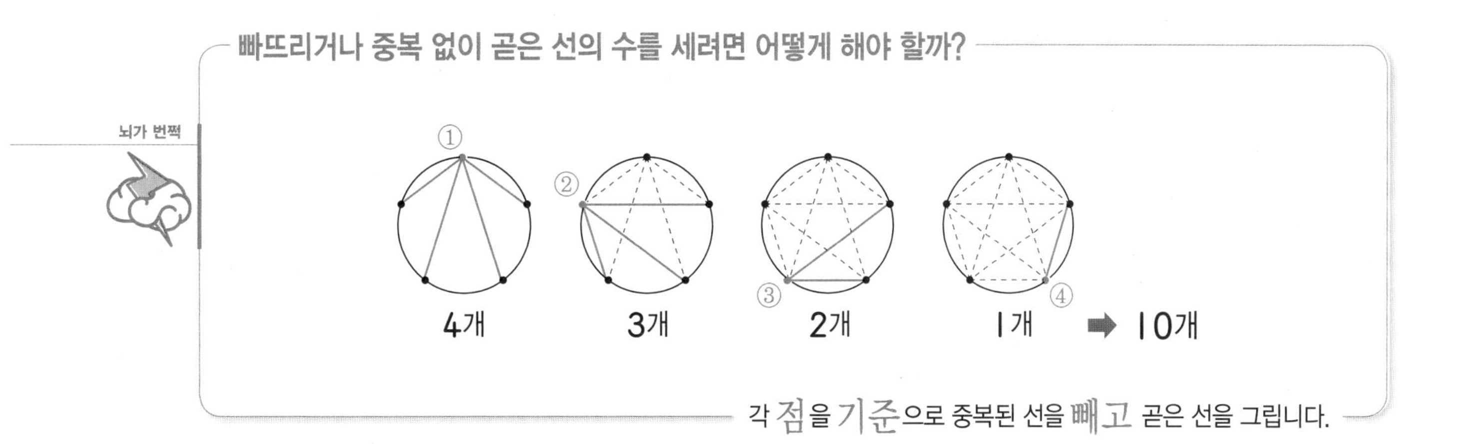

최상위 사고력

원 위의 5개의 점 중에서 세 점을 이어서 삼각형을 만들려고 합니다. 크고 작은 삼각형을 모두 그리시오. (단, 모양이 같더라도 꼭짓점이 다르면 다른 것으로 봅니다.)

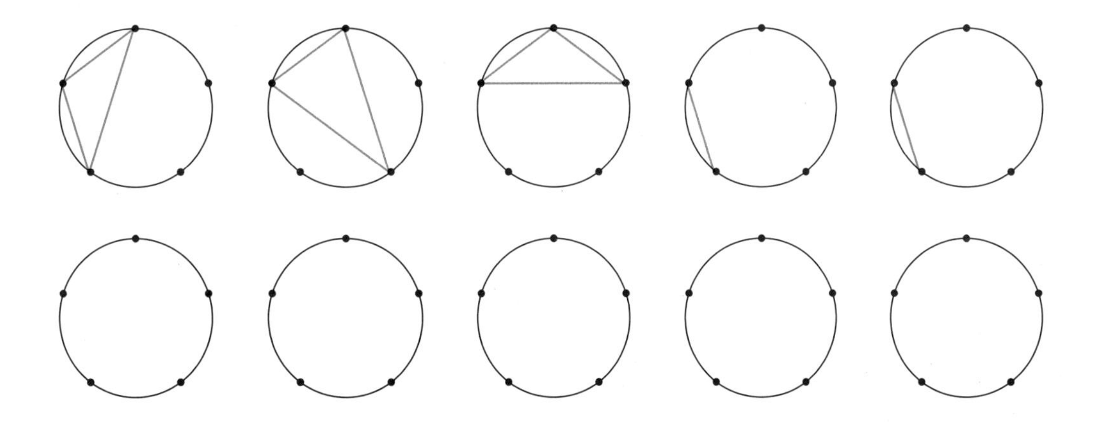

정답과 풀이 35쪽 ►

6-2. 열린 선 위의 점을 이어서 도형 만들기

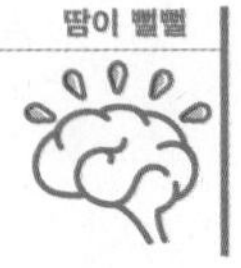

1 점판 아래의 수는 삼각형을 그릴 때 지나는 점의 개수입니다. 지나는 점의 개수에 맞게 서로 다른 삼각형을 모두 그리시오. (단, 모양이 같더라도 꼭짓점이 다르면 다른 것으로 봅니다.)

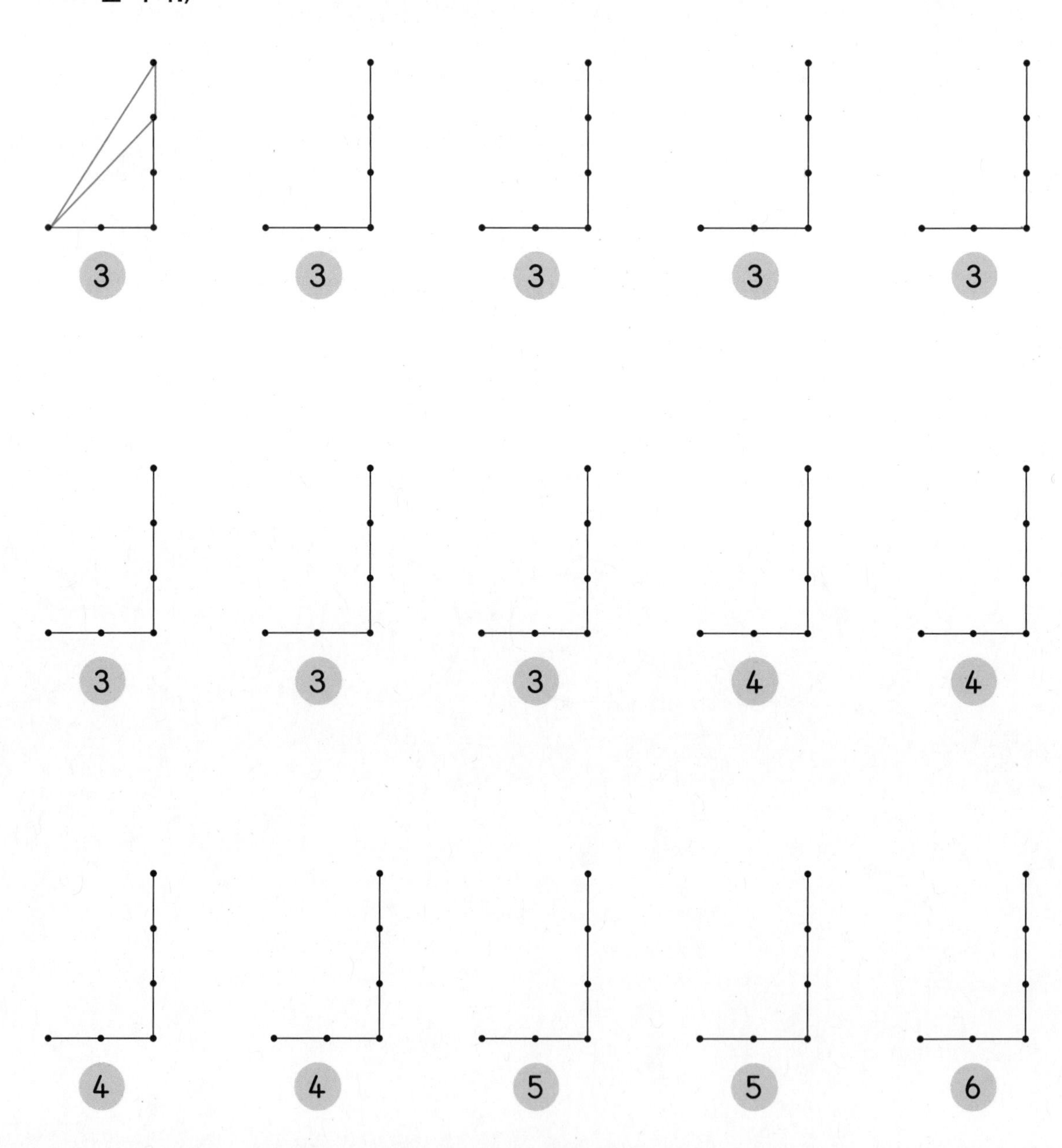

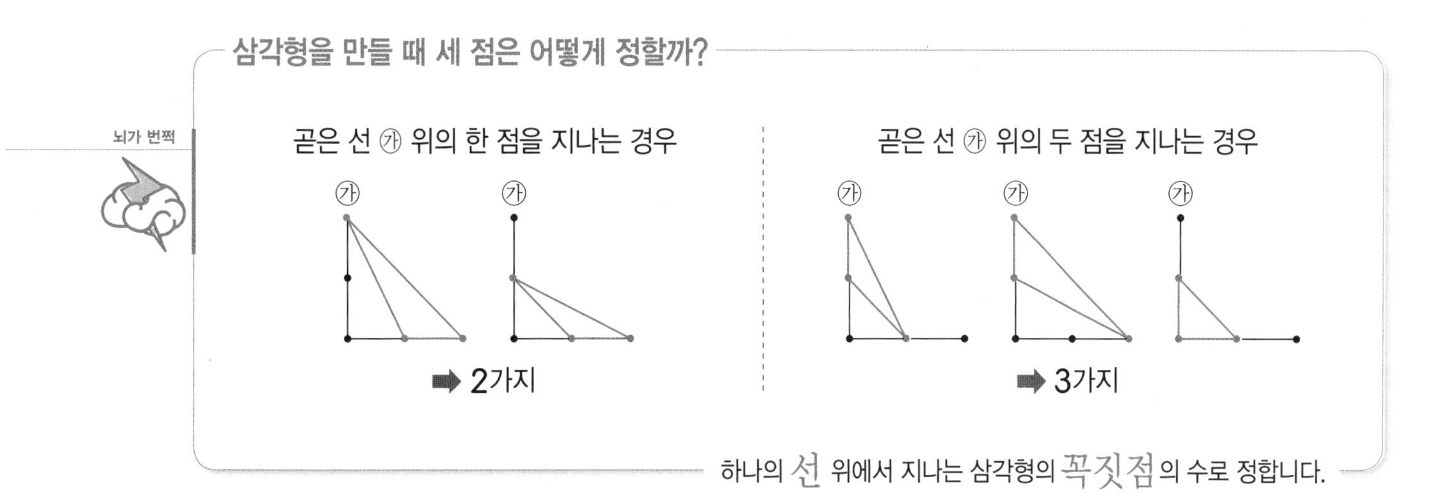

최상위 사고력

두 개의 곧은 선 위에 6개의 점이 찍혀 있습니다. 이 점을 꼭짓점으로 하는 크고 작은 사각형은 모두 몇 개입니까? (단, 모양이 같더라도 꼭짓점이 다르면 다른 것으로 봅니다.)

정답과 풀이 36쪽 ►

6-3. 점을 이어서 크고 작은 도형 만들기

1 일정한 간격으로 찍힌 점을 이어서 크고 작은 삼각형을 모두 만들었습니다. 각각의 삼각형과 크기와 모양이 같은 삼각형은 몇 개인지 구하시오.

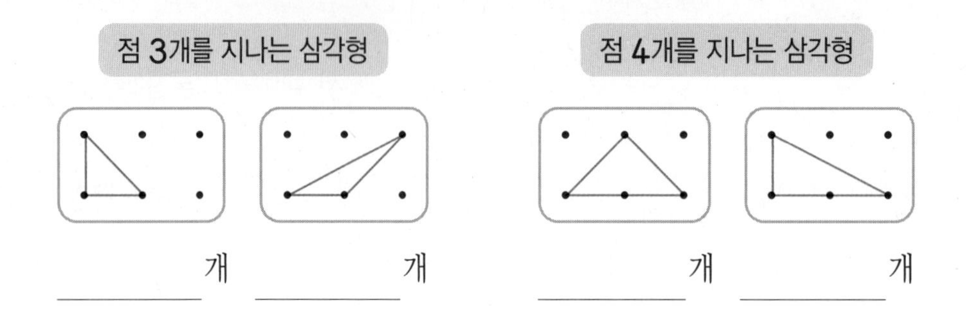

______ 개 ______ 개 ______ 개 ______ 개

2 주어진 개수의 점을 지나는 크고 작은 사각형을 모두 만들고, 각각의 사각형과 크기와 모양이 같은 사각형은 몇 개인지 구하시오.

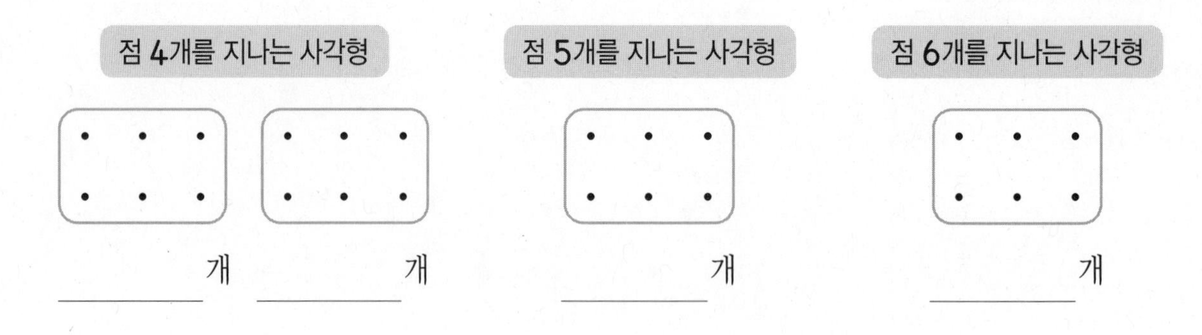

______ 개 ______ 개 ______ 개 ______ 개

최상위 사고력 A

다음과 같은 |조건|의 점 종이에서 4개의 점을 이어서 크고 작은 사각형을 모두 만들고, 각각의 사각형과 크기와 모양이 같은 사각형은 몇 개인지 구하시오.

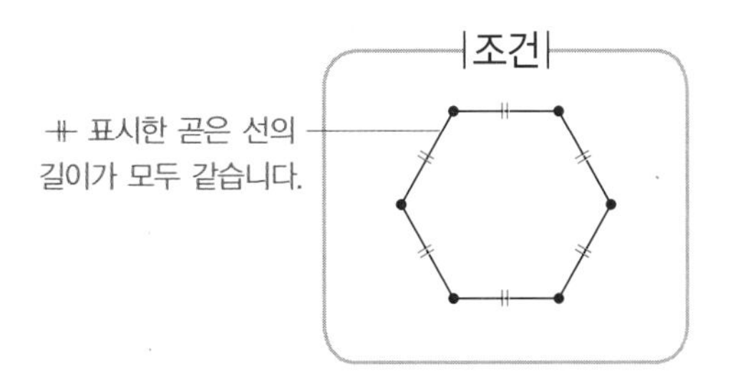

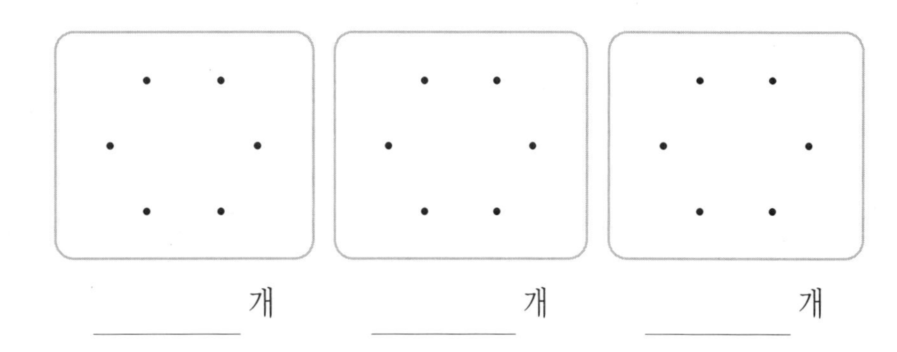

______ 개　______ 개　______ 개

최상위 사고력 B

점을 이어서 만들 수 있는 크고 작은 삼각형은 모두 몇 개입니까?

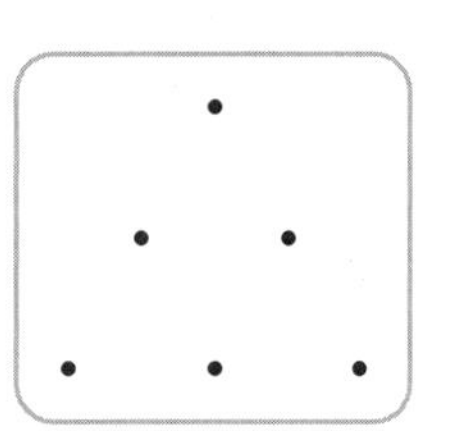

최상위 사고력

1 각 꼭짓점의 수의 합이 주어진 수가 되도록 사각형을 그리시오.

(1) 16

1.	2.	3.
4.	5.	6.
7.	8.	9.

(2) 20

1.	2.	3.
4.	5.	6.
7.	8.	9.

2 곧은 선 위의 점을 이어서 그릴 수 있는 크고 작은 삼각형은 모두 몇 개입니까? (단, 모양이 같더라도 꼭짓점이 다르면 다른 것으로 생각합니다.)

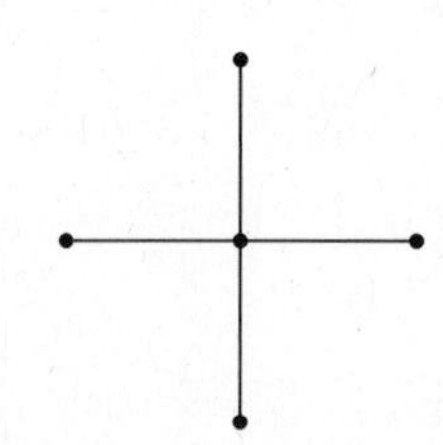

3 일정한 간격으로 찍힌 점을 이어서 크고 작은 사각형을 모두 만들고, 각각의 사각형과 크기와 모양이 같은 사각형은 몇 개인지 구하시오.

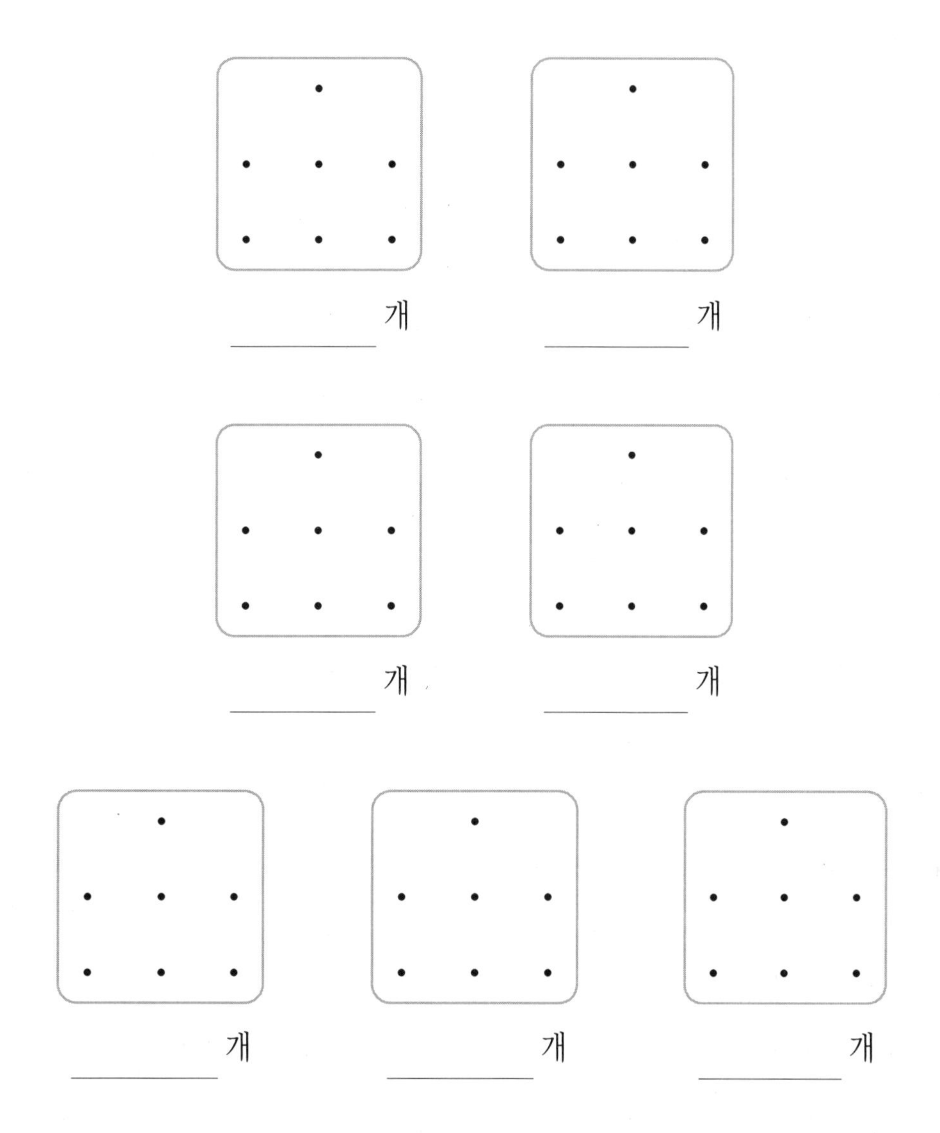

정답과 풀이 39쪽 ►

7-1. 쌓기나무로 만든 모양

1 왼쪽의 쌓기나무 중 한 개를 옮겨 4가지 모양을 만들었습니다. 옮긴 쌓기나무를 찾아 ○표 하시오.

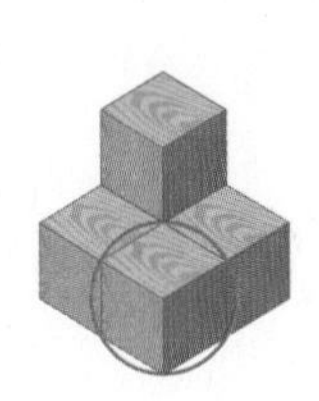

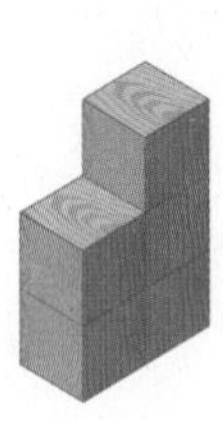

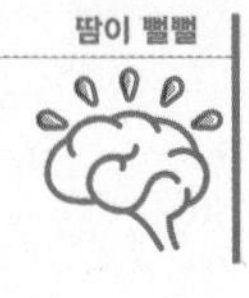

2 왼쪽 모양을 바르게 설명한 사람을 찾아 이름을 쓰시오. (단, 사용한 쌓기나무는 7개입니다.)

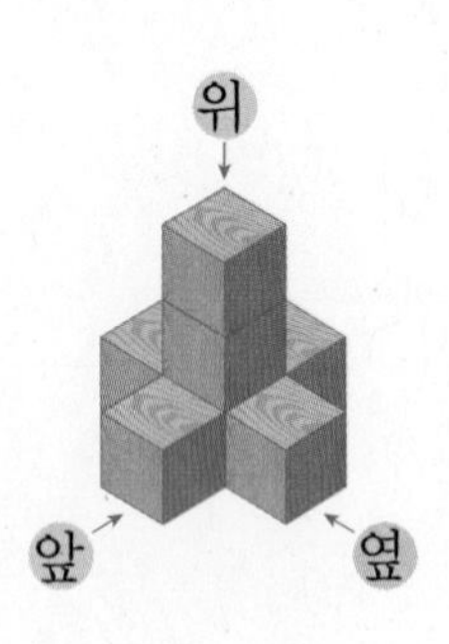

은수: 보이지 않는 쌓기나무는 2개야.
지아: 1층에 놓인 쌓기나무는 모양이야.
민수: 위에서 본 모양과 앞에서 본 모양이 같아.

최상위 사고력

쌓기나무를 위에서 본 모양의 각 자리에 쌓인 쌓기나무의 개수를 써넣은 표를 쌓기표라고 합니다. 설명에 맞는 모양을 쌓기표로 바르게 나타낸 것을 찾아 기호를 쓰시오.

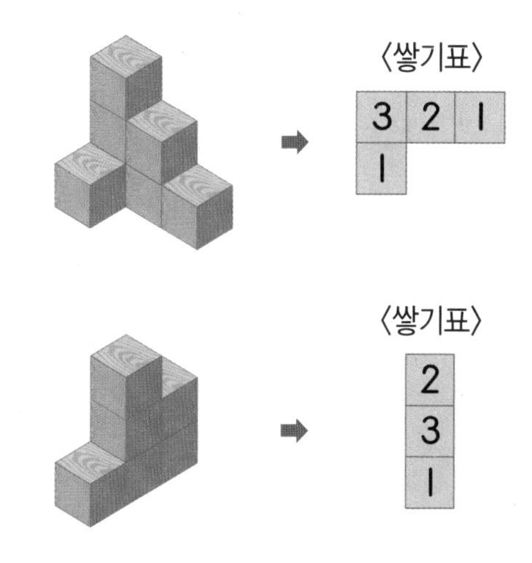

- 쌓기나무 7개로 만들었습니다.
- 2층에는 2개의 쌓기나무가 있습니다.
- 위와 앞에서 본 모양이 같습니다.

㉠ 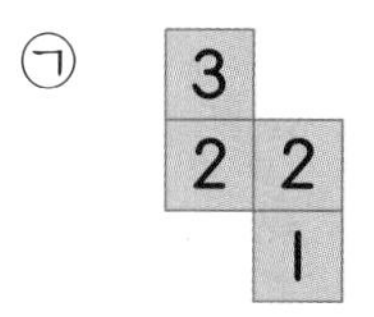

㉡ 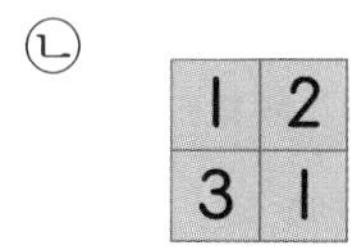

㉢ 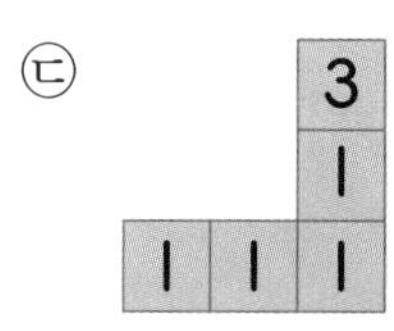

㉣

	1	2
1	2	1

㉤

	3	
2	2	1

㉥

2	1	
2	1	1

정답과 풀이 40쪽 ►

7-2. 윤곽선 그리기

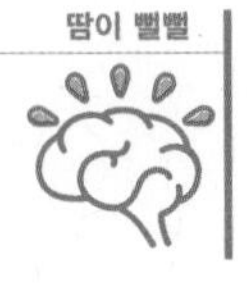

1 |보기|와 같이 모양의 테두리 선만 남기고 안쪽 선을 모두 지운 것을 윤곽선이라고 합니다. 곧은 선을 그어 윤곽선을 완성하시오.

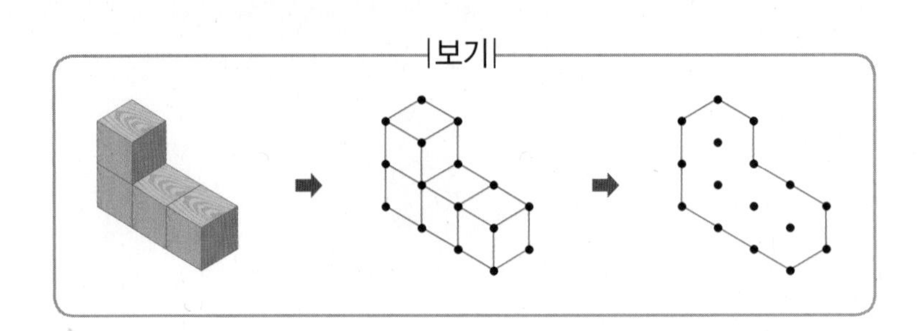

(1)

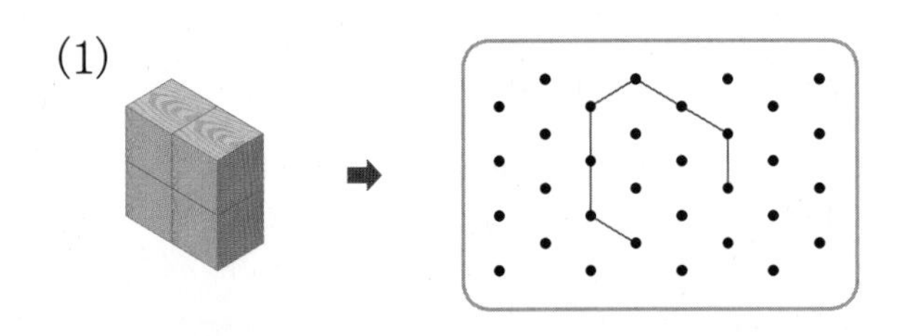

(2)

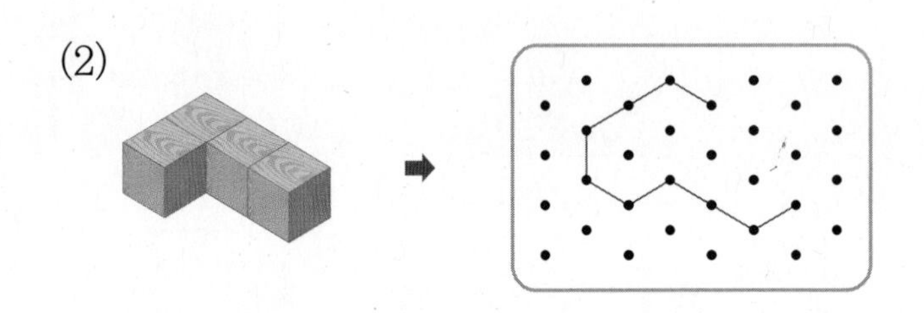

(3)

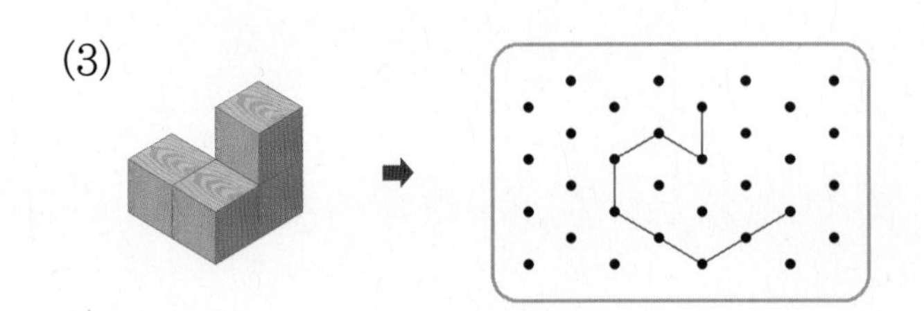

최상위 사고력 A

왼쪽 모양을 보고 점판 위에 윤곽선을 그리시오.

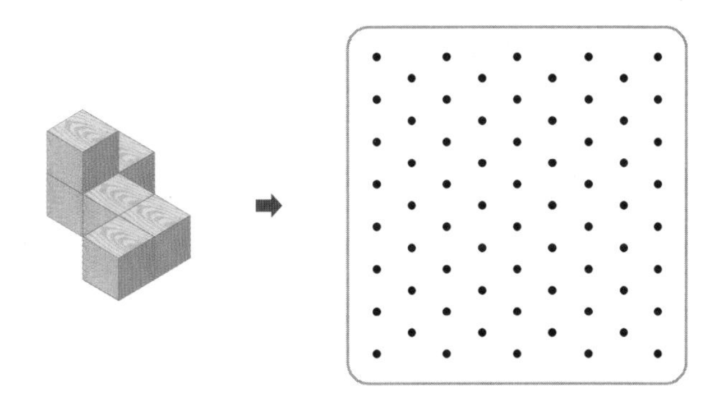

최상위 사고력 B

쌓기나무로 쌓은 모양을 윤곽선으로 나타낸 것입니다. 사용한 쌓기나무가 가장 많은 것부터 차례로 기호를 쓰시오.

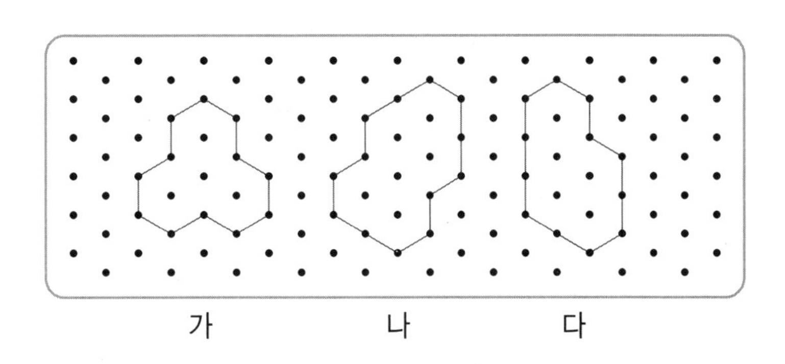

정답과 풀이 40쪽 ►

7-3. 위, 앞, 옆에서 본 모양

1 쌓기나무를 쌓아 만든 모양을 보고 위, 앞, 옆에서 본 모양을 그리시오.

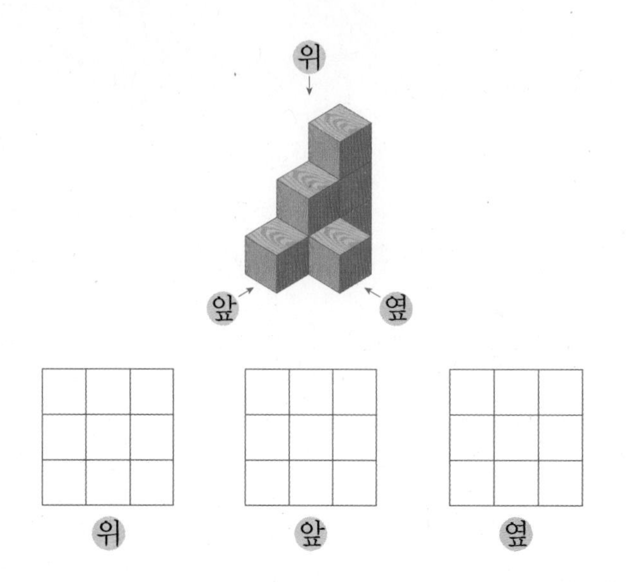

2 위, 앞, 옆에서 본 모양이 모두 같도록 쌓기나무 1개를 더 놓으려고 합니다. 몇 번 위에 놓아야 합니까?

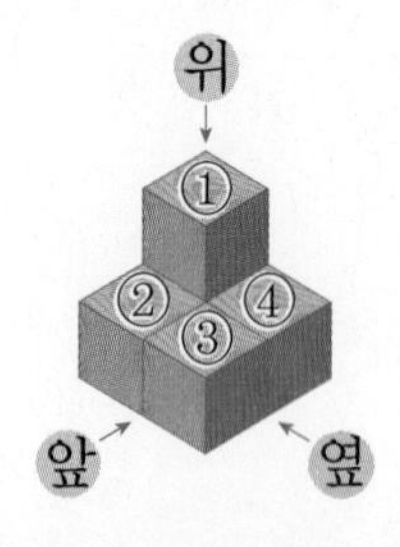

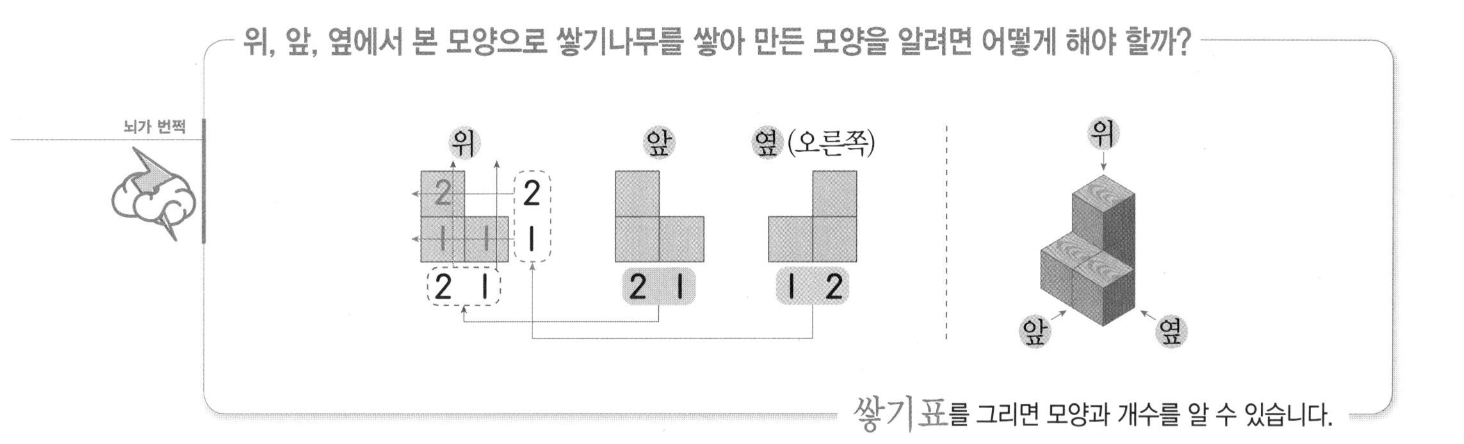

최상위 사고력

다음은 쌓기나무로 쌓은 모양을 위, 앞, 옆에서 본 것입니다. 쌓기나무로 쌓은 모양의 윤곽선을 점판에 그리시오.

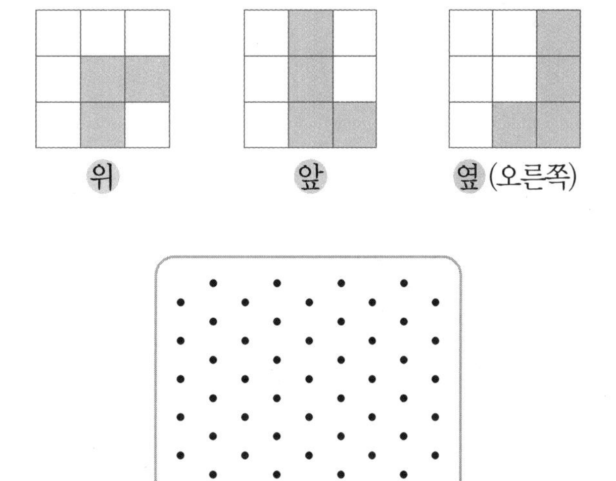

최상위 사고력

1 쌓기나무로 쌓은 모양을 윤곽선으로 나타낸 것입니다. 사용한 쌓기나무의 수를 구하시오.

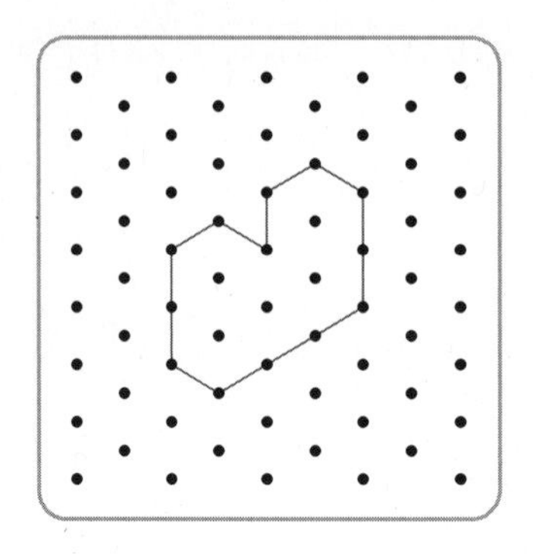

2 쌓기나무를 한 개씩 옮겨서 다른 모양으로 만든 것입니다. □ 안에 알맞은 모양의 번호를 써넣으시오. (단, 쌓기나무 모양을 돌리거나 뒤집지 않습니다.)

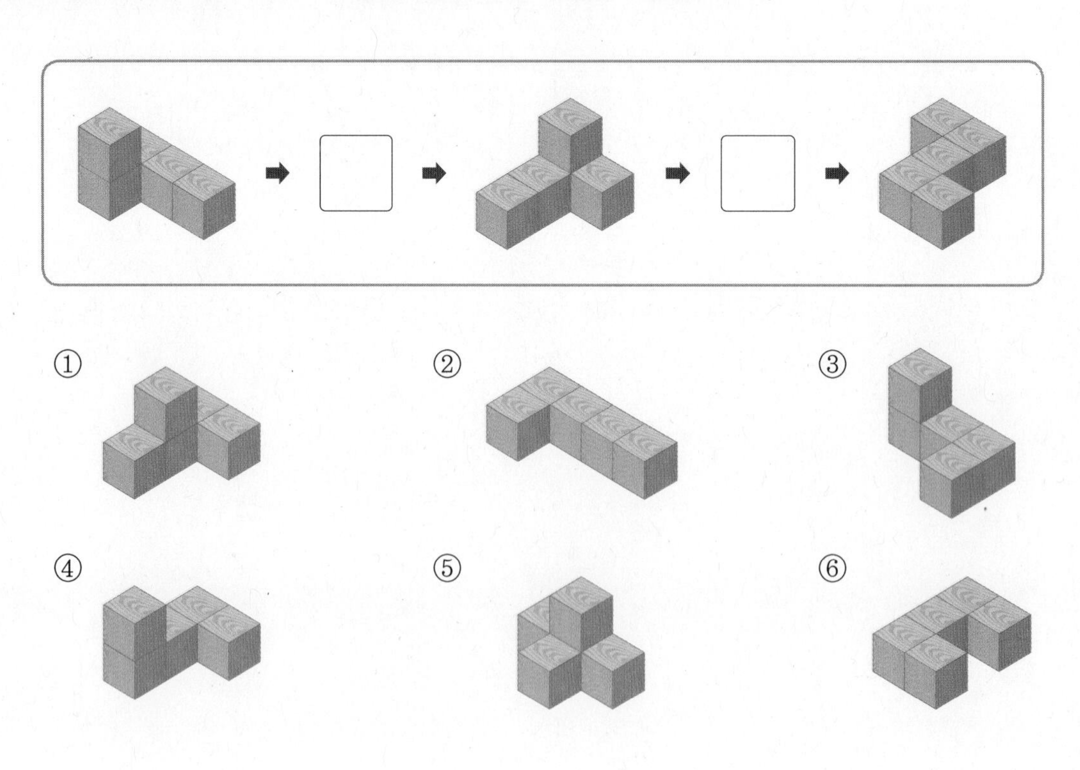

3 다음은 쌓기나무로 만든 모양을 위, 앞, 옆에서 본 모양입니다. 바르게 설명한 것을 찾아 기호를 쓰시오.

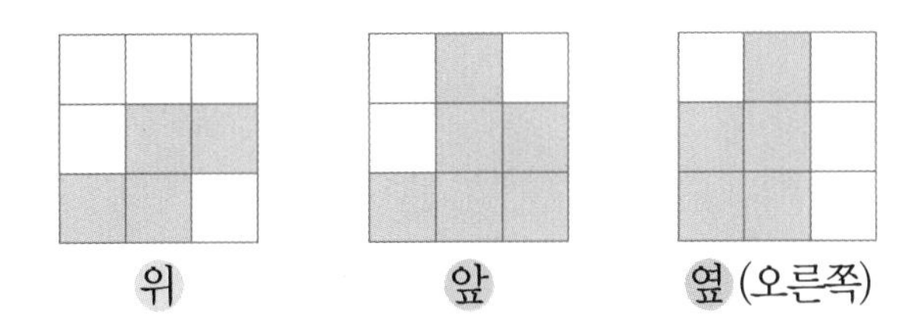

㉠ 쌓기나무 7개를 사용했습니다.
㉡ 1층에 놓인 쌓기나무의 수는 2층에 놓인 쌓기나무의 수보다 2개 더 많습니다.
㉢ 2층에 놓인 쌓기나무는 3개입니다.
㉣ 3층에 높인 쌓기나무는 2개입니다.

4 쌓기나무 4개를 모두 사용하여 만들 수 있는 모양은 몇 가지입니까? (단, 돌리거나 뒤집어서 같은 모양은 한 가지로 봅니다.)

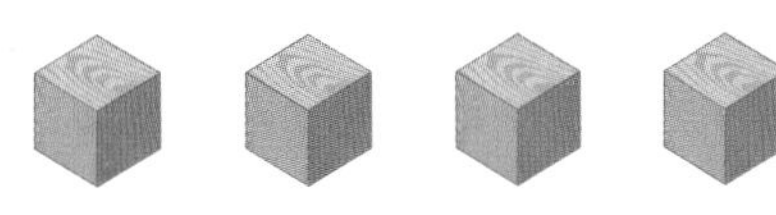

정답과 풀이 42쪽 ►

1 다음과 같이 색종이를 접은 후 어느 두 점을 따라 가위로 잘랐습니다. 펼친 종이의 모양이 육각형 1개와 삼각형 2개일 때 가위로 자른 두 점의 번호를 쓰시오.

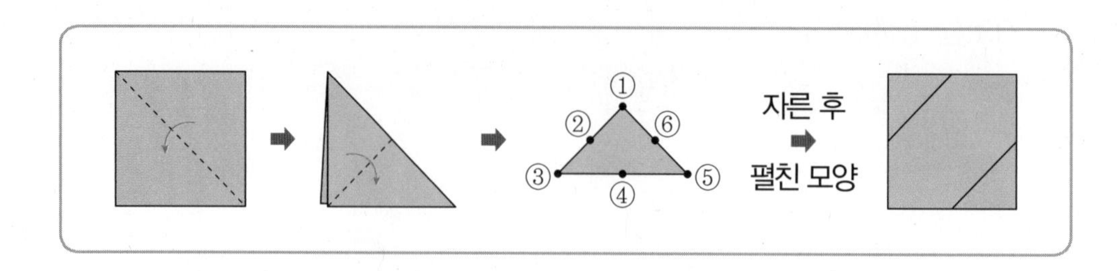

2 다음과 같은 색종이 2장을 겹쳤을 때, 겹쳐진 부분의 모양이 될 수 없는 것을 찾으시오.

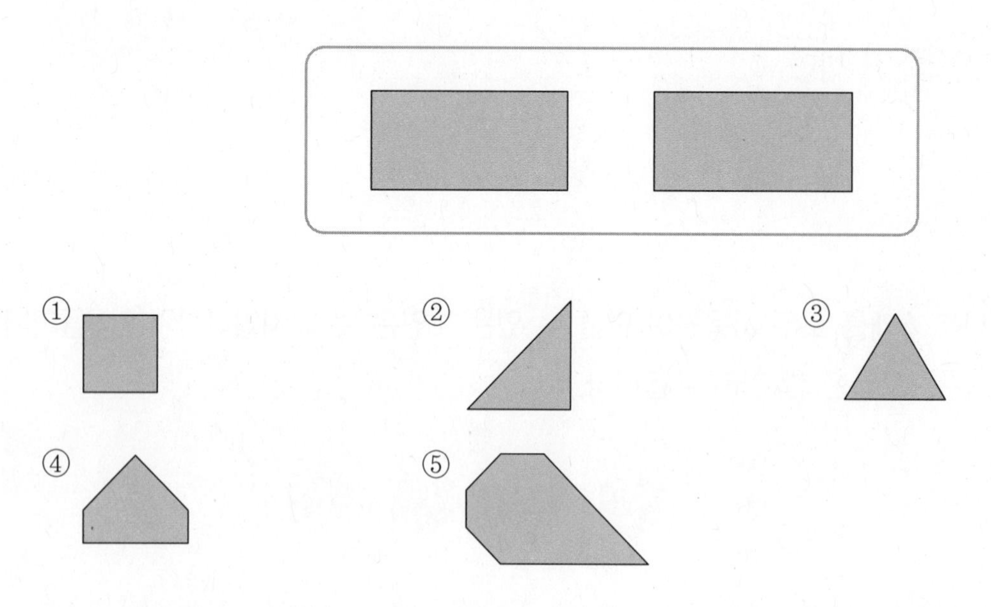

3 곧은 선 위의 점을 세 꼭짓점으로 하는 크고 작은 삼각형은 모두 몇 개입니까? (단, 모양이 같더라도 꼭짓점이 다르면 다른 것으로 생각합니다.)

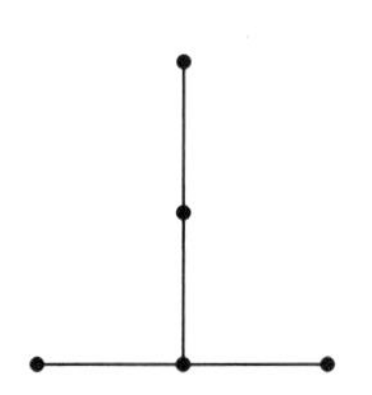

4 도형에서 선을 따라 그릴 수 있는 사각형은 모두 몇 개입니까?

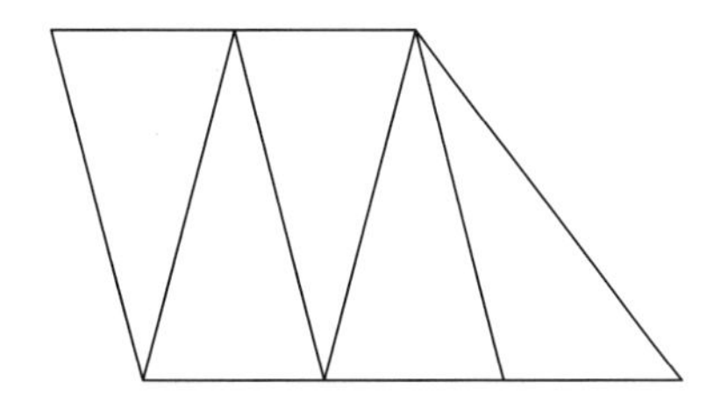

정답과 풀이 43쪽 ►

5 주어진 도형의 개수만큼 만들어지도록 색종이에 곧은 선 2개를 그으시오.

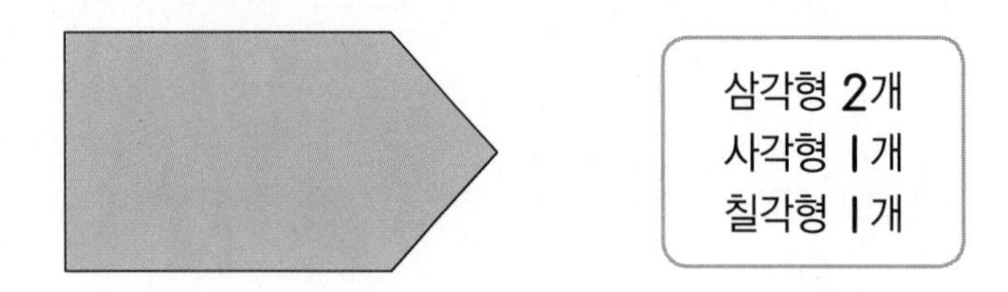

6 다음은 쌓기나무를 쌓아 만든 모양을 위, 앞, 옆에서 본 그림입니다. 각 자리에 쌓인 쌓기나무의 수로 나타낸 표인 쌓기표를 그리시오.

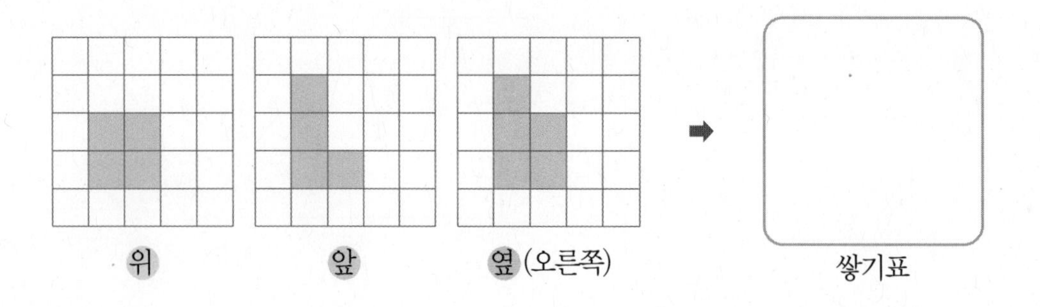

7 점 7개로 된 점판에서 4개의 점을 꼭짓점으로 하는 모양이 다른 사각형을 모두 그리시오.
(단, 돌리거나 뒤집어서 같은 것은 한 가지로 생각합니다.)

정답과 풀이 43쪽 ►

사고력이 톡톡

다음과 같이 겹쳐진 색종이를 뒤집은 것은 무엇일까요?

①

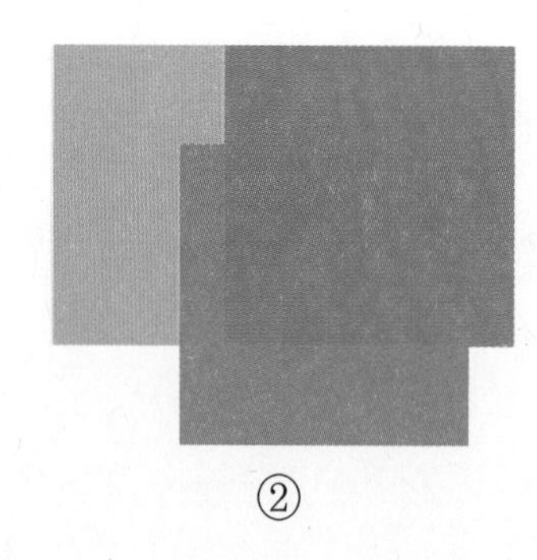

②

③

연산

8-1. 올바른 식 만들기

1 (두 자리 수)+(한 자리 수) 또는 (두 자리 수)+(두 자리 수)를 만들려고 합니다. 가로 또는 세로로 수를 묶고 두 수 사이에 +, = 기호를 써넣어 알맞은 식 4개를 더 만드시오.

5	7	5	5	8	2
1	7 +	9 =	2	6	7
2	5	8	2	5	3
5	8	7	9	9	6
4	2	4	8	9	0
3	4	2	1	5	4

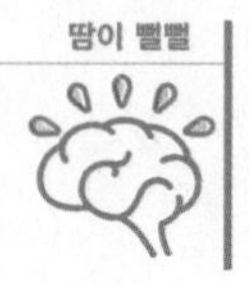

2 |보기|와 같이 성냥개비 1개를 옮기면 올바른 식이 만들어집니다. 옮겨야 할 성냥개비를 찾고, 올바른 식을 쓰시오.

|보기|

18+37=49

식: 18+31=49

(1) 20+59=81

식: ____________

(2) 60−36=54

식: ____________

가로셈이 올바른지 쉽게 알 수 없을까?

뇌가 번쩍

$14 + 59 = 72$ ➡ 일의 자리 계산이 잘못되었습니다.

$4+9=13$

$43 - 28 = 25$ ➡ 십의 자리 계산이 잘못되었습니다.

$4-2-1=1$

세로셈처럼 같은 자리 숫자끼리 비교해 봅니다.

최상위 사고력

|보기|와 같이 이웃한 육각형 안에 있는 수 또는 기호를 선으로 이어 덧셈식 또는 뺄셈식을 만드시오. (단, 선은 끊어지거나 겹쳐지면 안 됩니다.)

|보기|

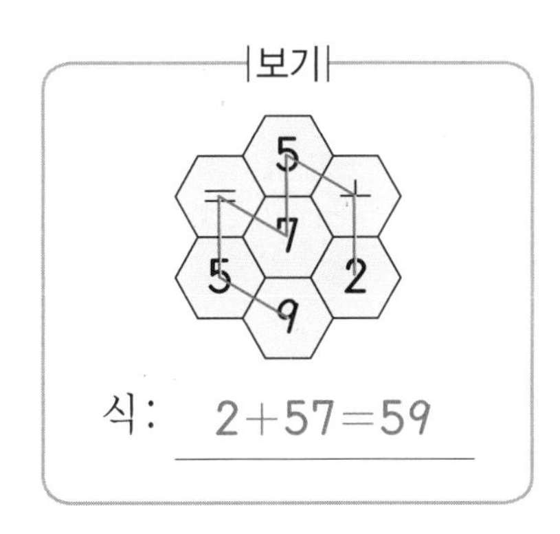

식: 2+57=59

(1)

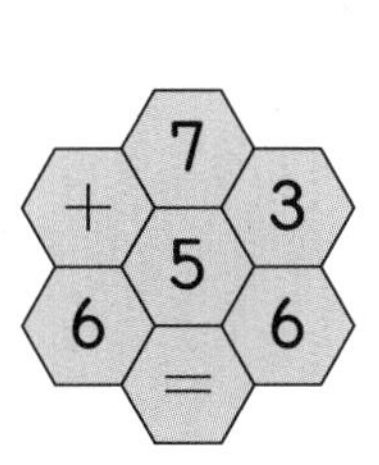

식:

(2)

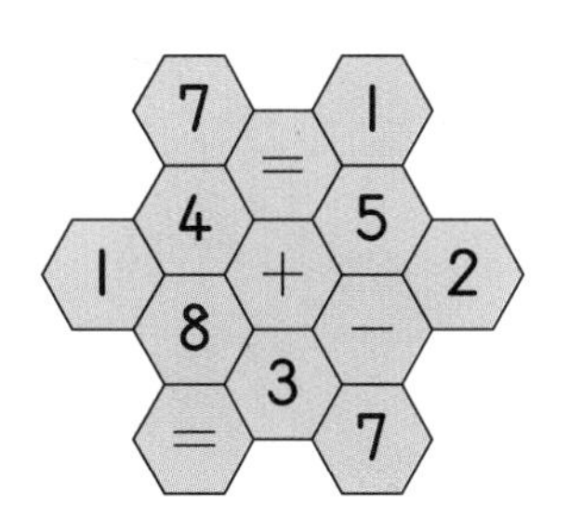

식:

8-2. 여러 가지 방법으로 계산하기

1 |보기|와 같은 방법으로 계산하시오.

(1)

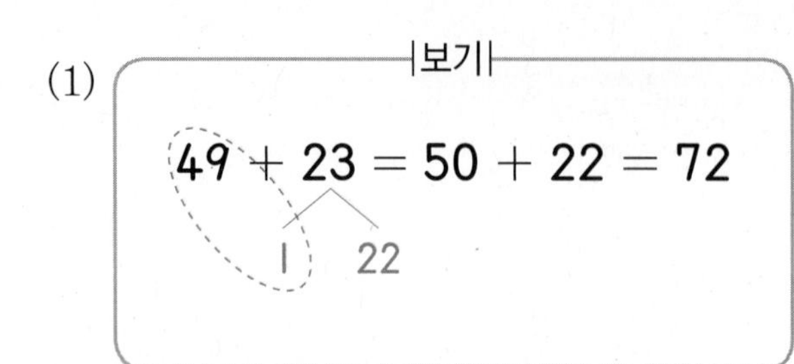

58 + 34 =

(2)

|보기|

+2

38 + 56 = 40 + 54 = 94

−2

29 + 43 =

(3)

|보기|

14 + 59 = 74 − 1 = 73

60 −1

23 + 68 =

복잡한 계산을 좀 더 쉽게 할 수 없을까?

가르기와 모으기 이용하기

64+29=70+23=93

6 23

64+29=63+30=93

63 1

같은 수를 더하고 빼기

64+29=63+30=93

−1 +1

63 30

몇십을 만들어 계산합니다.

최상위 사고력

물음에 답하시오.

(1) $57+28$을 세 가지 방법으로 계산하시오.

방법1 앞의 수를 가르기

$57+28=$

방법2 뒤의 수를 가르기

$57+28=$

방법3 같은 수를 더하고 빼기

$57+28=$

(2) $72-39$를 두 가지 방법으로 계산하시오.

방법1

$72-39=$

방법2

$72-39=$

정답과 풀이 47쪽 ►

8-3. 간단하게 계산하기

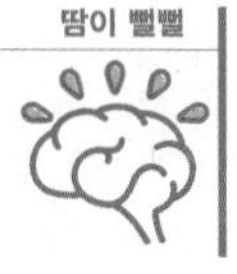

1 다음을 계산하시오.

(1) $5+6+7+8+9+10+11+12+13+14+15$

(2) $2+4+6+8+10+12+14+16+18+20+22+24+26+28$

(3) $1+1+2+2+3+3+4+4+5+5+6+6+7+7+8+8+9+9$

(4) $50-49+48-47+46-45+44-43+42-41+40-39$

(5) $99+98-97+96-95+94-93+92-91+90-89$

복잡해 보이는 계산을 간단하게 할 수 없을까?

뇌가 번쩍

$$1+3+5+7+9+11+13+15+17+19=20+20+20+20+20=100$$

순서에 상관없이 합이 같은 수끼리 묶어 계산합니다.

최상위 사고력

다음과 같이 규칙적으로 수를 나열한 것을 보고 물음에 답하시오.

㉠ 3, 1, 5, 1, 3, 1, 5, 1 ……

㉡ 1, 3, 5, 7, 9, 11 ……

㉢ 40, 38, 36, 34, 32, 30 ……

(1) ㉠에서 20번째 수까지 모두 더한 값은 얼마입니까?

(2) ㉡에서 20번째 수까지 더한 값과 ㉢에서 20번째 수까지 더한 값의 차는 얼마입니까?

정답과 풀이 48쪽 ►

최상위 사고력

1 |보기|와 같이 수 카드 2장의 자리를 바꾸면 올바른 식이 만들어집니다. 자리를 바꾸어야 할 카드 2장을 찾고, 올바른 식을 쓰시오.

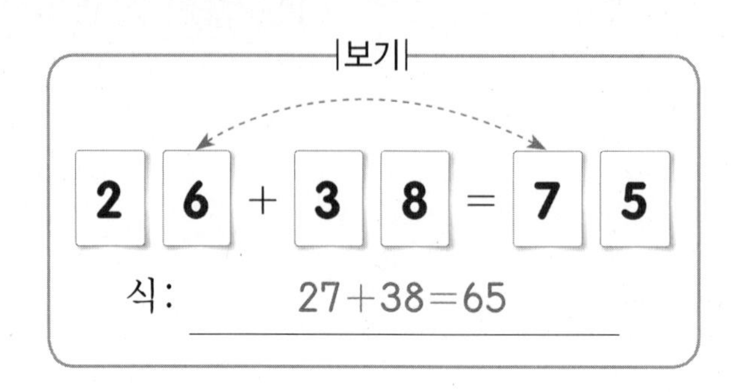

6 5 − 6 3 = 2 9

식: ______________________

2 가로 또는 세로로 나란히 놓인 세 수의 합이 100이 되도록 묶으려고 합니다. 묶음 3개를 더 찾으시오.

34	(47	9	44)	28	62
6	20	48	12	30	33
30	23	67	40	8	25
14	70	23	15	48	42
67	7	15	35	50	26

| 경시대회 기출 |

3 계산 결과가 가장 큰 것부터 차례로 기호를 쓰시오.

㉠ $1+3+5+7+9+11+13+15+17+19+21$

㉡ $9+9+9+8+8+8+7+7+7+\cdots\cdots+2+2+2+1+1+1$

㉢ $1+2-3+4+5-6+7+8-9+10+11-12+\cdots\cdots+22+23-24+25+26-27$

4 다음 중 네 수를 더하여 합이 67이 되는 덧셈식을 만드시오. (단, 수는 한 번씩만 사용합니다.)

문제풀이

17 25 18 2 23 14

$\square+\square+\square+\square=67$

9-1. 계산 결과의 최대, 최소

1 다음 수 카드 4장을 한 번씩만 사용하여 덧셈식과 뺄셈식을 만들려고 합니다. 각각의 계산 결과가 가장 크게, 가장 작게 되도록 만드시오.

2 3 5 6

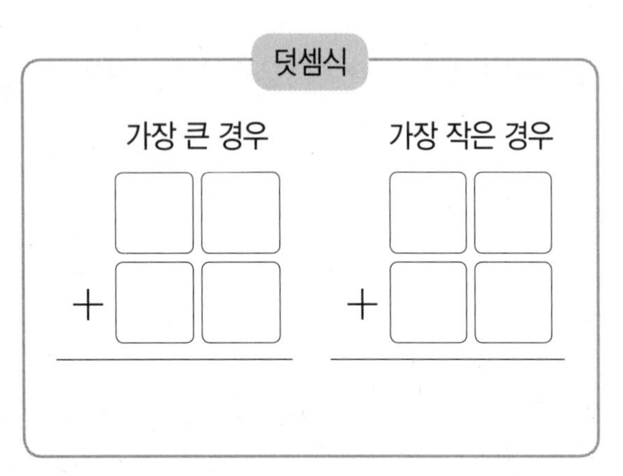

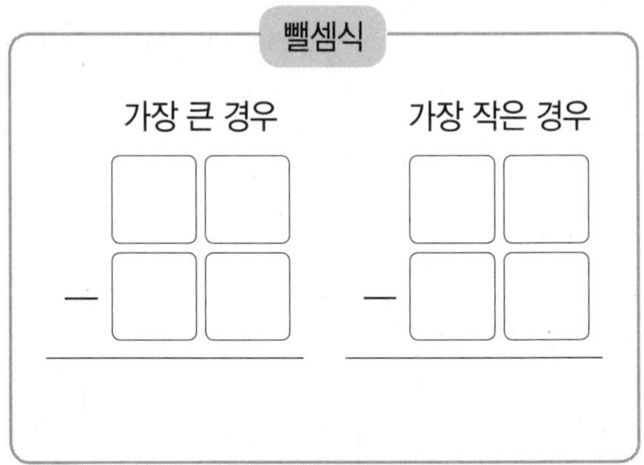

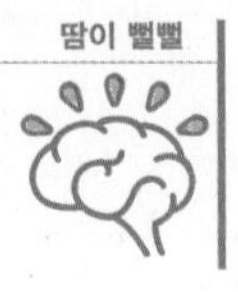

2 다음 수 카드 중 4장을 한 번씩만 사용하여 (두 자리 수)−(두 자리 수)를 만들 때, 계산 결과가 가장 클 때와 가장 작을 때의 값을 차례로 구하시오.

1 2 3 5 7

뇌가 번쩍

(두 자리 수)−(두 자리 수)를 가장 작게 만드는 방법은?

그림 그려 알아보기

㉠㉡ ㉢㉣

두 수는 가장 가까이 있어야 합니다.

세로셈으로 알아보기

$$\begin{array}{r} ㉠\,㉡ \\ -\ ㉢\,㉣ \\ \hline \end{array}$$

① ㉠과 ㉢의 차가 가장 작아야 합니다.

② 남은 수 중에서 ㉡에 작은 수, ㉣에 큰 수를 넣습니다.

그림을 그리거나 세로셈으로 알아봅니다.

최상위 사고력

□ 안에 5부터 9까지의 수를 한 번씩만 써넣어 다음 식을 만들 때, 계산 결과가 가장 클 때와 가장 작을 때의 값을 차례로 구하시오.

□□ + □ − □□

9-2. 목표수 만들기

1 계산기에서 색칠된 수와 기호를 어떤 순서로 눌렀더니 다음과 같은 계산 결과가 나왔습니다. □ 안에 색칠된 수를 알맞게 써넣어 식을 완성하시오.

(1)

105				
7	8	9	÷	←
4	5	6	×	C
1	2	3	%	=
+	0	−	.	

□□ + □□ = 105

□□ + □□ = 105

□□ + □□ = 105

□□ + □□ = 105

(2)

16				
7	8	9	÷	←
4	5	6	×	C
1	2	3	%	=
+	0	−	.	

□□ − □□ = 16

땀이 뻘뻘

2 다음 수 카드 5장을 한 번씩만 사용하여 두 식을 완성하시오.

5 **1** **6** **4** **9**

□□ − □ + □□ = 158

□□ − □ + □□ = 61

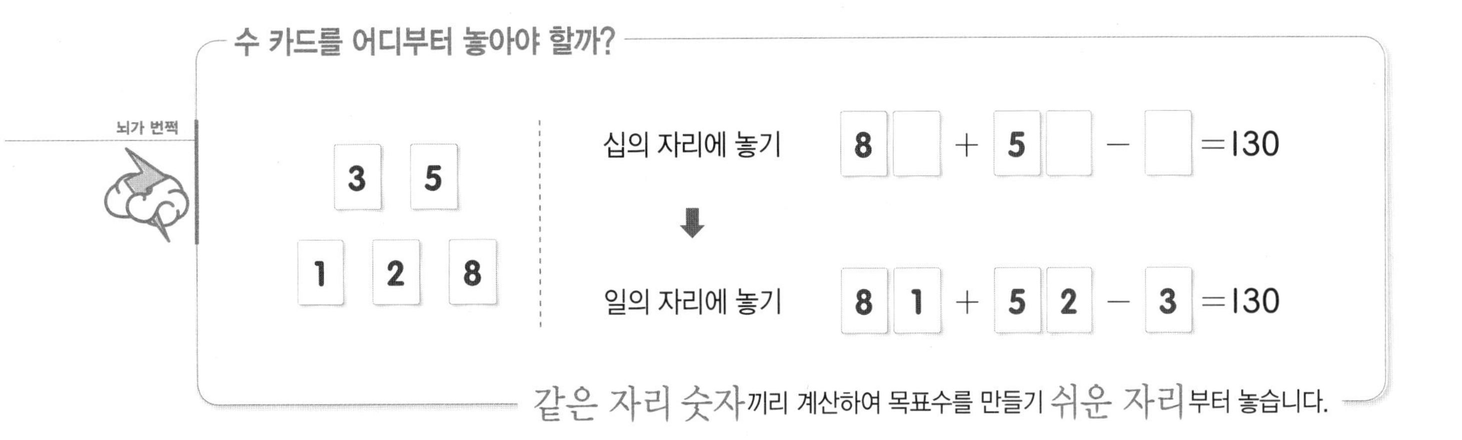

최상위 사고력

다음 수 카드 6장을 한 번씩만 사용하여 덧셈식과 뺄셈식을 각각 만드시오.

2 3 5 6 8 9

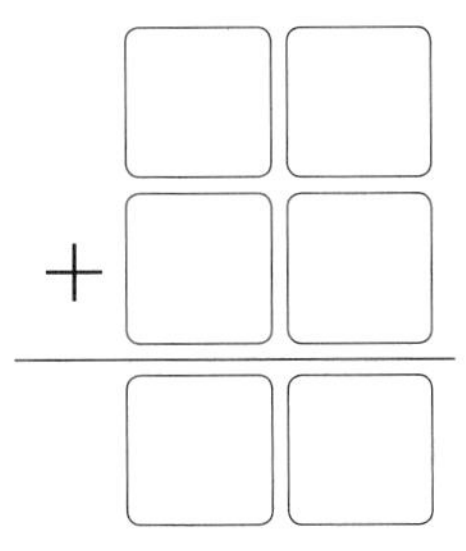

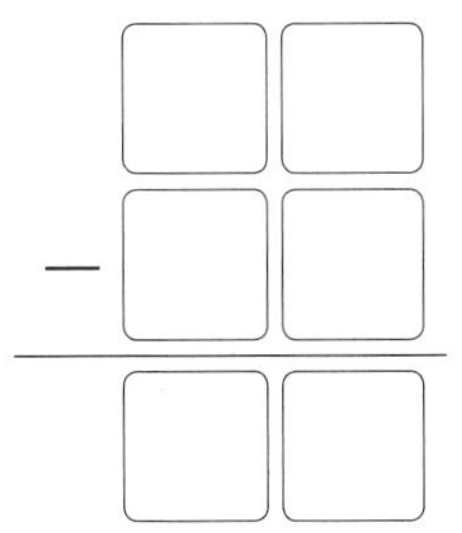

9-3. 연산 기호 넣기

1 |보기|와 같이 ○ 안에 + 또는 −를 알맞게 써넣어 올바른 식을 만드시오.

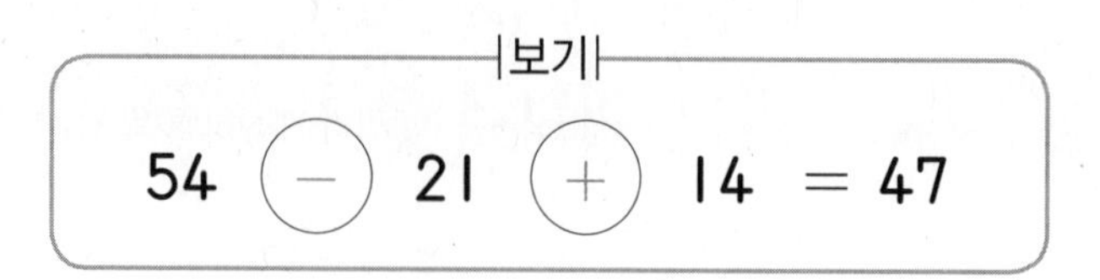

(1) 10 ○ 4 ○ 6 ○ 3=9

(2) 14 ○ 5 ○ 4 ○ 3=18

(3) 5 ○ 4 ○ 3 ○ 2 ○ 1=7

(4) 9 ○ 5 ○ 4 ○ 3 ○ 2=9

(5) 10 ○ 9 ○ 8 ○ 7 ○ 6 ○ 5=19

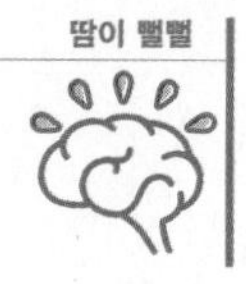

2 다음 식의 덧셈 기호와 뺄셈 기호 중 1개를 다른 기호로 바꾸어 올바른 식을 만들려고 합니다. 바꾸어야 하는 기호를 찾아 ○표 하시오.

15 + 14 + 13 + 12 − 11 − 10 − 9 + 8 = 50

+를 −로 바꾸면 계산 결과는 어떻게 달라질까?

뇌가 번쩍

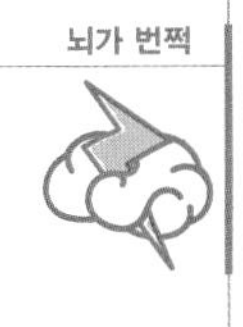

$4+3+2+1=10$

$4+3+2-1=10-1-1=8$ (10 = 4+3+2+1)

$4+3-2+1=10-2-2=6$

$4-3+2+1=10-3-3=4$

+를 −로 바꾸면 바로 뒤에 있는 수의 2배 만큼 작아집니다.

최상위 사고력

○ 안에 + 또는 −를 알맞게 써넣어 올바른 식을 5개 만드시오.

7 ○ 6 ○ 5 ○ 4 ○ 3 ○ 2 ○ 1 = 8

7 ○ 6 ○ 5 ○ 4 ○ 3 ○ 2 ○ 1 = 8

7 ○ 6 ○ 5 ○ 4 ○ 3 ○ 2 ○ 1 = 8

7 ○ 6 ○ 5 ○ 4 ○ 3 ○ 2 ○ 1 = 8

7 ○ 6 ○ 5 ○ 4 ○ 3 ○ 2 ○ 1 = 8

정답과 풀이 53쪽 ►

1 I부터 6까지의 수가 적혀 있는 주사위가 있습니다. 이 주사위를 5번 던져 나온 숫자로 다음 계산식을 만들 때, 계산 결과가 가장 클 때의 값은 얼마입니까?

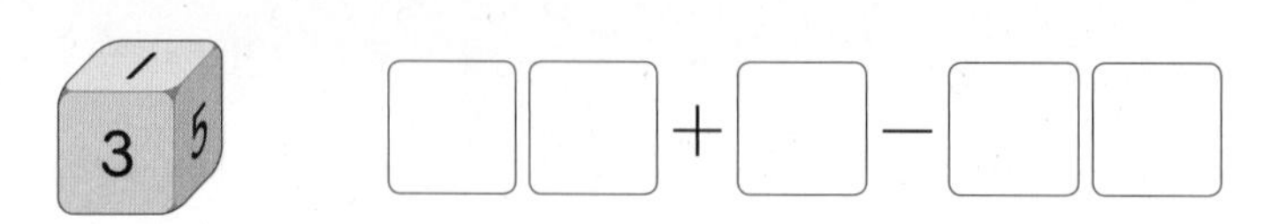

2 다음 수 카드를 한 번씩만 사용하여 식을 만들 때, 계산 결과를 가장 크게 만들 수 있는 식을 고르시오.

5 1 6 3 8

① □+□□−□ ② □□+□+□+□

③ □□+□−□□ ④ □□−□+□□

⑤ □□+□□

| 경시대회 기출 |

3 ▲는 두 자리 수입니다. ○ 안에 $+$ 또는 $-$를 써넣어 구할 수 있는 계산 결과를 작은 수부터 차례로 쓰면 두 번째 수가 78입니다. 계산 결과가 가장 큰 수를 구하시오.

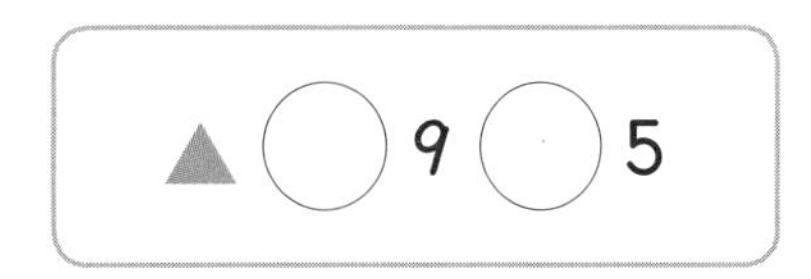

4 서로 다른 수가 적힌 수 카드 4장을 한 번씩만 사용하여 계산 결과가 가장 작은 식을 만들었더니 8이 나왔습니다. ? 에 들어갈 수 있는 수를 모두 구하시오.

문제풀이

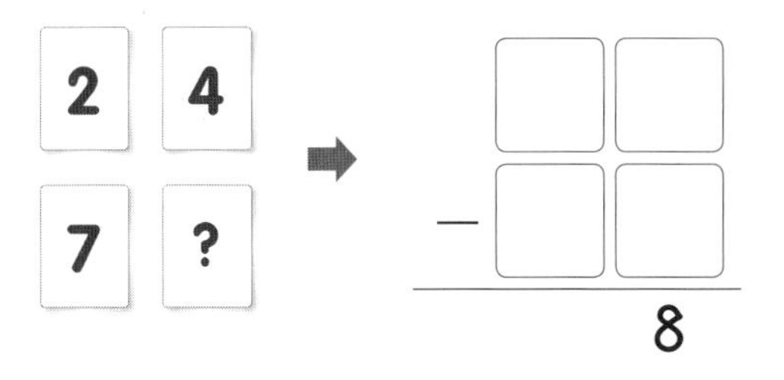

10-1. 도형이 나타내는 수

1 사각형 밖에 있는 수는 그 줄에 있는 수의 합입니다. 같은 모양은 같은 수를, 다른 모양은 다른 수를 나타낸다고 할 때 □ 안에 알맞은 수를 써넣으시오.

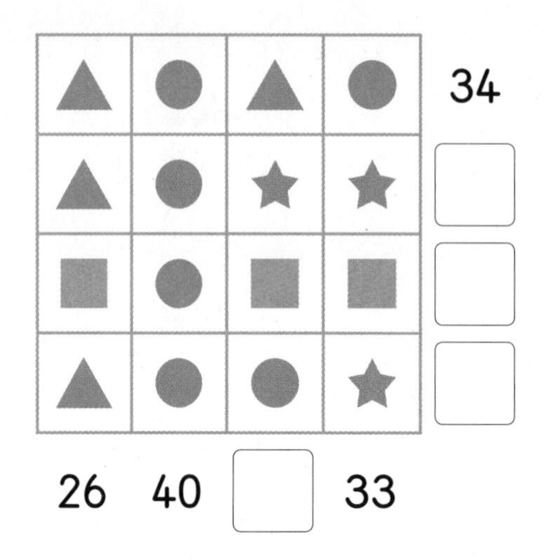

TIP ● → ▲ → ■ → ★의 순서로 구합니다.

2 다음 식에서 같은 모양은 같은 수를, 다른 모양은 다른 수를 나타냅니다. ●=5일 때, ■, ♥이 나타내는 수를 각각 구하시오.

● + ● + ● = ▲
▲ + 3 = ★
★ − ▲ + ● = ■
■ + ● = ♥ − ▲ + ★

식이 여러 개 있을 때 도형이 나타내는 수를 어떻게 찾을까?

뇌가 번쩍

같은 모양이 있을 때

●+●=12 ➡ ●=6

겹쳐지는 식이 있을 때

■+▲=★

★+■+▲=20 (■+▲ → ★) ➡ ★+★=20, ★=10

같은 모양이 있는 식이나 겹쳐지는 식이 있는 것을 이용합니다.

최상위 사고력

다음 식에서 같은 글자는 같은 수를, 다른 글자는 다른 수를 나타냅니다. 다와 라가 나타내는 수를 각각 구하시오.

다+다+가+나=38
가+나+가+나=20
라+라+라+라=다+다

정답과 풀이 54쪽 ►

10-2. 복면산

1 수를 문자나 모양으로 나타낸 계산식을 복면산이라고 합니다. 다음 식에서 같은 문자는 같은 수를, 다른 문자는 다른 수를 나타낼 때 S, O, T가 나타내는 수를 각각 구하시오.

$$\begin{array}{r} \mathrm{S}\ \mathrm{O} \\ +\ \mathrm{S}\ \mathrm{O} \\ \hline \mathrm{T}\ \mathrm{O}\ \mathrm{O} \end{array}$$

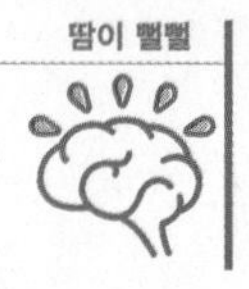

2 다음 식에서 같은 모양은 같은 수를, 다른 모양은 다른 수를 나타냅니다. ●, ▲, ■가 나타내는 수를 각각 구하시오.

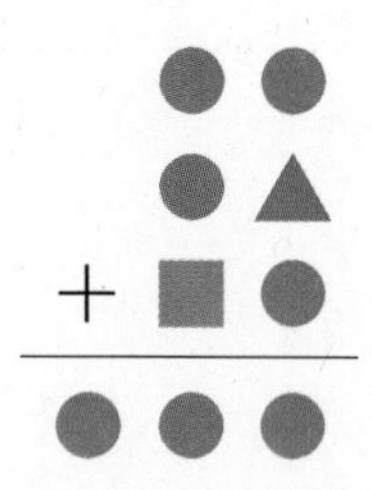

뇌가 번쩍

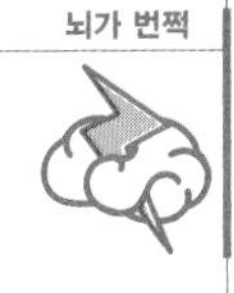

복면산을 풀 때 가장 먼저 생각해야 할 것은?

★ ◆		★ ◆		★ 5		
+ ◆	➡	+ ◆	➡	+ 5	➡	◆에 6, 7, 8, 9를 넣어 답을 찾습니다.
◆ ★		◆ ★		5 ★		
★≠◆이므로 받아올림이 있습니다.		◆=5이거나 ◆>5입니다.		◆=5이면 ★=0이므로 불가능합니다.		

각 자리의 계산에서 **받아올림**이 있는지 생각합니다.

최상위 사고력

다음 식에서 같은 문자는 같은 수를, 다른 문자는 다른 수를 나타냅니다. □ 안에 알맞은 수를 써넣으시오.

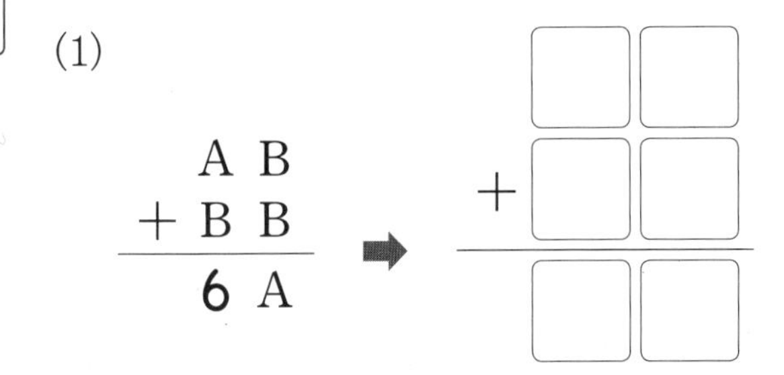

(1)

$$\begin{array}{r} A\ B \\ +\ B\ B \\ \hline 6\ A \end{array} \Rightarrow \begin{array}{r} \square\square \\ +\ \square\square \\ \hline \square\square \end{array}$$

(2)

$$\begin{array}{r} D\ E \\ -\ E\ D \\ \hline D \end{array} \Rightarrow \begin{array}{r} \square\square \\ -\ \square\square \\ \hline \square \end{array}$$

정답과 풀이 56쪽 ►

10-3. 마방진

1 마방진은 가로, 세로, 대각선 위의 수의 합을 모두 같게 만드는 퍼즐입니다. 빈칸에 1부터 9까지의 수를 한 번씩 모두 써넣어 가로, 세로, 대각선 위의 세 수의 합이 모두 15가 되도록 만드시오.

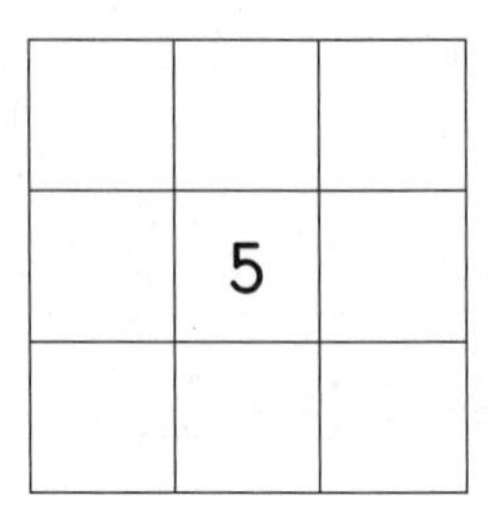

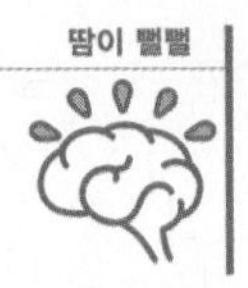

2 다음과 같이 5개의 사각형이 겹쳐져 있습니다. 한 개의 사각형 안에 적힌 수의 합이 모두 같을 때 ㉠, ㉡, ㉢, ㉣에 알맞은 수를 각각 구하시오.

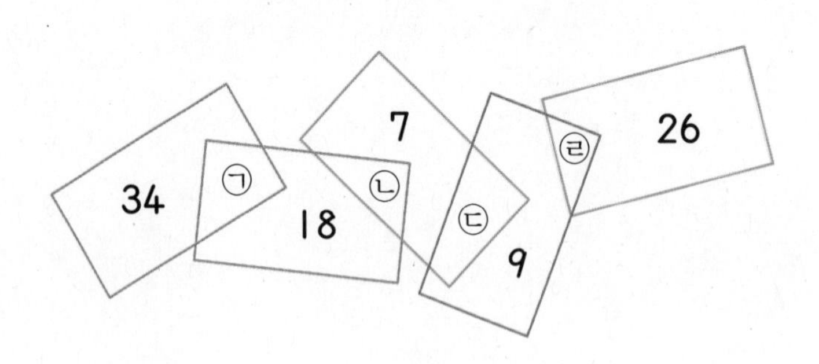

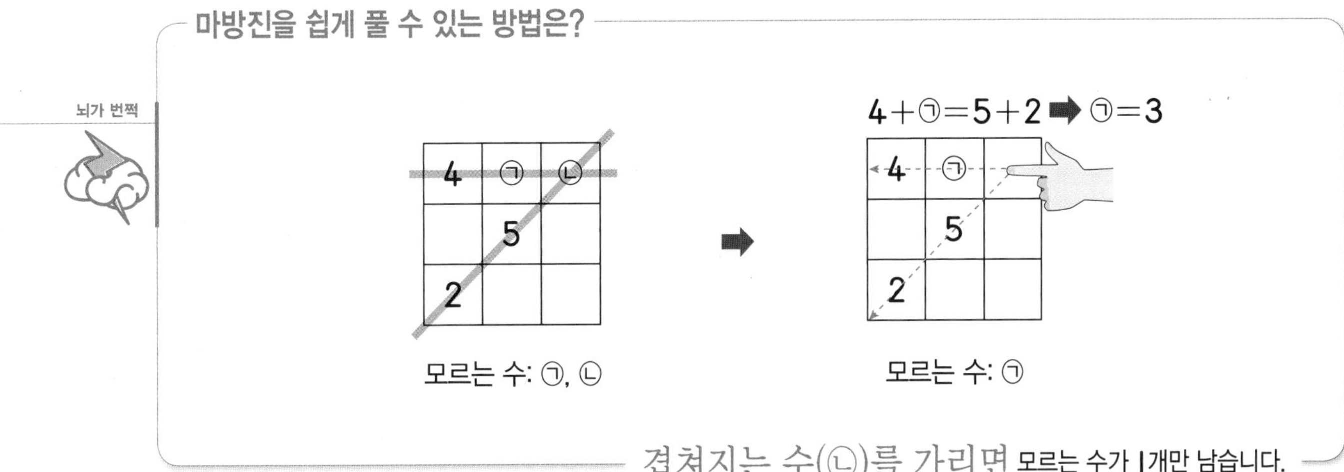

최상위 사고력

가로, 세로, 대각선 위의 세 수의 합이 모두 같아지도록 빈칸에 알맞은 수를 써넣으시오.

(1)

12		6
8		

(2)

	20	
15		22

정답과 풀이 57쪽 ►

1 다음 식에서 같은 글자는 같은 수를, 다른 글자는 다른 수를 나타냅니다. □ 안에 알맞은 수를 써넣으시오.

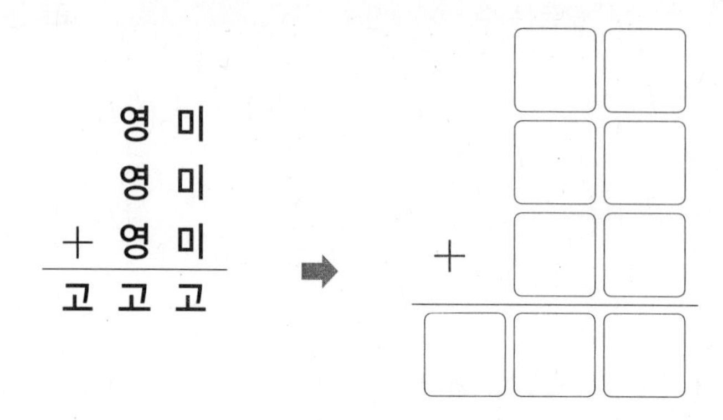

2 다음과 같이 3개의 원이 겹쳐져 있습니다. 한 원 안에 적힌 네 수의 합이 모두 같을 때 ㉠, ㉡에 알맞은 수를 각각 구하시오.

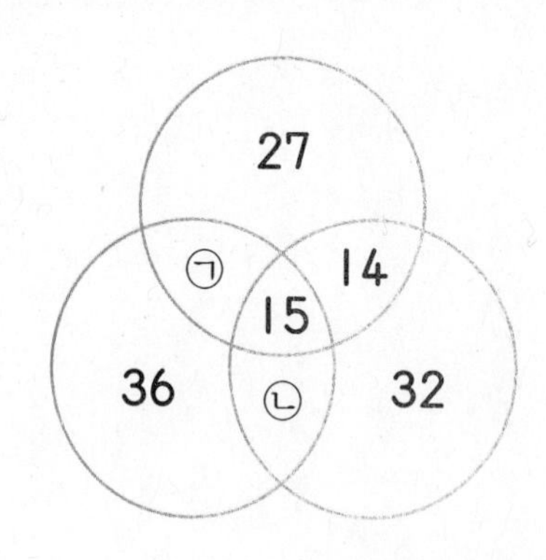

| 경시대회 기출 |

3 ▨ 안의 수는 이웃한 두 ○ 안의 수의 합을 나타낸 것입니다. ○ 안에 알맞은 수를 써넣으시오.

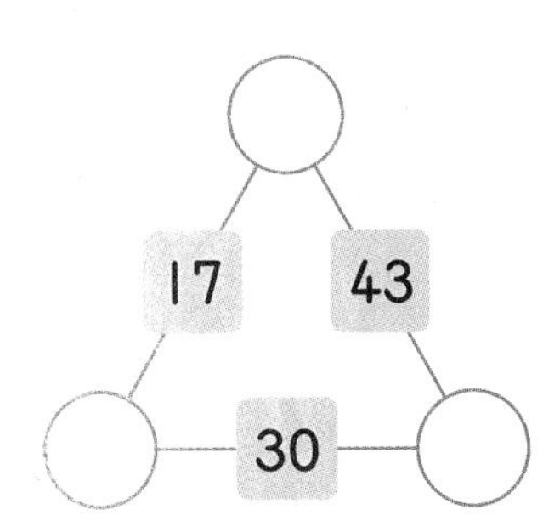

4 다음 두 자리 수의 덧셈식에서 A, B, C, D는 1부터 9까지의 수 중 서로 다른 수를 나타냅니다. A, B, C, D가 나타내는 수를 각각 구하시오.

문제풀이

AB+CD=53　　AB+DC=62

정답과 풀이 58쪽 ►

11-1. 한 번 더 생각하는 문장제

1 다음은 진수가 아래 문제를 보고 잘못 푼 것입니다. 바르게 풀어 보시오.

어버이날을 맞이하여 디딤 초등학교에서는 부모님들을 위해 공연을 하기로 했습니다. 공연에 참석한 남학생은 53명이고, 여학생은 14명 더 적다고 할 때, 공연에 참석한 학생은 모두 몇 명입니까?

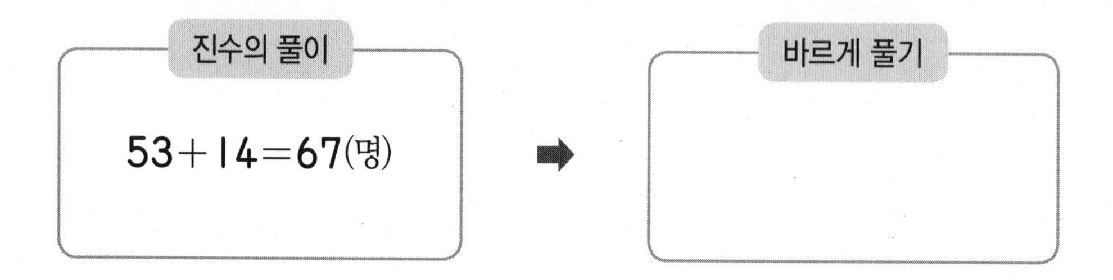

2 민우는 9살이고 아버지는 36살입니다. 민우와 아버지의 나이의 합이 처음으로 60살이 넘는 것은 몇 년 후입니까?

뇌가 번쩍

나이를 묻는 문제에서 놓치지 말아야 할 것은?

두 사람

형	9	10	11	12	……
동생	7	8	9	10	……
합	16	18	20	22	……

+2 +2 +2

세 사람

형	10	11	12	13	……
누나	9	10	11	12	……
동생	8	9	10	11	……
합	27	30	33	36	……

+3 +3 +3

매년 늘어나는 나이는 모든 사람이 1살로 같습니다.

최상위 사고력

사탕 40개를 동호와 형이 나누어 가졌습니다. 동호가 형보다 10개를 더 많이 가졌을 때 동호와 형이 가진 사탕은 각각 몇 개입니까?

정답과 풀이 60쪽 ►

11-2. 어떤 수를 구하는 문장제

1 **물음에 답하시오.**

(1) 40에서 어떤 수를 빼었더니 32에 어떤 수를 더한 값과 같아졌습니다. 어떤 수를 구하시오.

(2) 65에 어떤 수를 더한 값은 65에서 어떤 수를 뺀 값보다 18만큼 큽니다. 어떤 수를 구하시오.

2 **진우는 7일 동안 매일 저금통에 100원짜리 동전을 넣었습니다. 첫째 날에 몇 개를 넣고, 다음 날부터는 항상 전날보다 2개씩 더 넣었습니다. 7일 동안 넣은 동전이 모두 112개일 때 첫째 날에 넣은 동전은 몇 개입니까?**

뇌가 번쩍

어떤 수가 나오는 문장제는 어떻게 풀까?

어떤 수: □

어떤 수보다 1 큰 수: □+1

어떤 수와의 차가 5인 수: □+5 또는 □−5

어떤 수를 □라 하고 식을 세워 생각합니다.

최상위 사고력

1, 2, 3, 4 ……와 같이 연속된 수를 '연속수'라고 합니다. 두 자리 연속수 3개의 십의 자리 숫자를 더했더니 20이 되었다고 할 때 세 수의 합을 구하시오.

정답과 풀이 61쪽 ►

11-3. 각 자리 숫자를 구하는 문장제

1 **문장을 세로셈으로 나타내어 보고 두 수를 구하시오.**

(1) 일의 자리 숫자가 6인 두 자리 수와 십의 자리 숫자가 4인 두 자리 수의 합은 72입니다.

두 수: ________, ________

(2) 일의 자리 숫자가 8인 두 자리 수와 십의 자리 숫자가 3인 두 자리 수의 차는 49입니다.

두 수: ________, ________

2 **다음 |조건|에 맞는 두 수의 각 자리 숫자를 모두 더하면 얼마입니까?**

|조건|
- 두 수는 모두 두 자리 수입니다.
- 두 수의 합은 194입니다.

각 자리 숫자를 구하는 문장제는 어떻게 풀까?

예 각 자리 숫자가 모두 다른 두 자리 수와 한 자리 수의 합이 105입니다.

$$\begin{array}{r} \square\square \\ +\ \ \square \\ \hline 105 \end{array} \Rightarrow \begin{array}{r} 98 \\ +\ \ 7 \\ \hline 105 \end{array} \text{ 또는 } \begin{array}{r} 97 \\ +\ \ 8 \\ \hline 105 \end{array}$$

□를 사용하여 세로셈을 만들어 풉니다.

어떤 두 자리 수와 이 수의 일의 자리 숫자와 십의 자리 숫자를 바꾼 수를 더했더니 99가 되었습니다. 그리고 어떤 두 자리 수에서 이 수의 일의 자리 숫자와 십의 자리 숫자를 바꾼 수를 뺐더니 45가 되었습니다. 어떤 두 자리 수는 얼마입니까?

정답과 풀이 62쪽 ►

최상위 사고력

1 다음을 읽고 □ 안에 1부터 9까지의 수 중 알맞은 수를 써넣으시오.

> 민정이는 지난주 수업에서 배운 덧셈, 뺄셈 단원을 복습하기 위해 수학 문제 □31문제를 풀었습니다. 민정이가 푼 문제 중에서 맞은 문제는 □5문제이고, 틀린 문제는 4□문제입니다.

2 어떤 수에 43을 더한 수는 100보다 크고, 32를 더한 수는 100보다 작습니다. 어떤 수에서 14를 뺀 수의 일의 자리 숫자가 7일 때, 어떤 수는 얼마입니까?

| 경시대회 기출 |

3

문제풀이

지현, 민정, 동우 세 사람이 사탕을 가지고 있습니다. 지현이와 민정이가 가진 사탕을 합하면 22개, 민정이와 동우가 가진 사탕을 합하면 27개, 동우와 지현이가 가진 사탕을 합하면 31개입니다. 지현, 민정, 동우가 가진 사탕은 각각 몇 개입니까?

4

문제풀이

다음 |조건|을 만족하는 세 수가 있습니다. 큰 수부터 차례로 쓰시오.

|조건|

- 세 수의 합은 48입니다.
- (가장 큰 수)−(두 번째로 큰 수)=(두 번째로 큰 수)−(가장 작은 수)
- 가장 큰 수와 가장 작은 수의 차는 20입니다.

정답과 풀이 63쪽 ►

1 다음 식을 계산기로 계산하려고 합니다. $+$ 기호를 한 번 누르지 않았더니 합이 39가 나왔습니다. 누르지 않은 $+$ 기호를 찾아 ×표 하시오.

$$3+4+6+2+1+5=39$$

2 일의 자리 숫자가 8인 두 자리 수와 십의 자리 숫자가 3인 두 자리 수의 합은 85입니다. 두 수를 구하시오.

3 46에 어떤 수를 더한 값은 46에서 어떤 수를 뺀 값보다 16만큼 더 큽니다. 어떤 수를 구하시오.

4 승우는 동생과 누나가 있습니다. 승우는 9살이고, 동생은 7살이고, 누나는 11살입니다. 승우, 동생, 누나 세 사람의 나이의 합이 처음으로 35살이 넘는 것은 몇 년 후입니까?

정답과 풀이 65쪽 ►

5 가로, 세로, 대각선 위의 세 수의 합이 같아지도록 빈칸에 알맞은 수를 써넣으시오.

		12
	15	
		16

6 다음 수 카드 중 4장을 한 번씩만 사용하여 뺄셈식을 만들려고 합니다. 계산 결과가 가장 크게, 가장 작게 되도록 만드시오.

4 1 6 7 3

가장 큰 경우

	□	□
−	□	□

가장 작은 경우

	□	□
−	□	□

7 성냥개비 1개를 옮기면 올바른 식이 만들어집니다. 옮겨야 할 성냥개비를 찾고, 올바른 식을 쓰시오.

(1) 62+9=17

식: ____________

(2) 34-28=74

식: ____________

8 다음 식에서 같은 모양은 같은 수를, 다른 모양은 다른 수를 나타냅니다. ●, ▲이 나타내는 수를 각각 구하시오.

● + ● + ▲ + ▲ = 40
▲ + ▲ + ● + ▲ + ▲ = 56

정답과 풀이 65쪽 ►

사고력이 톡톡

화살표 방향으로 화살표 안에 적힌 수만큼 이동할 수 있습니다.
출발점을 찾아 도착점까지 선으로 이어보세요.

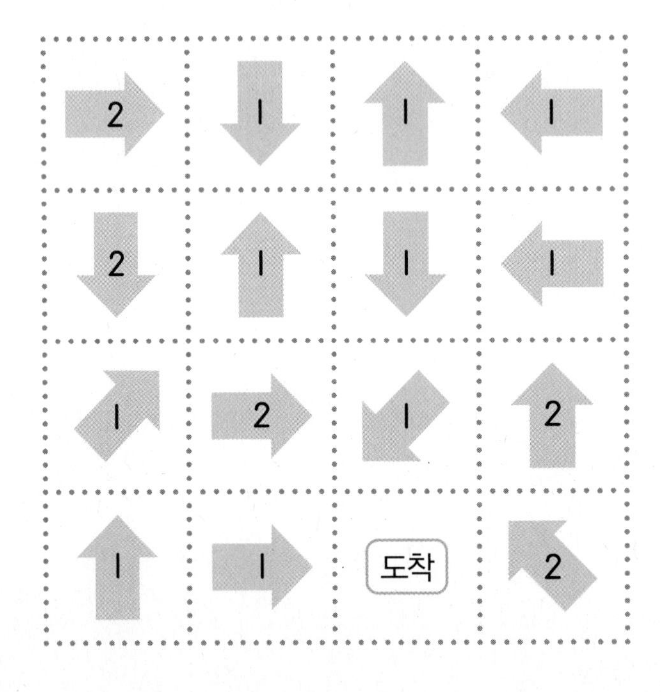

정답과 풀이 66쪽 ►

측정

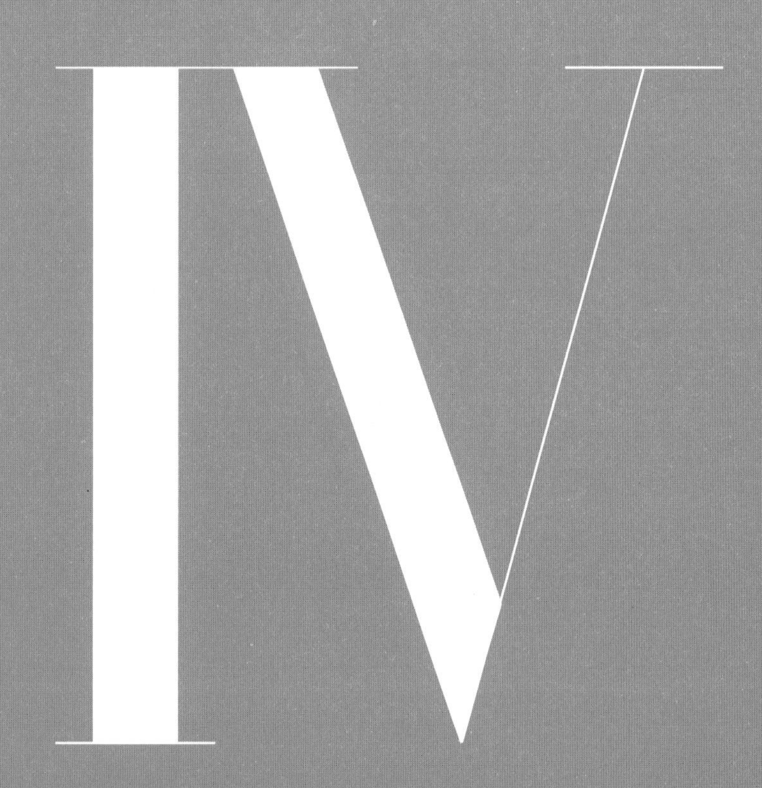

12-1. 길의 길이 재기

1 생쥐가 선을 따라 치즈가 있는 곳까지 가려고 합니다. 어느 치즈가 있는 곳까지 가는 길이 가장 짧은지 기호를 쓰시오. (단, 가장 작은 사각형의 네 변의 길이는 모두 같습니다.)

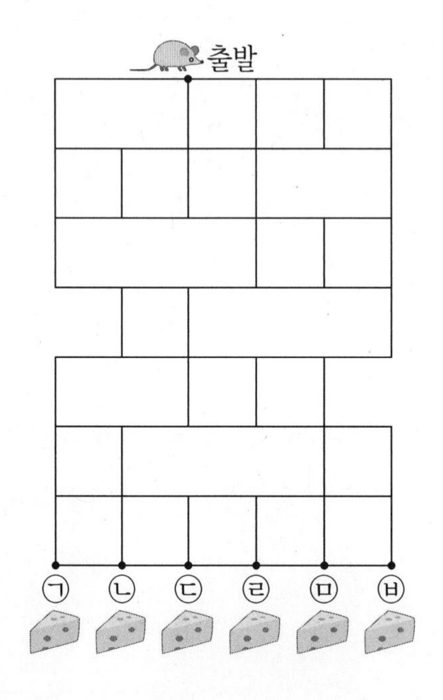

2 모눈 위에 그린 길의 길이가 긴 것부터 차례로 기호를 쓰시오.

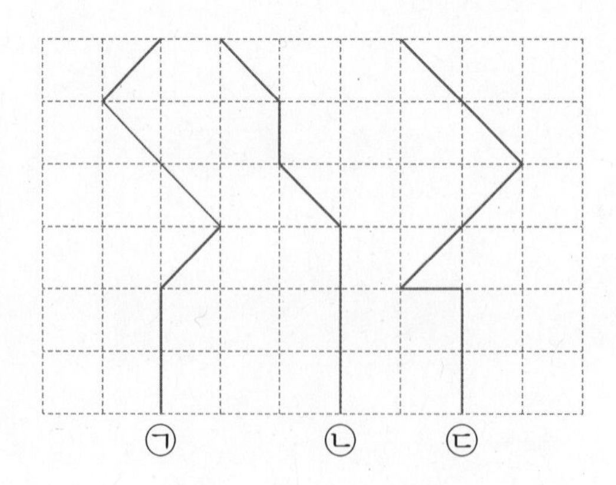

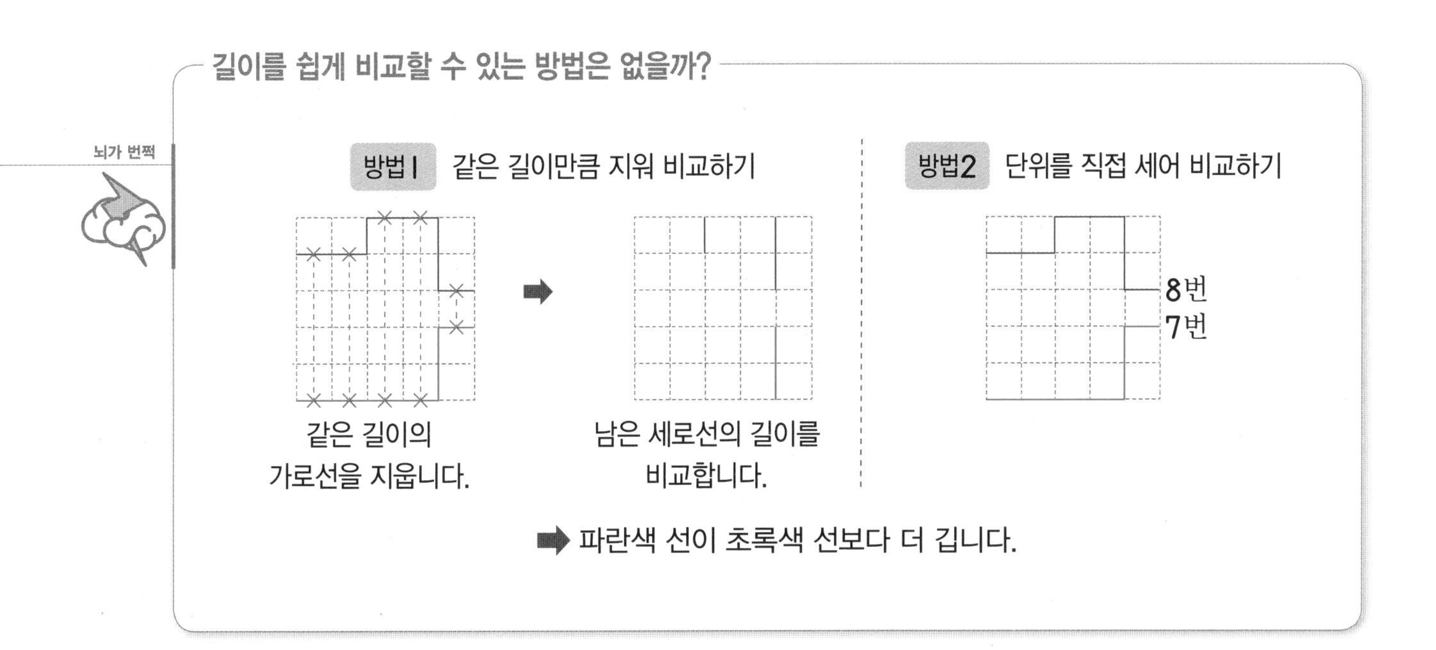

최상위 사고력 고양이가 선을 따라 물고기가 있는 곳까지 가려고 합니다. 가장 짧은 길을 그리시오. (단, 가장 작은 사각형의 네 변의 길이는 모두 같습니다.)

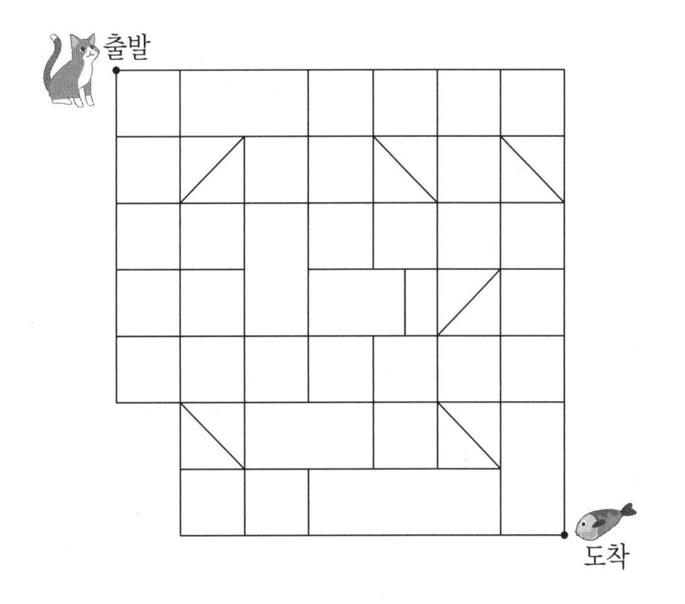

정답과 풀이 67쪽

12-2. 여러 가지 단위로 길이 재기

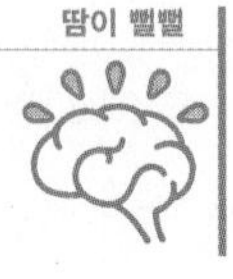

1 다음과 같이 길이가 각각 같은 크레파스와 연필, 지우개, 클립을 이어 붙였습니다. 지우개 1개의 길이가 4 cm일 때 크레파스, 연필, 클립의 길이는 각각 몇 cm인지 차례로 구하시오.

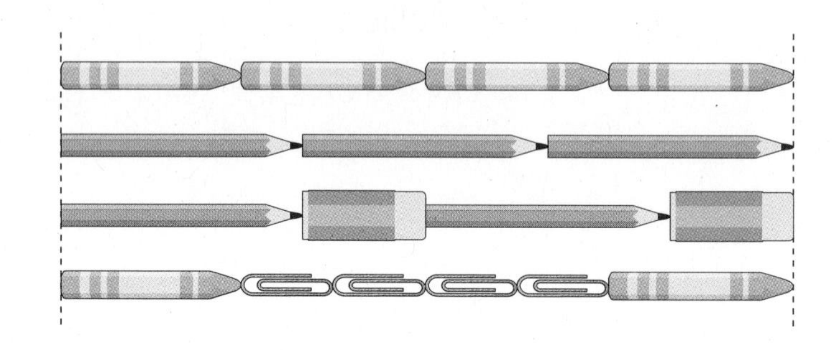

단위가 여러 가지일 때 길이는 어떻게 비교할까?

뇌가 번쩍

가	가	가	다	
나		나	가	가

가 2개와 나 1개의 길이가 같습니다.

바꾸기 →

가	가	가	다		
나		가	가	가	가

나 1개를 가 2개로 바꿉니다.

지우기 →

가	가	~~가~~	다		
나		~~가~~	가	가	가

같은 길이는 지웁니다.

큰 단위를 작은 단위로 바꾸고, 같은 단위끼리 지워 길이를 비교합니다.

최상위 사고력 A

길이가 다른 두 종류의 연필로 책상의 가로를 쟀습니다. 책상의 가로는 긴 연필 3자루, 짧은 연필 6자루의 길이의 합과 같고, 긴 연필 6자루, 짧은 연필 2자루의 길이의 합과도 같습니다. 긴 연필 12자루의 길이는 짧은 연필 몇 자루의 길이와 같습니까?

최상위 사고력 B

다음과 같이 길이의 차가 10 cm인 보라색 테이프와 하늘색 테이프를 겹치지 않게 놓았습니다. 보라색 테이프 1개의 길이는 몇 cm입니까?

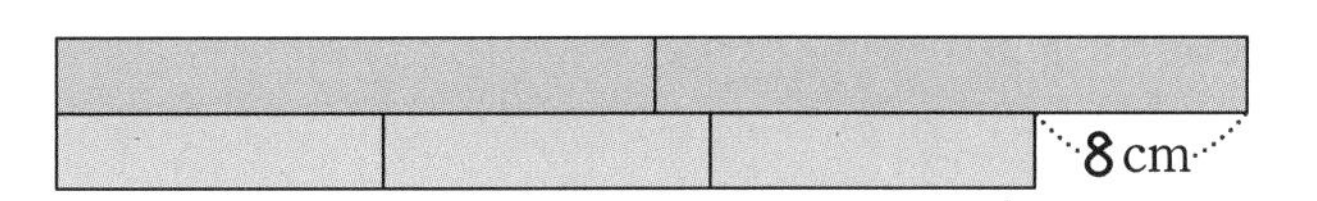

정답과 풀이 68쪽 ►

12-3. 꺾인 끈의 길이 재기

1 다음과 같이 똑같은 상자에 리본 끈을 묶었습니다. 두 상자 중에서 어느 상자를 묶는데 끈을 몇 cm 더 사용했습니까? (단, 리본 모양을 만드는 데 사용된 끈의 길이는 같습니다.)

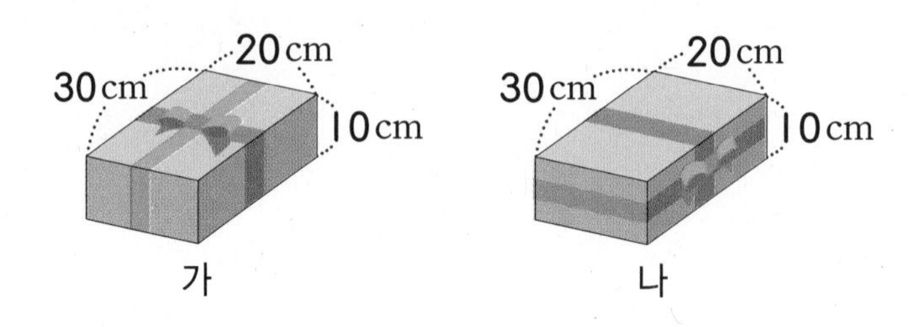

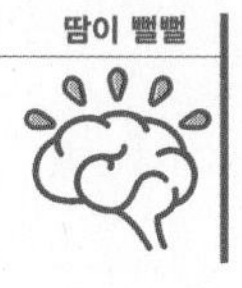

2 한 칸의 길이가 1 cm인 모눈 위에 색 테이프를 4번 접어 놓았습니다. 색 테이프의 길이는 몇 cm입니까?

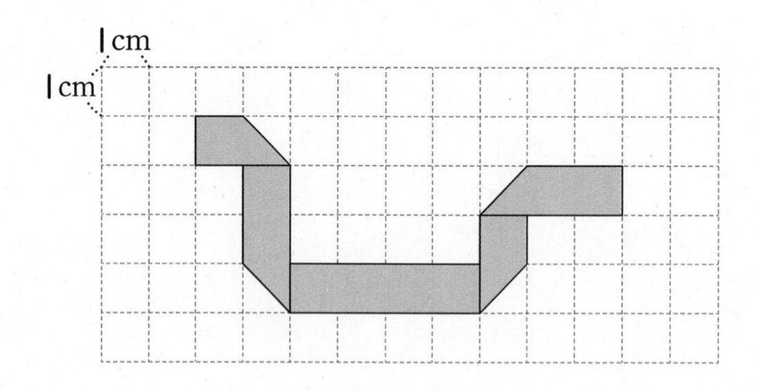

꺾인 부분이 있는 것의 길이는 어떻게 구할 수 있을까?

뇌가 번쩍

상자에 감긴 끈

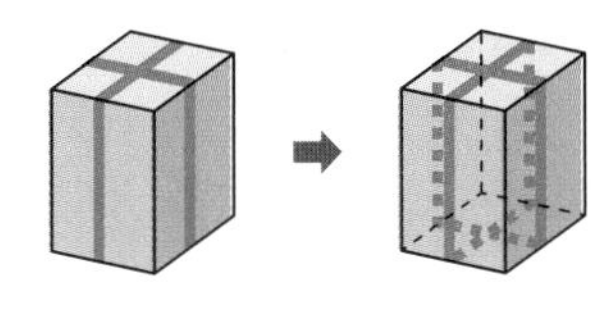

보이지 않는 면을 지나는 끈의 모습을 생각합니다.

접힌 종이

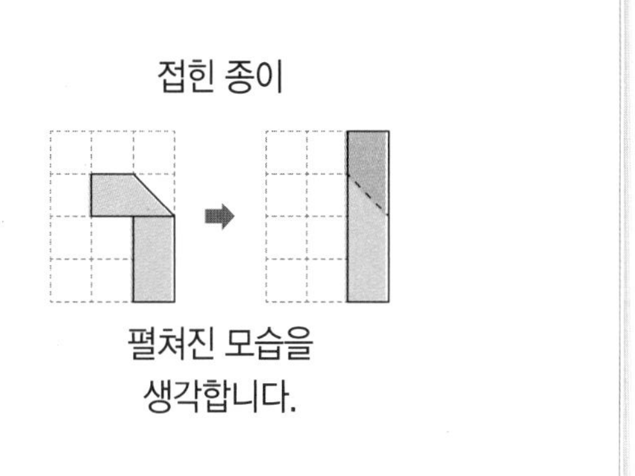

펼쳐진 모습을 생각합니다.

최상위 사고력

똑같은 선물 상자를 4가지 방법으로 포장하였습니다. 사용된 끈의 길이가 가장 긴 것부터 차례로 기호를 쓰시오. (단, 매듭의 길이는 생각하지 않습니다.)

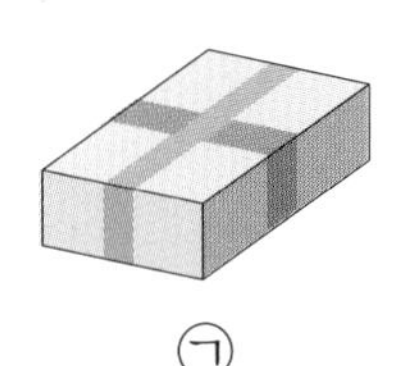

㉠

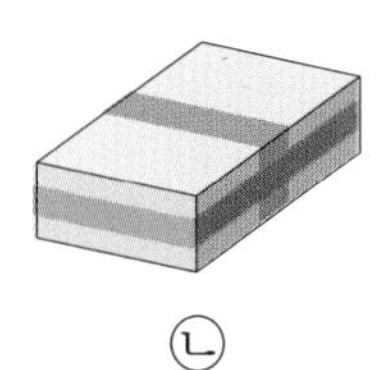

㉡

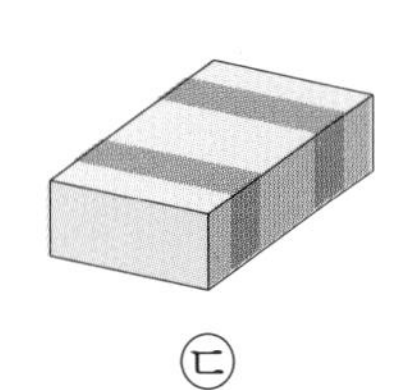

㉢

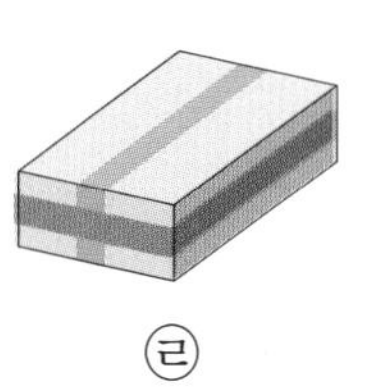

㉣

최상위 사고력

1 다음과 같이 3가지 종류의 막대를 겹치지 않게 이어 붙였습니다. 다 막대의 길이가 2 cm일 때 가, 나 막대의 길이는 각각 몇 cm인지 차례로 구하시오.

다	다	나	다	나

가	가

나	나	나

2 한 칸의 길이가 1 cm인 모눈 위에 색 테이프를 접어 놓았습니다. 색 테이프의 길이는 몇 cm입니까?

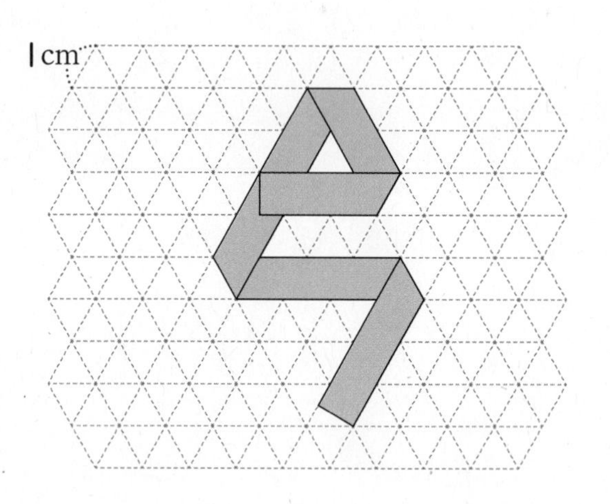

| 경시대회 기출 |

3

다음은 이웃한 두 점 사이의 거리가 1 cm인 모눈 위의 점 ㉠에서 출발하여 3 cm를 움직여서 도착할 수 있는 점을 찾아 표시한 것입니다.

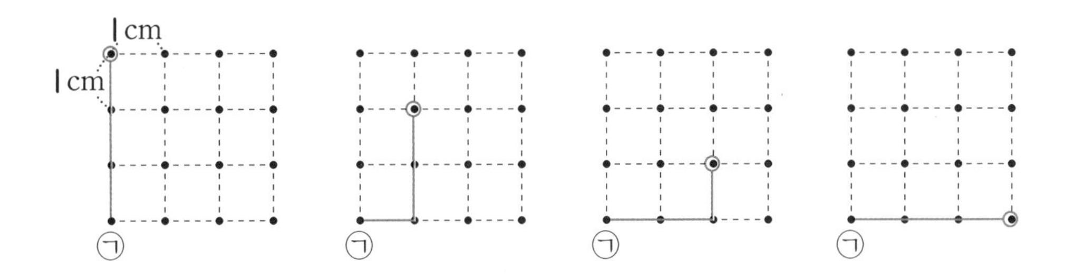

한 번 지나간 길은 다시 지날 수 없을 때, 점 ㉠에서 출발하여 6 cm를 움직여서 도착할 수 있는 점은 모두 몇 개인지 구하시오. (단, 출발점 ㉠으로 다시 돌아가는 경우는 생각하지 않습니다.)

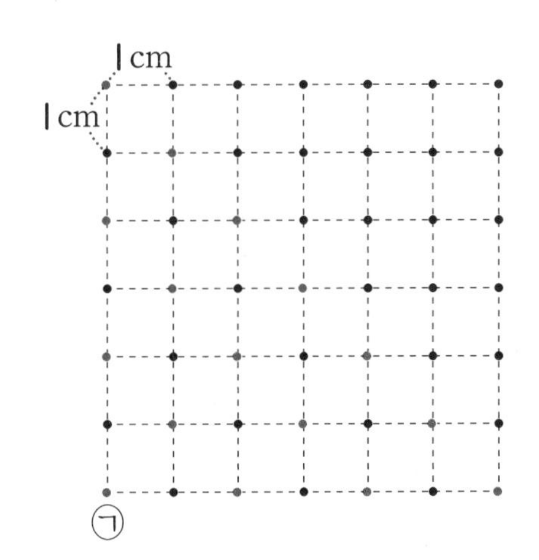

정답과 풀이 71쪽 ►

13-1. 눈금이 지워진 자

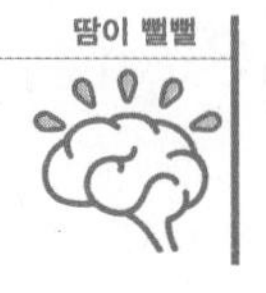

1 눈금이 지워진 자로 물건의 길이를 재려고 합니다. 각각의 물건의 길이를 재는 방법을 그림으로 나타내시오.

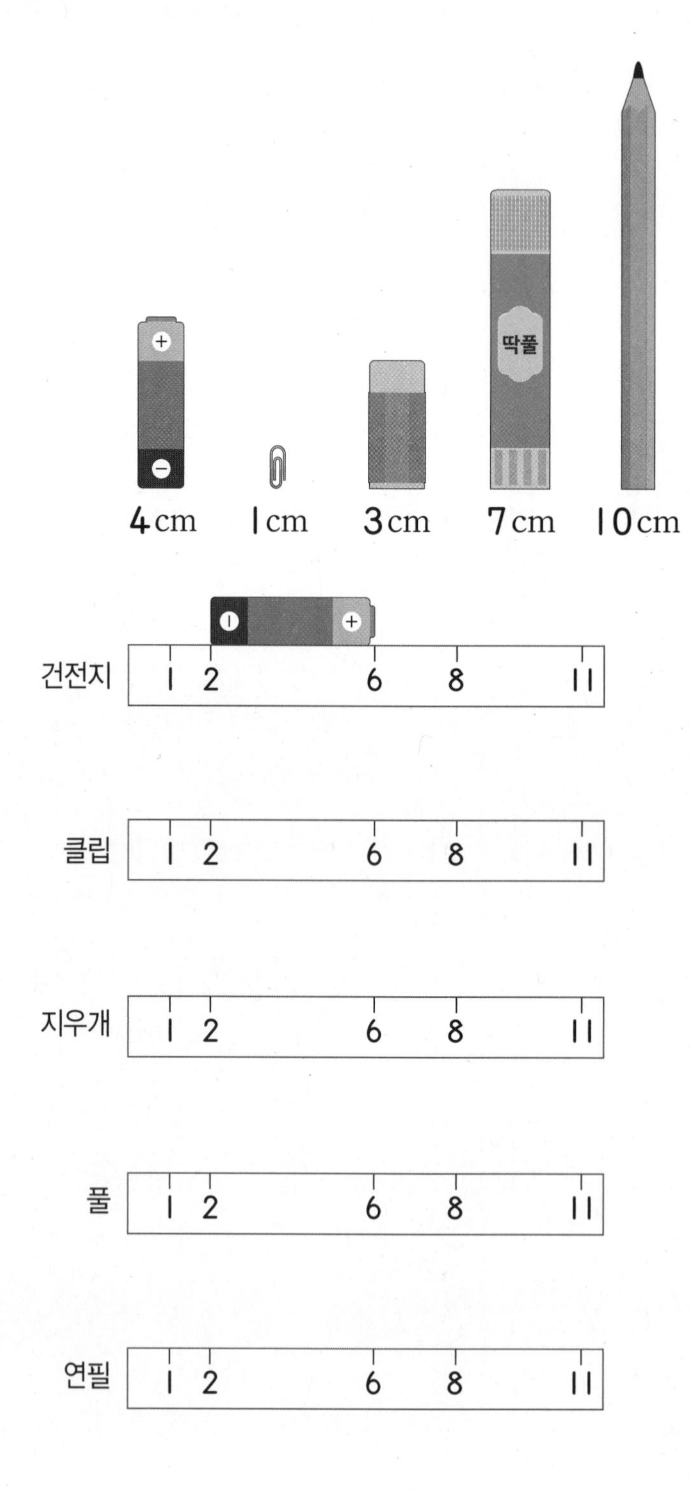

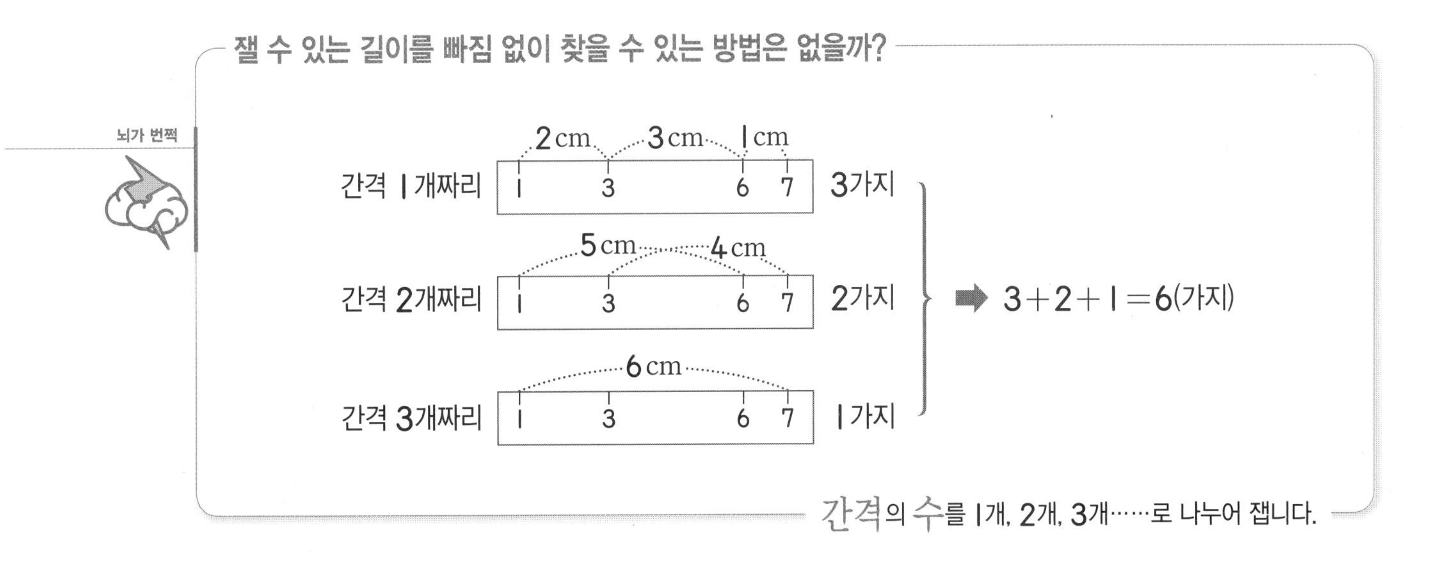

최상위 사고력

다음과 같은 자로 1 cm부터 10 cm까지 1 cm 간격의 길이를 모두 잴 수 있도록 눈금을 하나 더 그리시오.

(1) 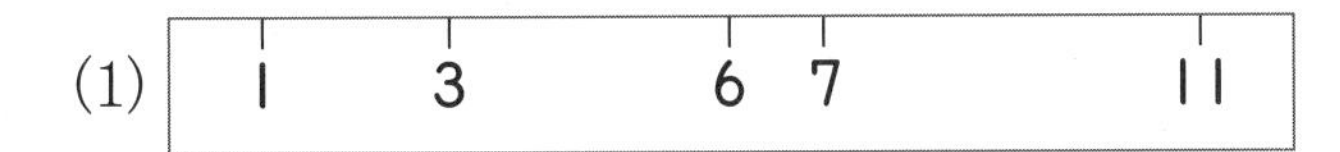

(2) 

13-2. 겹쳐진 부분의 길이

1 그림을 보고 알 수 있는 길이를 모두 구해 □ 안에 알맞은 수를 써넣으시오.

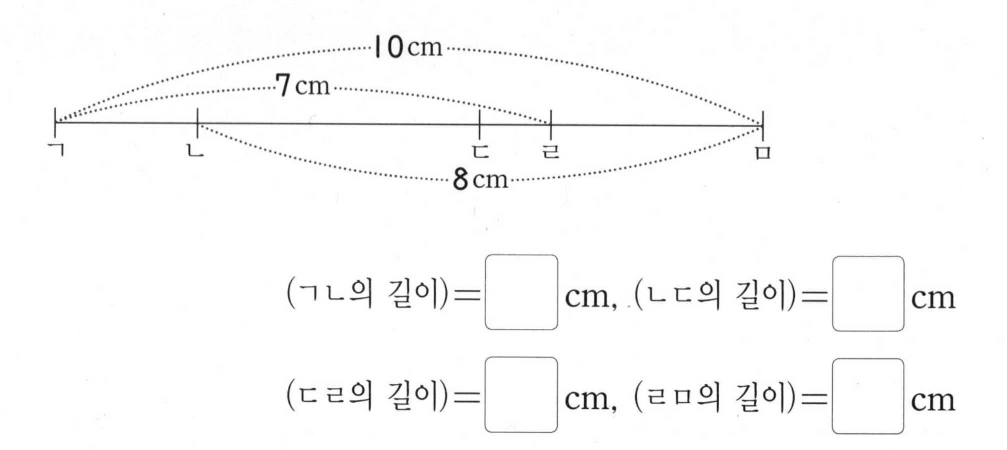

(ㄱㄴ의 길이)=□cm, (ㄴㄷ의 길이)=□cm

(ㄷㄹ의 길이)=□cm, (ㄹㅁ의 길이)=□cm

알 수 없는 길이도 있습니다.

2 다음과 같이 길이가 5 cm인 색 테이프 6장을 1 cm씩 겹쳐서 이어 붙였습니다. 이어 붙인 색 테이프의 전체 길이는 몇 cm입니까?

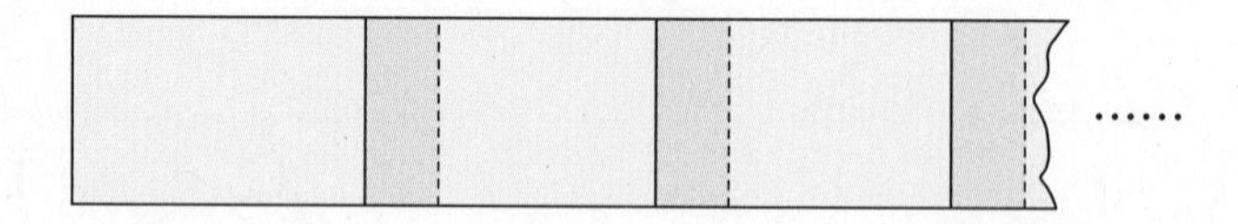

뇌가 번쩍

겹쳐진 테이프의 전체 길이를 구할 때 반드시 알아야 할 것은?

……

테이프의 수(장)	2	3	4	5	……
겹쳐진 부분의 수(부분)	1	2	3	4	……

(겹쳐진 부분의 수) = (테이프의 수) − 1

최상위 사고력

높이가 9 cm인 종이컵 한 개를 놓고, 그 위에 같은 종이컵 2개를 더 쌓았더니 높이가 13 cm가 되었습니다. 여기에 같은 방법으로 종이컵을 더 쌓아서 높이가 30 cm를 넘게 하려면 최소 몇 개를 더 쌓아 올려야 합니까?

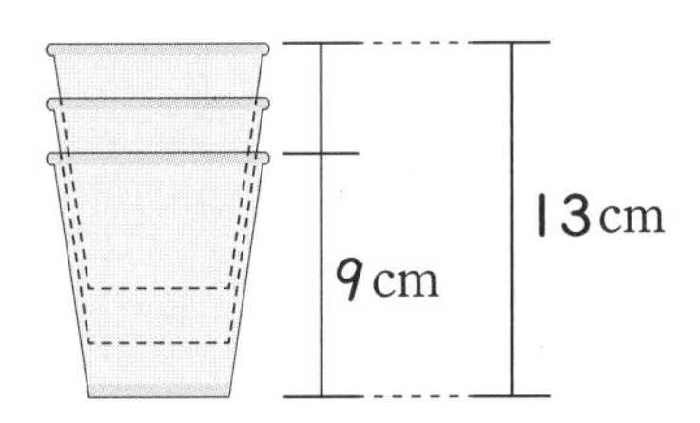

정답과 풀이 73쪽 ►

13-3. 길이가 주어진 막대

1 다음과 같이 1 cm, 3 cm, 4 cm, 11 cm 길이의 막대가 연결되어 있고, 연결 부위가 자유롭게 움직입니다. 이 막대로 잴 수 있는 길이를 모두 구하시오.

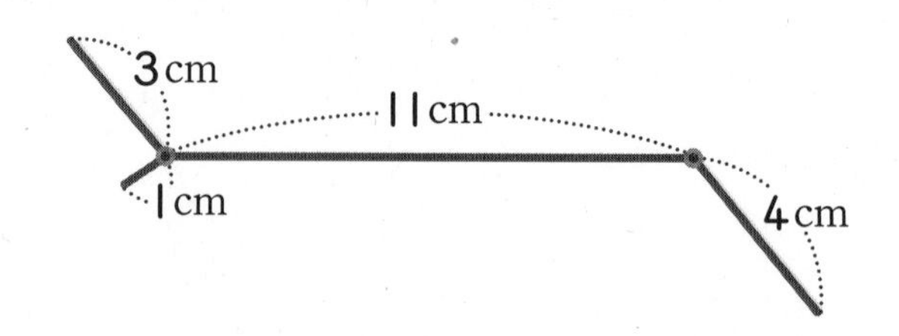

길이	식
1	1
2	$3-1=2$
3	3
4	4
5	$\times$
6	
7	
8	
9	$\times$

길이	식
10	
11	
12	$11+1=12$
13	$\times$
14	
15	
16	
17	$\times$
18	

2 길이가 2 cm, 3 cm, 7 cm인 3개의 나무 막대가 있습니다. 이 3개의 막대를 사용하여 잴 수 있는 길이는 모두 몇 가지입니까? (단, 막대를 모두 사용할 필요는 없습니다.)

2 cm　3 cm　7 cm

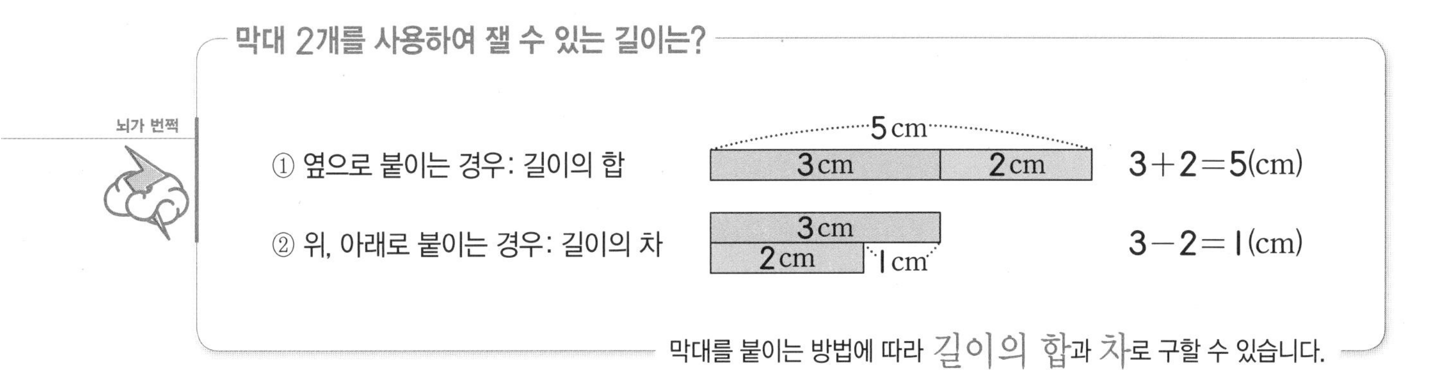

최상위 사고력

다음은 1 cm부터 10 cm까지 길이의 퀴즈네르 막대입니다. 이 중 막대 3개만 골라서 1 cm부터 13 cm까지 1 cm 간격의 길이를 모두 재려고 할 때, 골라야 하는 막대의 길이를 쓰시오.

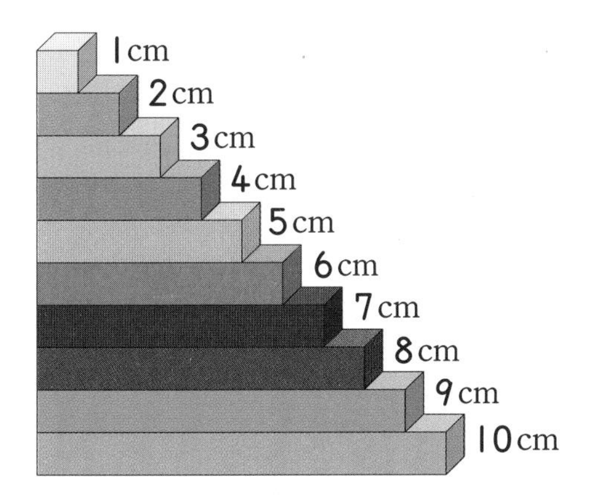

정답과 풀이 74쪽 ►

최상위 사고력

1 2개의 눈금 없는 삼각자를 사용하여 잴 수 있는 길이는 모두 몇 가지입니까? (단, 삼각자를 모두 사용할 필요는 없습니다.)

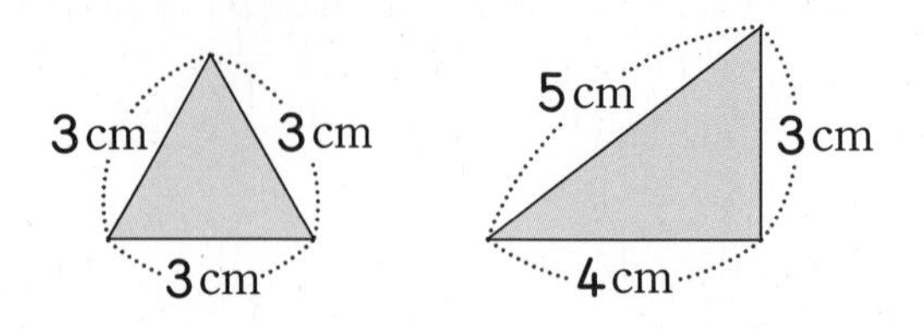

2 길이가 같은 색 테이프 5장이 있습니다. 이 색 테이프 5장을 3 cm씩 겹쳐서 이어 붙였더니 이어 붙인 색 테이프의 전체 길이가 33 cm가 되었습니다. 색 테이프 1장의 길이는 몇 cm인지 구하시오.

| 경시대회 기출 |

3

문제풀이

상자 3개를 모두 쌓은 모양의 높이를 구하려고 합니다. 구할 수 있는 서로 다른 높이를 모두 구하시오.

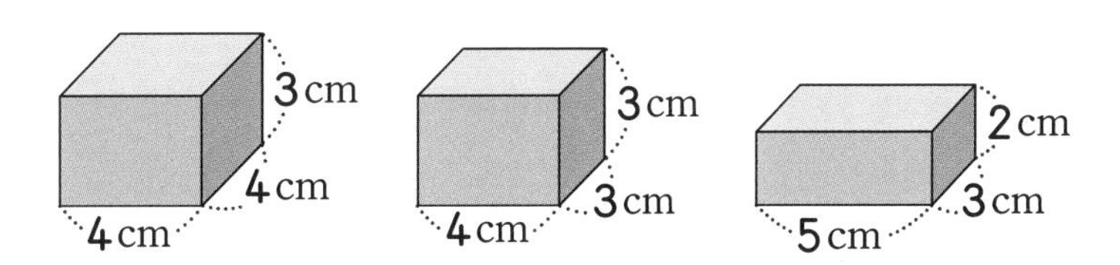

4

문제풀이

다음 그림에서 점 ㄱ과 점 ㅁ 사이의 길이는 30 cm입니다. 점 ㄹ은 점 ㄷ과 점 ㅁ의 한가운데에 있고, 점 ㄷ은 점 ㄴ과 점 ㄹ의 한가운데에 있습니다. 점 ㄴ은 점 ㄱ과 점 ㄹ의 한가운데에 있을 때 주어진 길이를 구하시오.

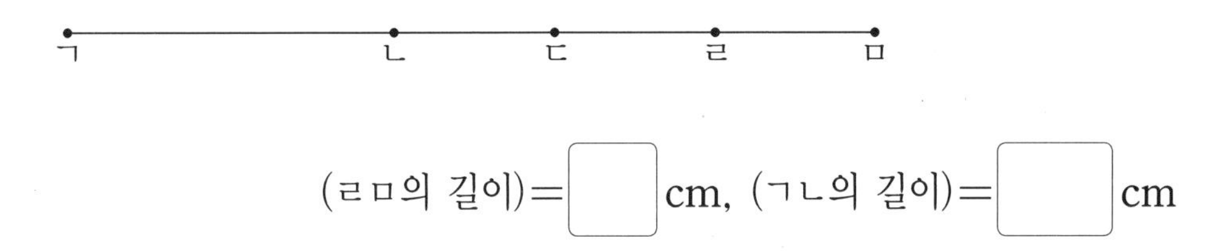

(ㄹㅁ의 길이)= ☐ cm, (ㄱㄴ의 길이)= ☐ cm

1 모눈 위에 그린 길의 길이가 가장 긴 것을 찾아 기호를 쓰시오.

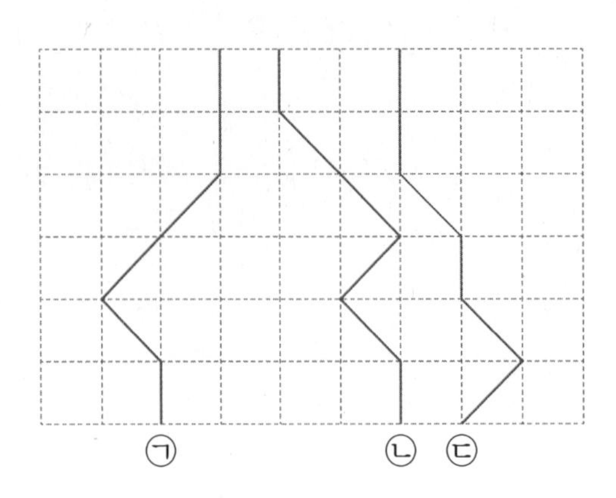

2 2장의 종이를 사용하여 잴 수 있는 길이는 모두 몇 가지입니까? (단, 종이를 모두 사용할 필요는 없습니다.)

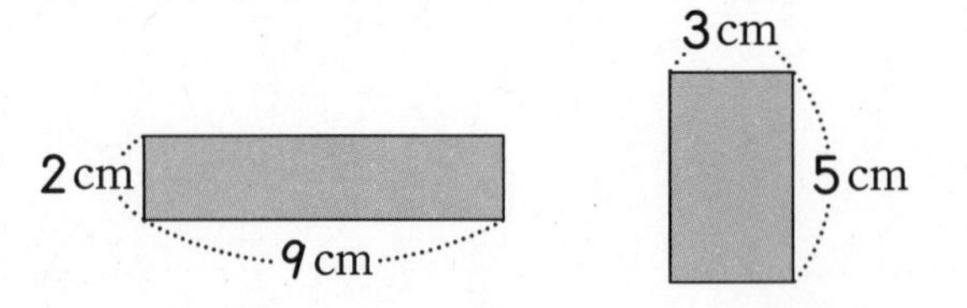

3 다음과 같이 상자를 끈으로 묶어서 포장하였습니다. 사용된 끈의 길이는 몇 cm입니까? (단, 매듭의 길이는 생각하지 않습니다.)

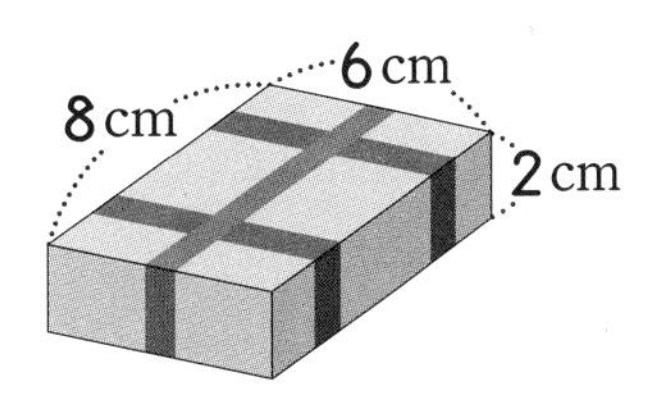

4 한 칸의 길이가 1 cm인 모눈 위에 색 테이프를 접어 숫자 2를 만들었습니다. 색 테이프의 길이는 몇 cm입니까?

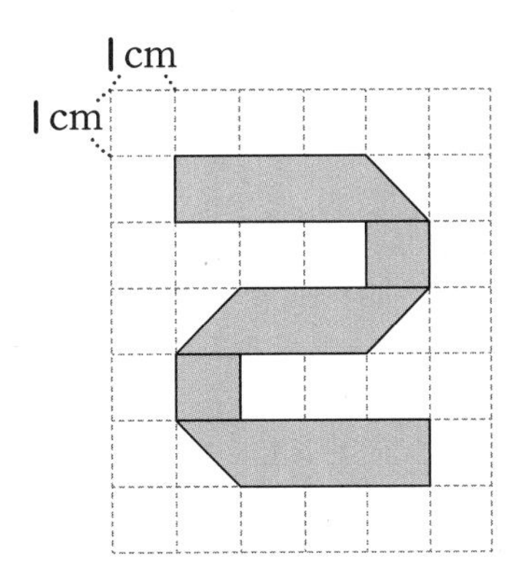

정답과 풀이 76쪽 ►

5

다음과 같이 3 cm, 4 cm, 5 cm, 10 cm 길이의 막대가 연결되어 있고, 연결 부위가 자유롭게 움직입니다. 1 cm부터 20 cm의 길이 중에서 이 막대로 잴 수 없는 길이를 모두 구하시오.

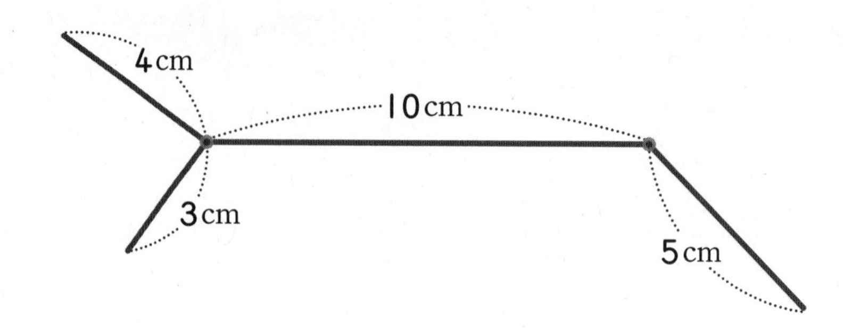

6

길이가 10 cm인 파란색 테이프 3장을 2 cm씩 겹쳐서 이어 붙인 것은 길이가 같은 노란색 테이프 2장을 2 cm씩 겹쳐서 이어 붙인 것과 길이가 같습니다. 노란색 테이프 1장의 길이는 몇 cm입니까?

정답과 풀이 76쪽 ►

확률과 통계

14-1. 기준에 따라 분류하기

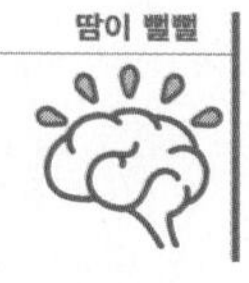

1 알파벳을 여러 가지 기준에 따라 분류하시오.

A	C	D	E	F
L	M	N	O	P
R	S	T	V	Z

곧은 선이 있습니다.	곧은 선이 없습니다.
A, D	

선으로 완전히 둘러싸인 곳이 있습니다.	선으로 완전히 둘러싸인 곳이 없습니다.
R	

반으로 접었을 때 완전히 겹쳐집니다.	반으로 접었을 때 완전히 겹쳐지지 않습니다.
C	

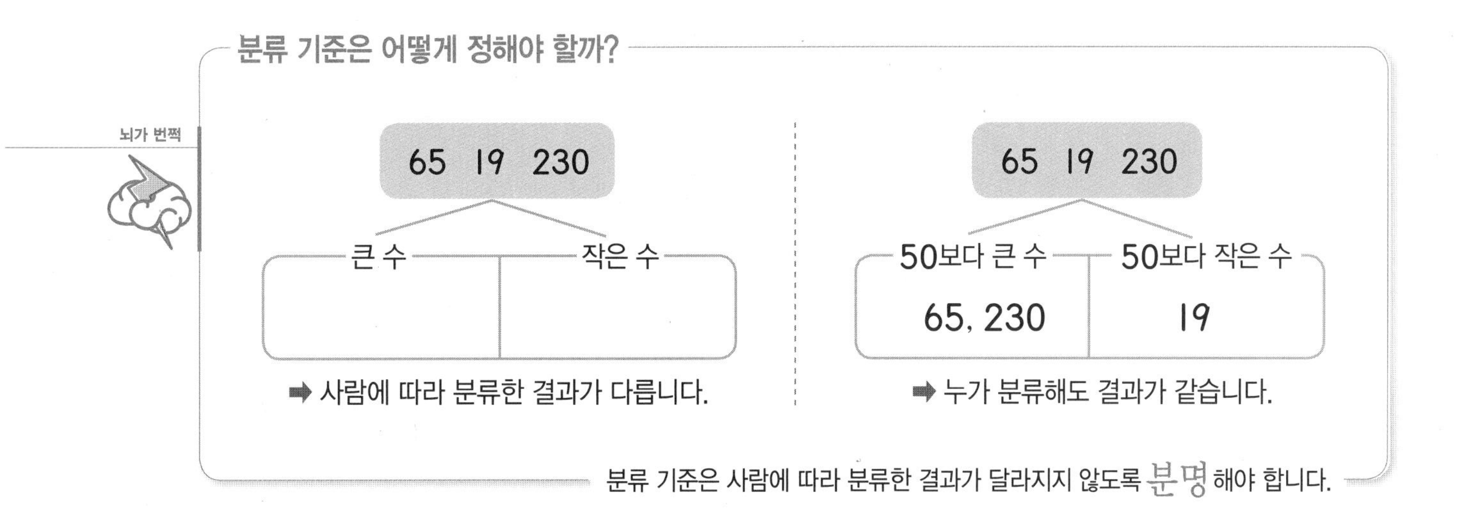

최상위 사고력

다음 모양을 보고 물음에 답하시오.

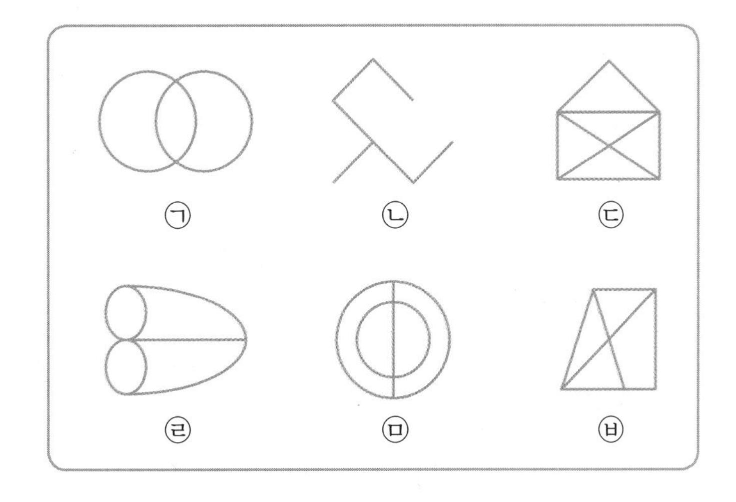

(1) 반으로 접을 때 완전히 겹쳐지는 모양을 모두 찾아 기호를 쓰시오.

(2) 연필을 종이에서 떼지 않고 모든 선을 한 번씩만 지나도록 그릴 수 있는 모양을 모두 찾아 기호를 쓰시오.

14-2. 여러 가지 기준으로 분류하기

1 다음은 어떤 기준에 따라 표 안에 그림을 그려 넣은 것입니다. 분류 기준과 그림을 알맞게 채워 표를 완성하시오.

뿔의 개수 / 얼굴 모양		2개	

2 주어진 수를 기준에 따라 분류하시오.

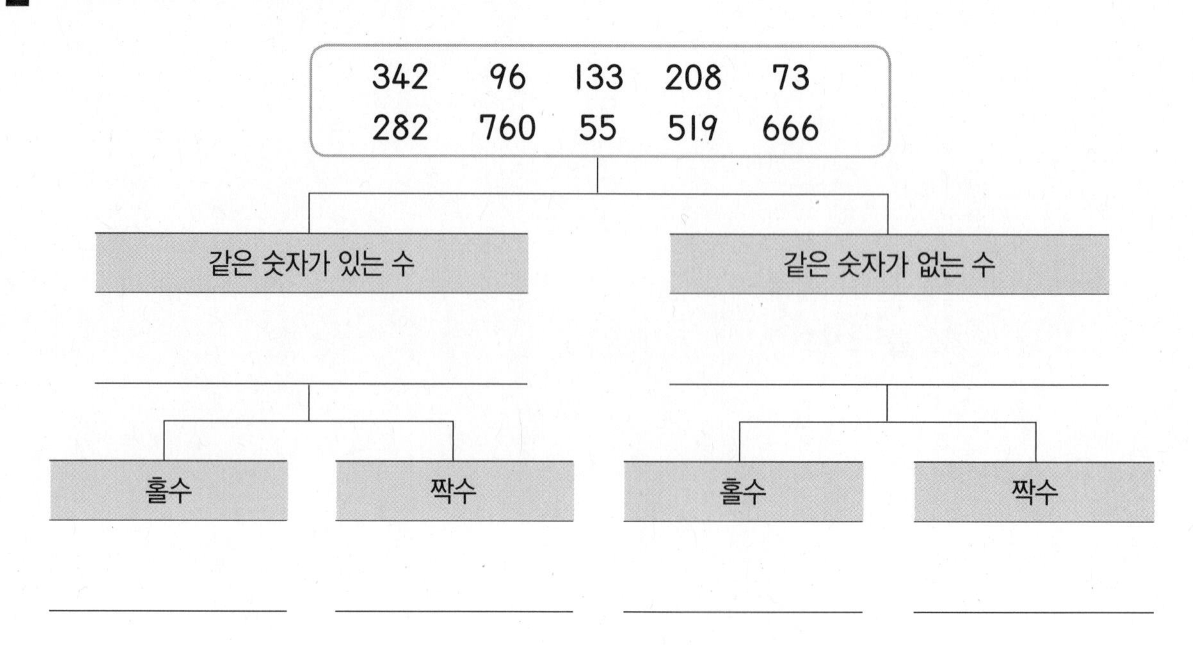

최상위 사고력

다음 그림의 색칠한 부분에 들어갈 수 있는 수를 |보기|에서 찾아 쓰시오.

|보기|

83 76 153 247 115 95 531 705

(1)

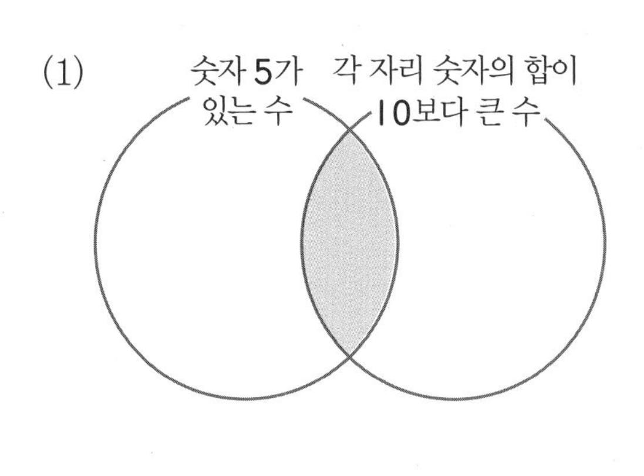

(2)

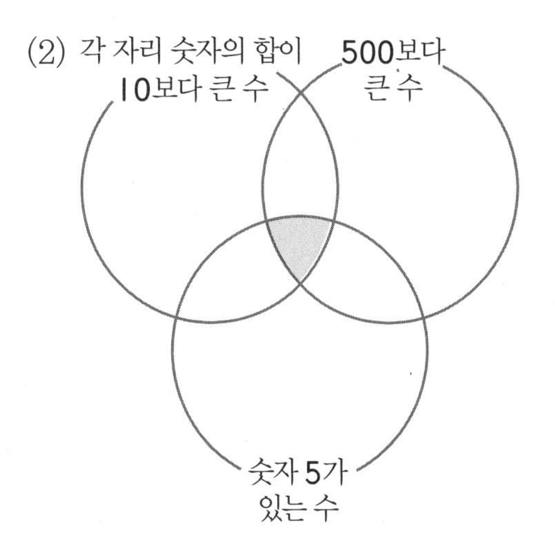

14-3. 분류 기준 찾기

1 질문과 대답을 보고 마지막 빈 곳에 '예' 또는 '아니요'를 써넣으시오.

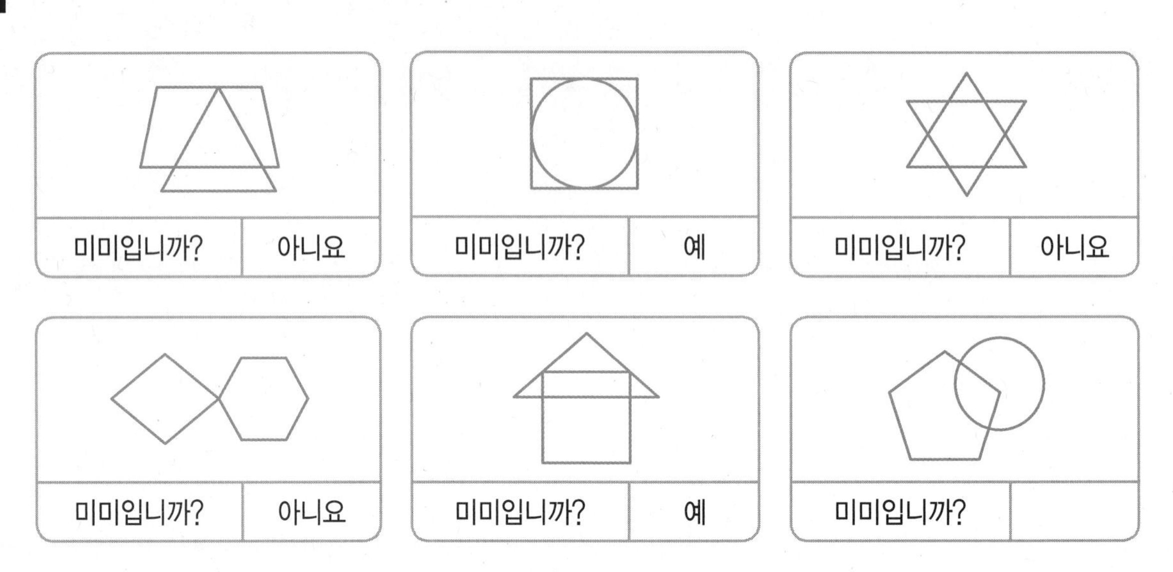

2 다음을 보고 '싱싱'은 무엇인지 쓰시오.

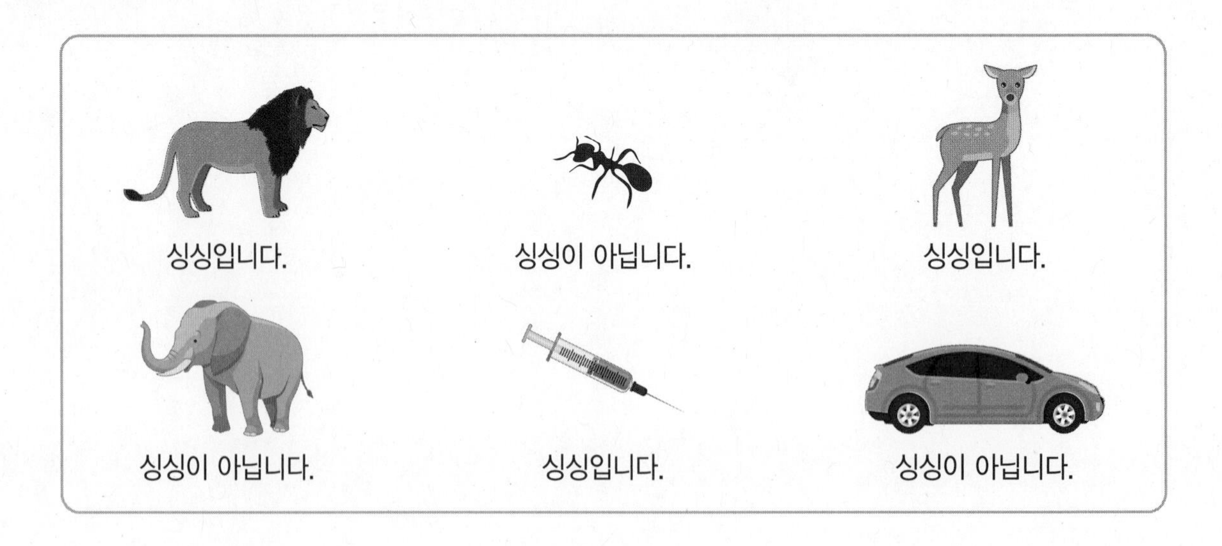

뇌가 번쩍

분류 기준을 어떻게 찾을 수 있을까?

➡ 다리가 6개인 동물

➡ 다리가 6개가 아닌 동물

공통점과 차이점을 살펴봅니다.

최상위 사고력

주어진 그림이 '루루'이면 ○표, '루루'가 아니면 ×표 하시오.

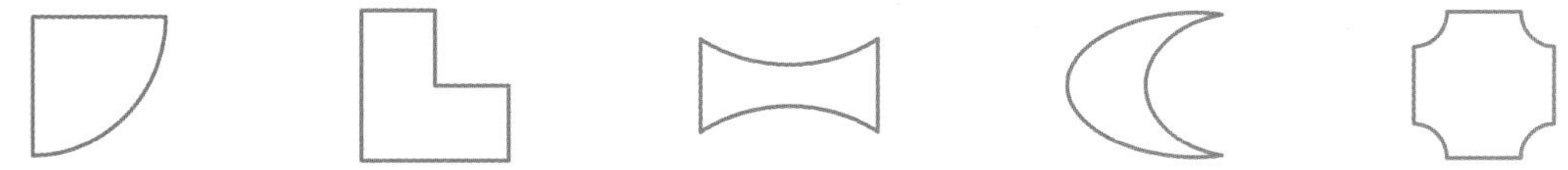

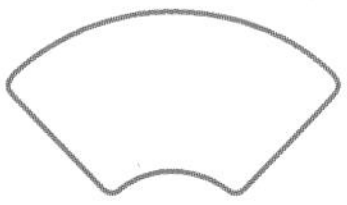

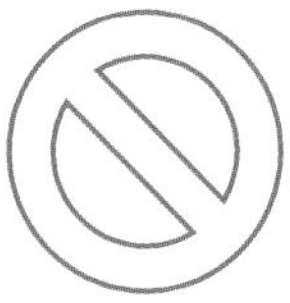

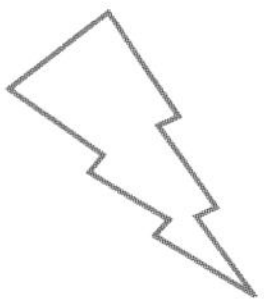

루루입니다.	루루가 아닙니다.	루루입니다.	루루가 아닙니다.	루루입니다.

(   )   (   )

(   )   (   )

정답과 풀이 80쪽 ►

최상위 사고력

1 여러 나라의 국기를 두 가지 방법으로 분류했습니다. 빈 곳에 알맞은 기준을 쓰시오.

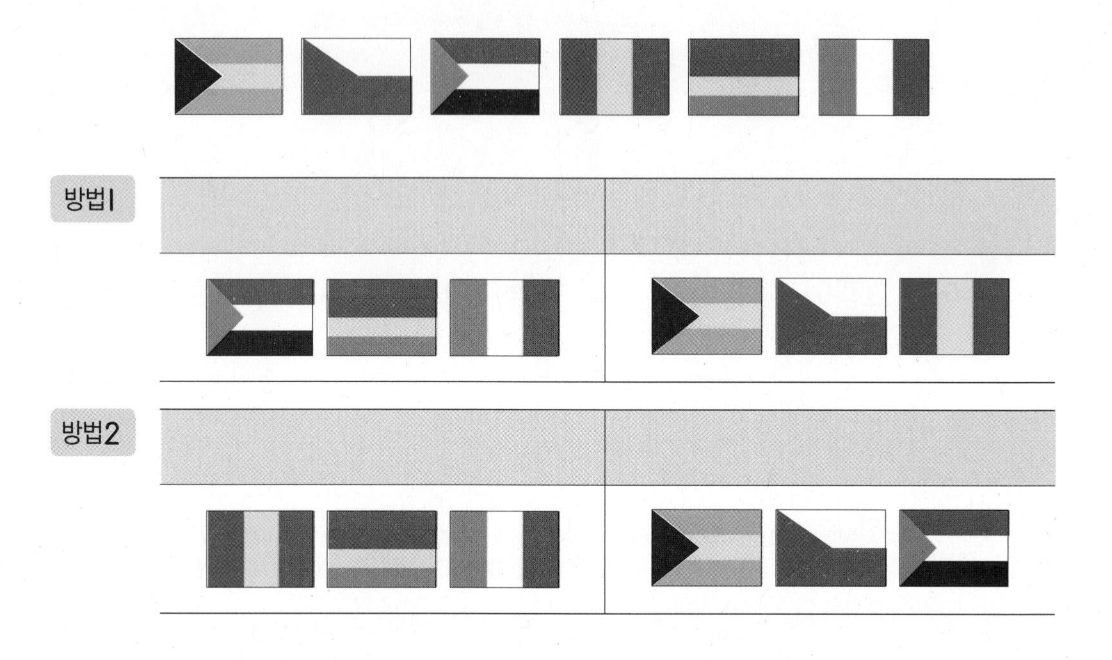

2 다음을 보고 오른쪽 글자가 '호호'이면 ○표, '호호'가 아니면 ×표 하시오.

| 경시대회 기출 |

3

㉠, ㉡, ㉢에 알맞은 우즐 카드를 찾아 번호를 쓰시오.

문제풀이

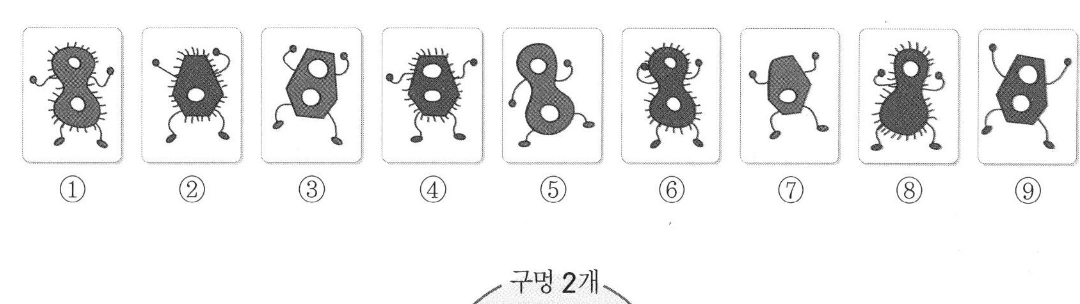

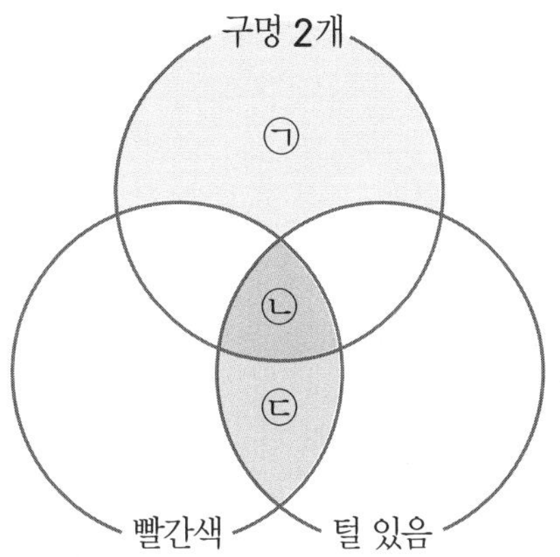

4

다음은 두 가지 기준으로 수를 분류한 표입니다. 주어진 수가 들어갈 수 있는 칸의 기호를 쓰시오.

기준 ① / 기준 ②	각 자리 숫자가 낮은 자리로 갈수록 점점 커지는 수	각 자리 숫자가 낮은 자리로 갈수록 점점 작아지는 수
짝수	㉠ 28, 46, 136	㉡ 42, 320, 764
홀수	㉢ 37, 125, 249	㉣ 75, 91, 853

13 (   )   842 (   )   578 (   )

정답과 풀이 81쪽 ►

15-1. 공통점과 차이점

땅이 뻘뻘

1 왼쪽에 놓인 여섯 개 도형과 오른쪽에 놓인 여섯 개 도형의 차이를 설명하시오.

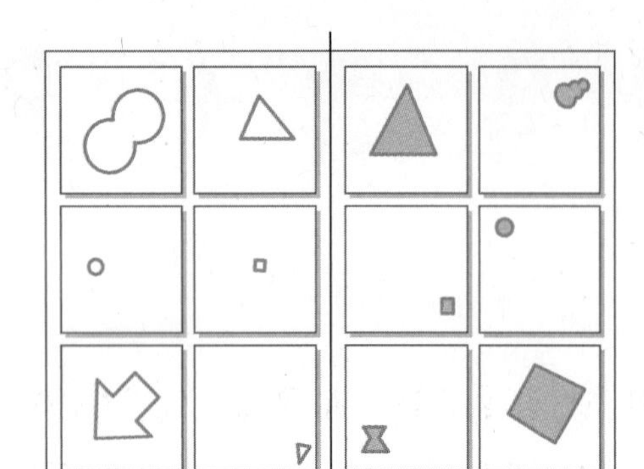

왼쪽 도형은 색칠되어 있지 않고, 오른쪽 도형은 색칠되어 있습니다.

(1)

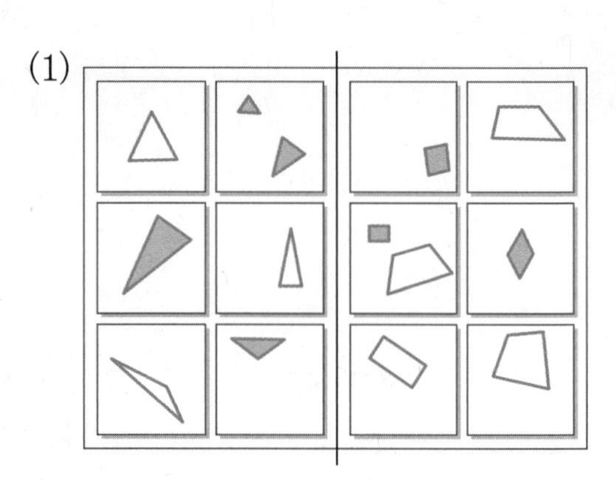

(2)

(3)

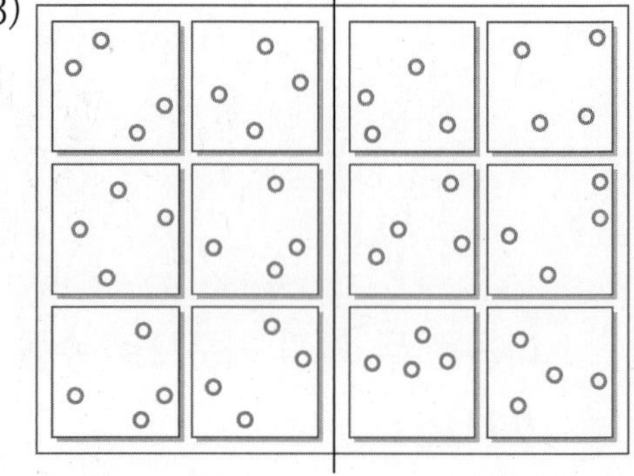

공통점과 차이점은 어떻게 찾을까?

뇌가 번쩍

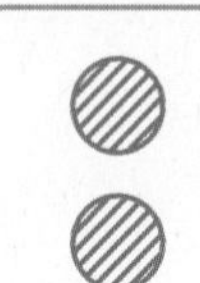

- 색깔은 서로 같습니다.
- 무늬는 서로 같습니다.

➡ 공통점

- 모양은 서로 다릅니다.
- 개수는 서로 다릅니다.

➡ 차이점

일정한 기준을 세워 찾아봅니다.

최상위 사고력 A

공통점이 있는 도형들이 왼쪽과 오른쪽에 각각 여섯 개씩 놓여 있습니다. 열두 개의 도형 중 잘못 놓인 도형 한 개를 찾아 ○표 하시오.

(1)

(2)

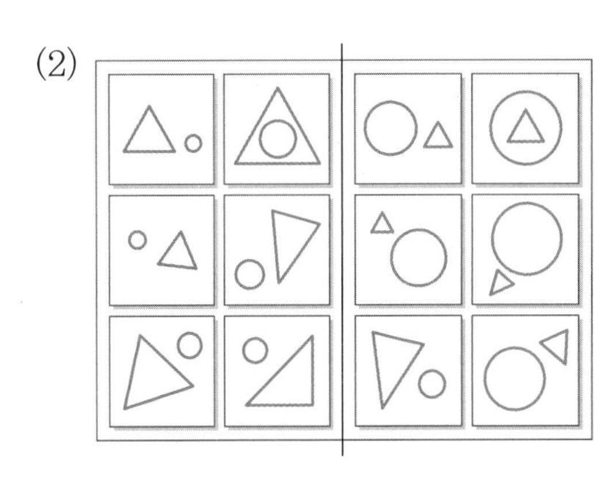

최상위 사고력 B

2 모양, 색깔, 무늬, 개수의 4가지 속성(어떤 대상이 가진 특징이나 성질) 중에서 각각의 속성이 모두 다르거나 모두 같으면 '세트(set)'가 됩니다. 다음 3장의 카드가 '세트(set)'가 되도록 빈 곳에 알맞은 그림을 그리시오.

- 모양은 , , 입니다.
- 색깔은 , , 입니다.
- 무늬는 , , 입니다.
- 개수는 1개, 2개, 3개입니다.

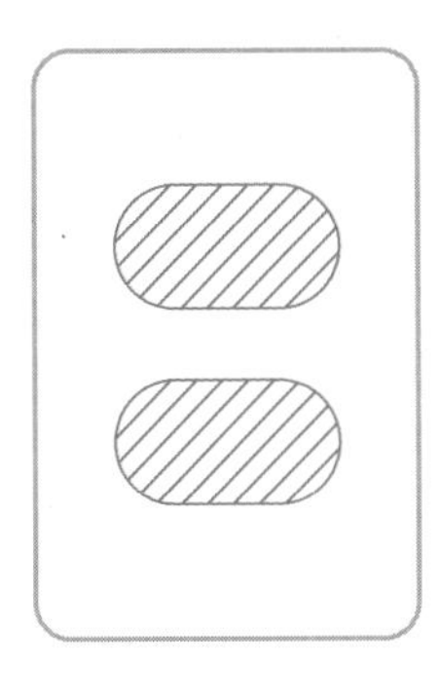

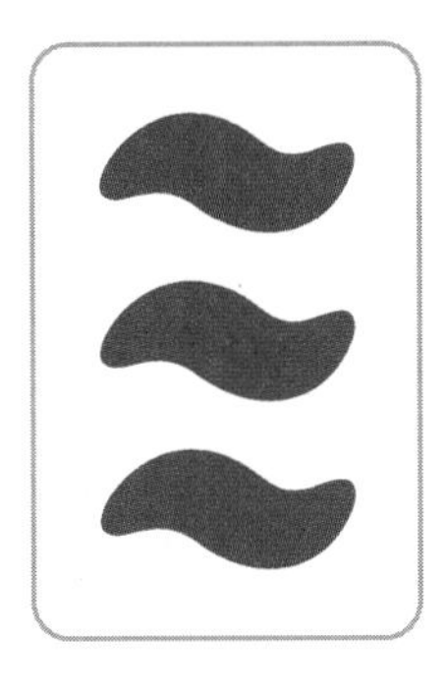

TIP 먼저 주어진 카드 2장의 4가지 속성이 모두 같은지, 다른지 관찰해 봅니다.

정답과 풀이 82쪽 ►

15-2. 유비추론

– 두 대상이 한 가지 이상의 속성이 동일하거나 유사하면 다른 속성도 동일하거나 유사할 것이라고 추론하는 방법

1 **왼쪽과 오른쪽의 관계를 보고 빈 곳에 알맞은 단어 또는 그림을 넣어 완성하시오.**

보기

배 : 바다 = 비행기 : 하늘

(1) 발 : 양말 = 손 : ☐

(2) ☐

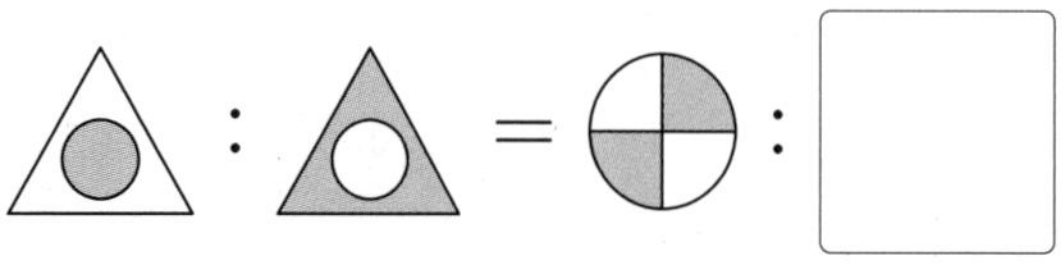

(3) ☐

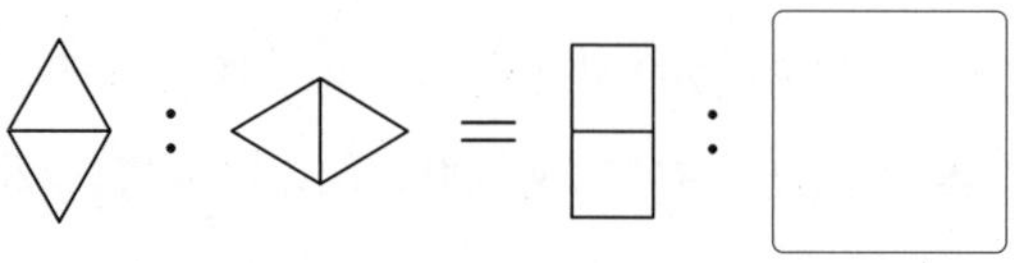

(4) ☐

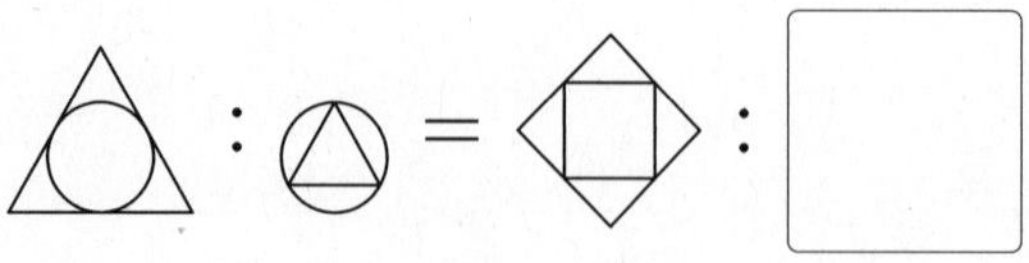

2 **☐ 안에 알맞은 그림을 찾아 번호를 써넣으시오.**

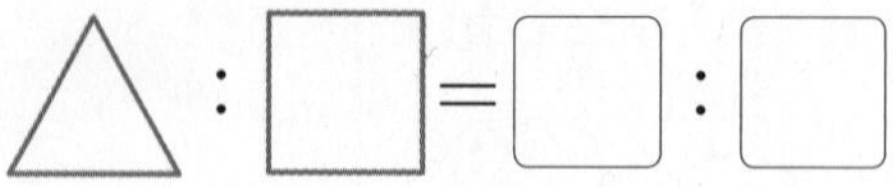

① 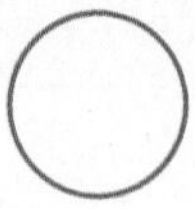 ② 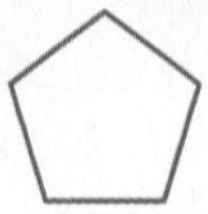 ③ 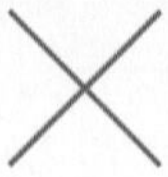 ④ ⑤

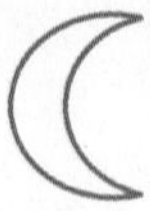

유비추론은 어떻게 풀까?

뇌가 번쩍

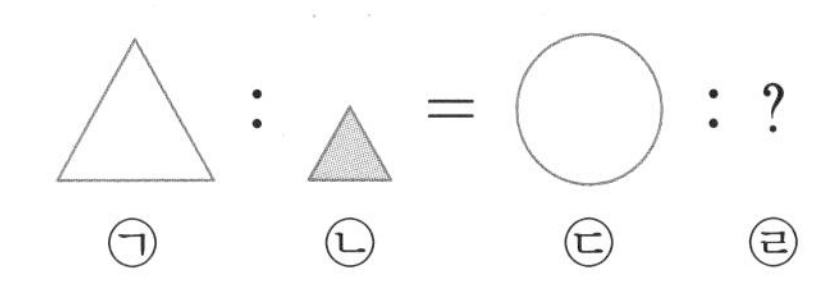

① ㉠, ㉡의 공통점 찾기 : 모양이 같음

② ㉠, ㉡의 차이점 찾기 : 크기와 색깔이 다름

③ ①, ②를 ㉢, ㉣의 관계에 적용하기

➡ ㉣=

먼저 두 대상의 속성을 비교합니다.

최상위 사고력

규칙에 맞게 빈 곳에 알맞은 그림을 그리시오.

(1)

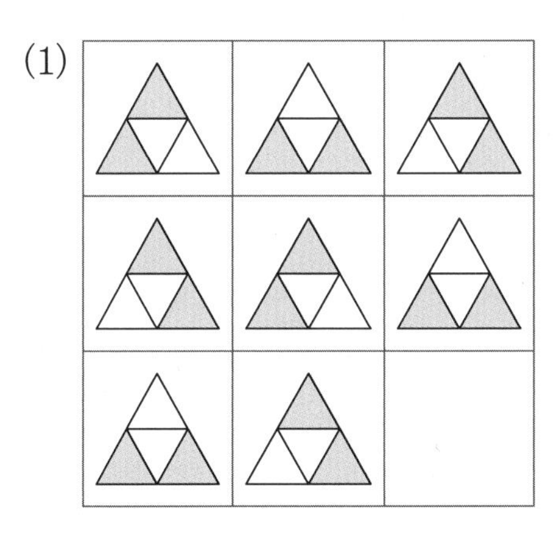

(2)

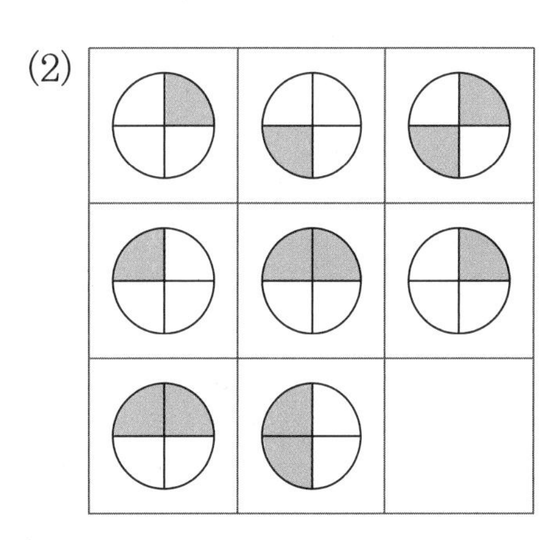

15-3. 속성 카드 잇기

1 다음은 모양, 무늬, 크기의 속성을 가진 도형입니다. 왼쪽 도형과 속성이 모두 다른 도형을 찾아 기호를 쓰시오.

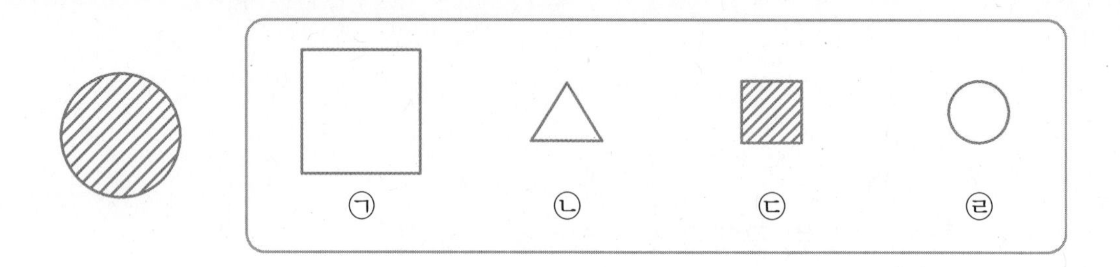

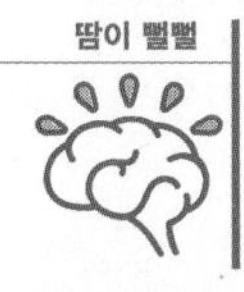

2 어떤 규칙에 따라 도형 카드를 이어 놓은 것입니다. 빈 곳에 놓을 수 있는 카드의 번호를 찾아 써넣으시오.

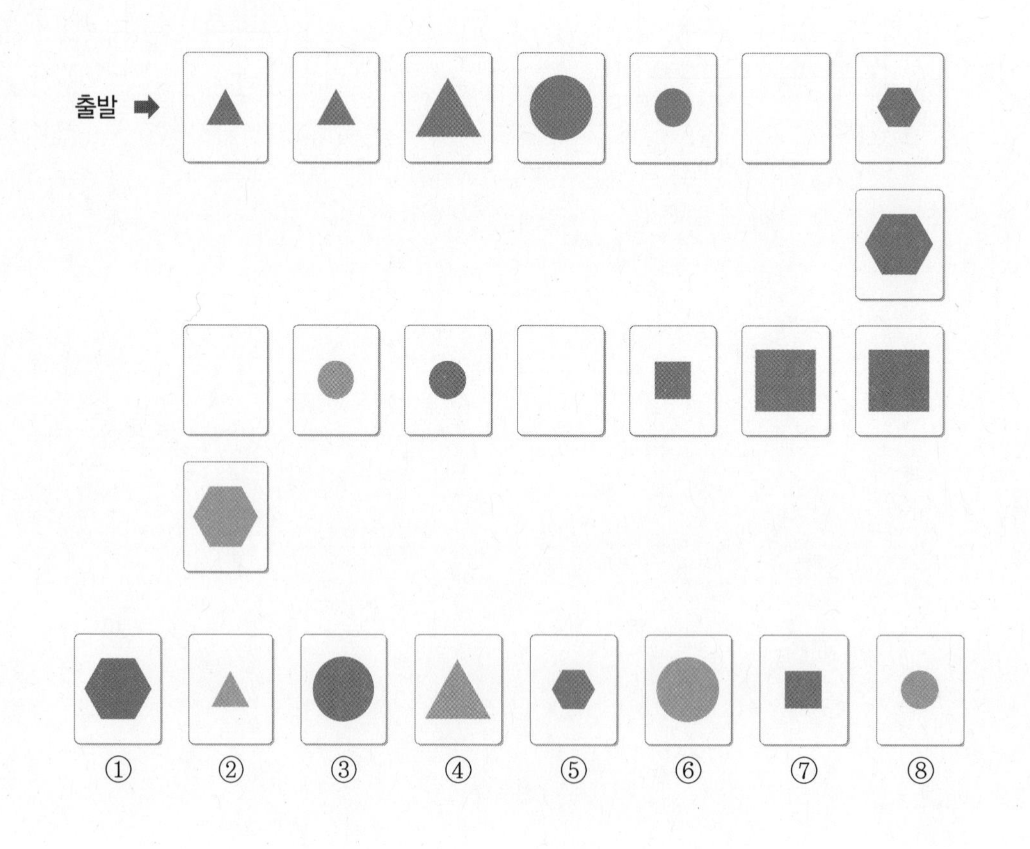

최상위 사고력

어떤 규칙에 따라 우즐 카드를 이어 놓은 것입니다. 빈 곳에 놓을 수 있는 카드의 번호를 찾아 써넣으시오.

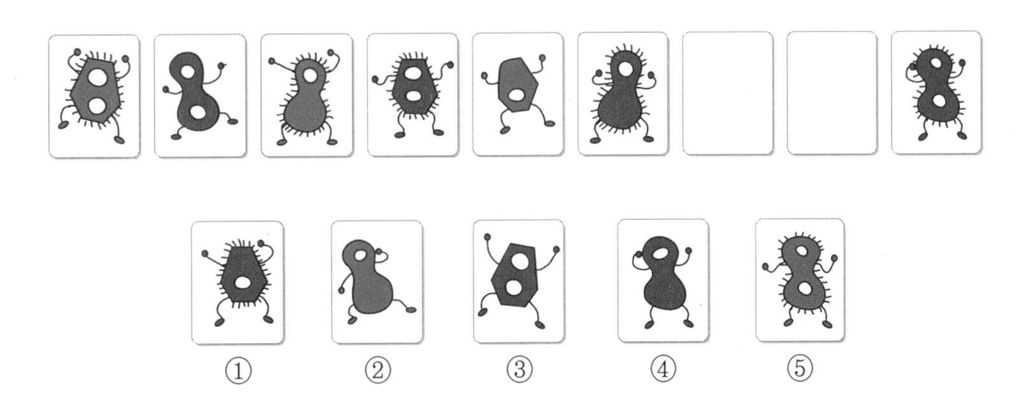

최상위 사고력

1 나머지 도형과 다른 하나를 찾아 기호를 쓰시오.

㉠ 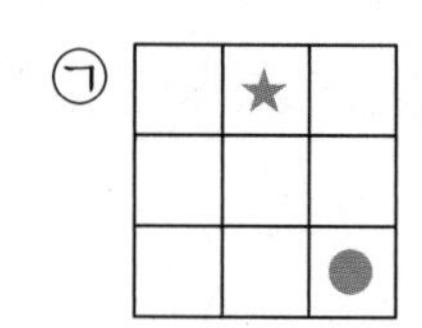

㉡ 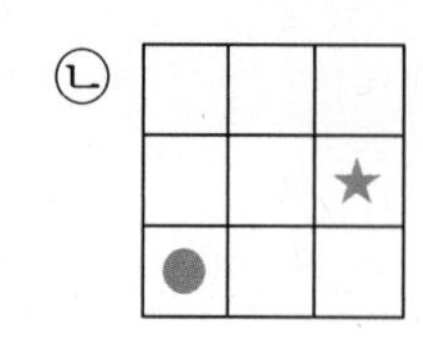

㉢ 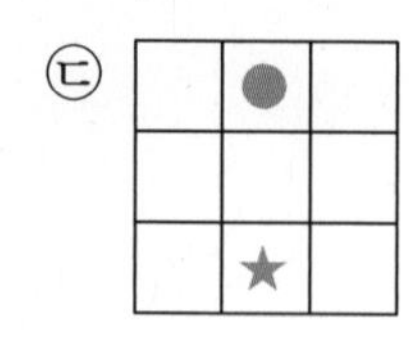

㉣ 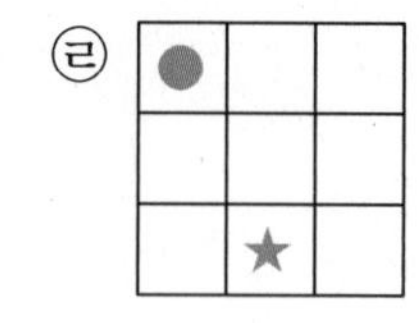

㉤ 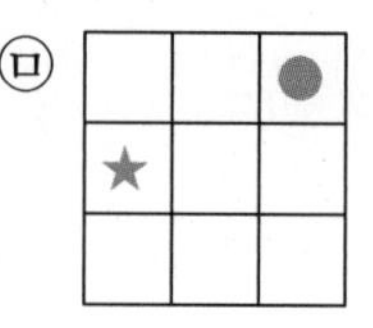

2 같은 속성을 갖는 것끼리 가 와 나 에 나누어 놓았습니다. 주어진 그림을 놓을 수 있는 곳의 기호를 쓰시오.

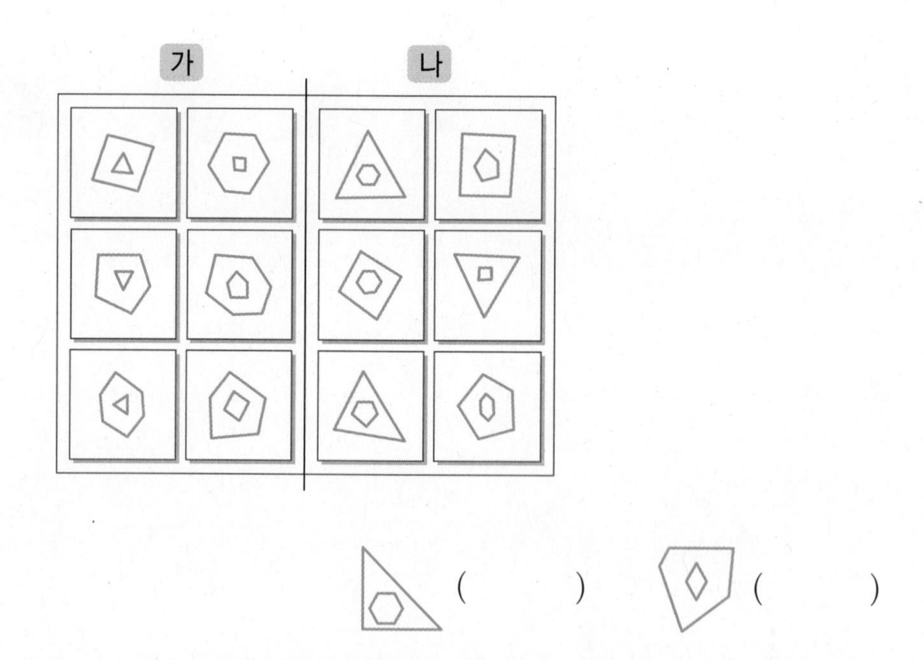

| 경시대회 기출 |

3 오른쪽 그림 3개는 모두 □ 안의 그림을 보고 한 가지씩만 다르게 그린 것입니다. □ 안에 알맞은 그림을 그리시오.

문제풀이

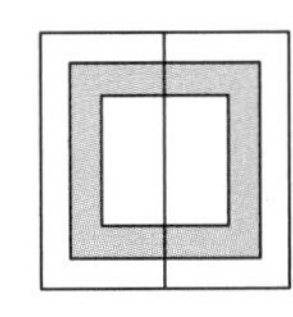

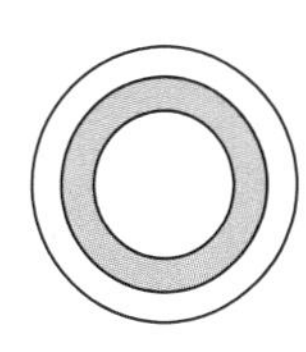

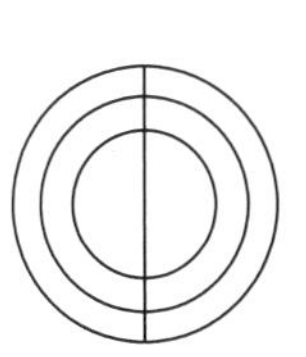

4 다음 도형들은 어떤 공통점이 있습니다. 주어진 도형과 공통점이 있는 도형을 찾아 기호를 쓰시오.

문제풀이

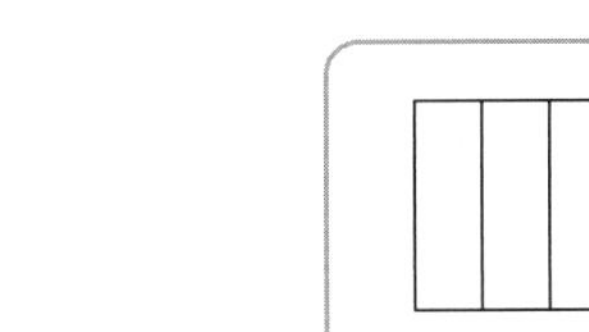

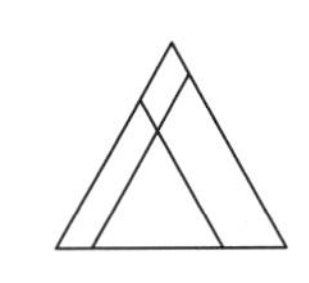

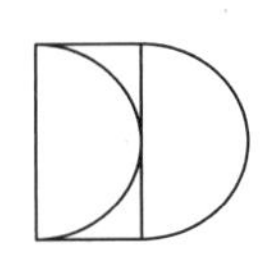

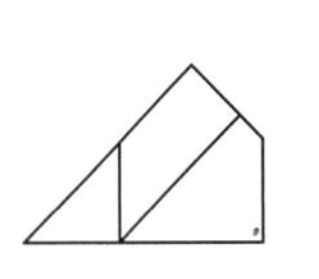

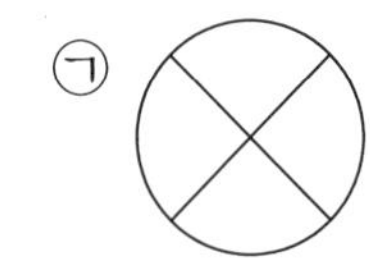

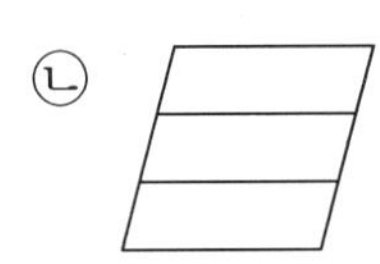

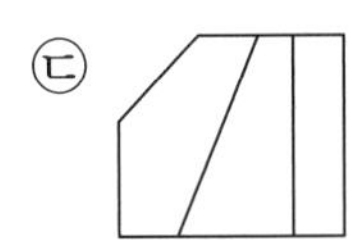

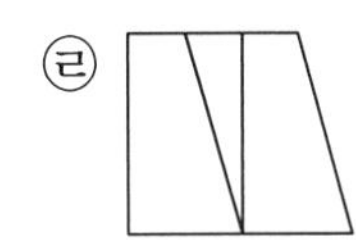

1 왼쪽과 오른쪽의 관계를 보고 빈 곳에 알맞은 그림을 넣어 완성하시오.

(1)

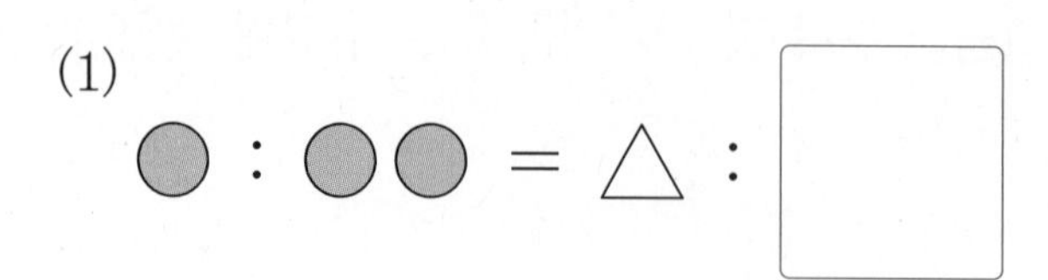

(2)

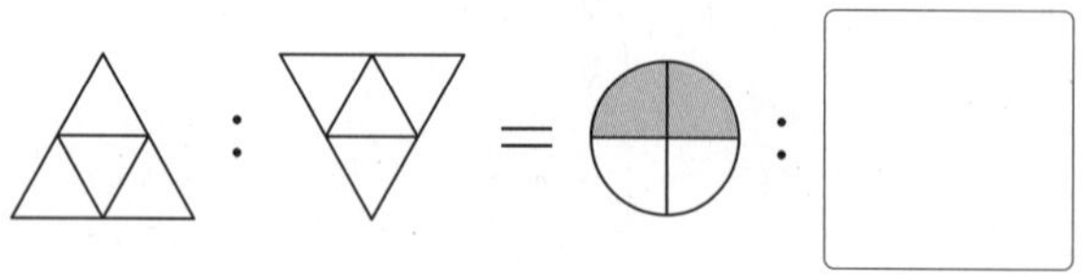

2 색칠한 부분에 들어갈 도형을 찾아 기호를 쓰시오.

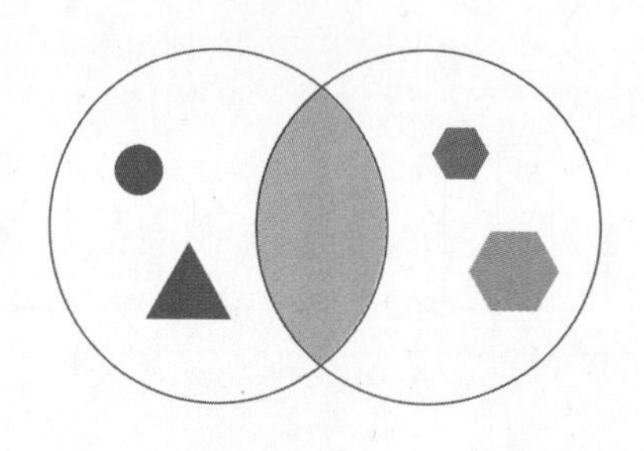

㉠  ㉡  ㉢  ㉣  ㉤

3 질문과 대답을 보고 마지막 빈 곳에 '예' 또는 '아니요'를 써넣으시오.

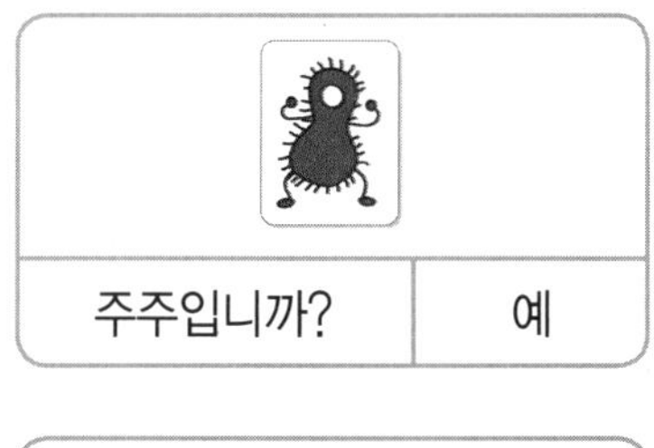

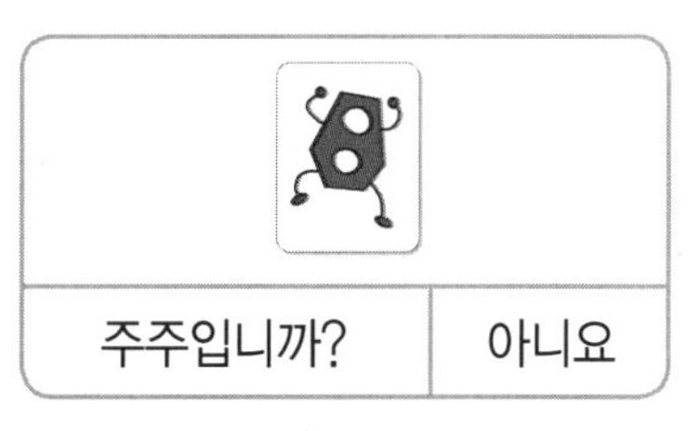

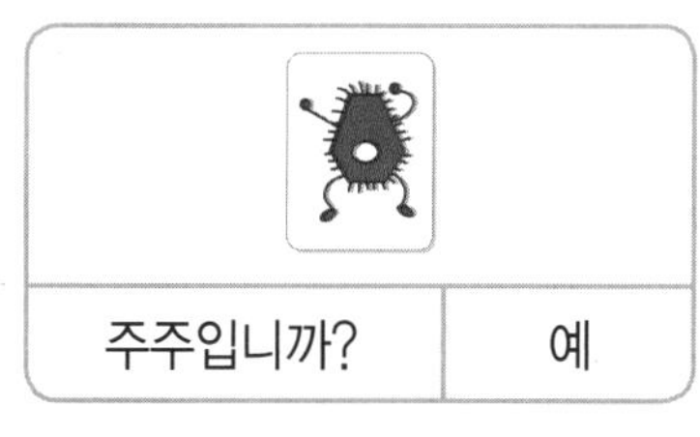

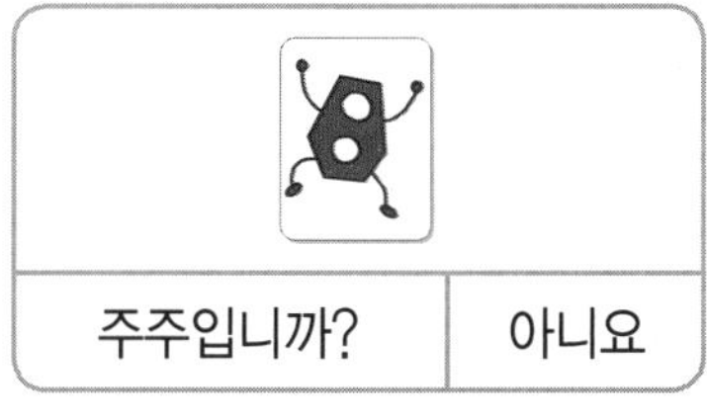

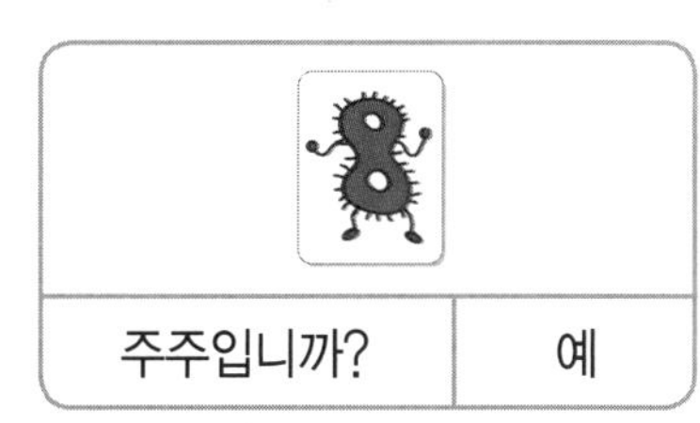

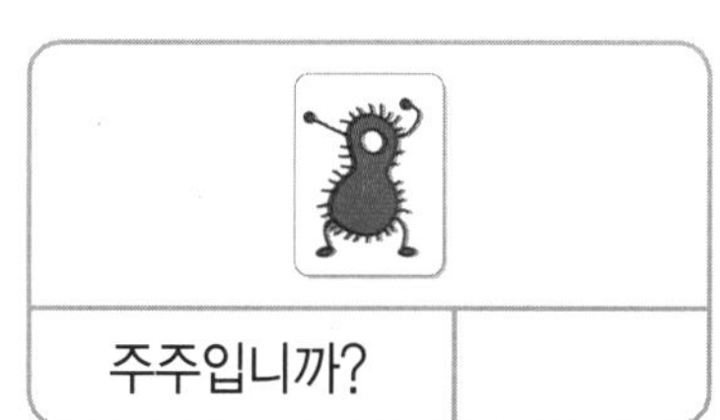

4 다음 |조건|을 모두 만족하는 자음에 모두 ◯표 하시오.

|조건|

① 굽은 선이 없습니다.
② 연필을 종이에서 떼지 않고 모든 선을 한 번씩만 지나도록 그릴 수 없습니다.
③ 반으로 접으면 완전히 겹쳐집니다.

ㄱ ㄴ ㄷ ㄹ ㅁ ㅂ ㅅ

ㅇ ㅈ ㅊ ㅋ ㅌ ㅍ ㅎ

5 공통점이 있는 도형들이 왼쪽과 오른쪽에 각각 여섯 개씩 놓여 있습니다. 열두 개의 도형 중 잘못 놓인 도형 한 개를 찾아 ○표 하시오.

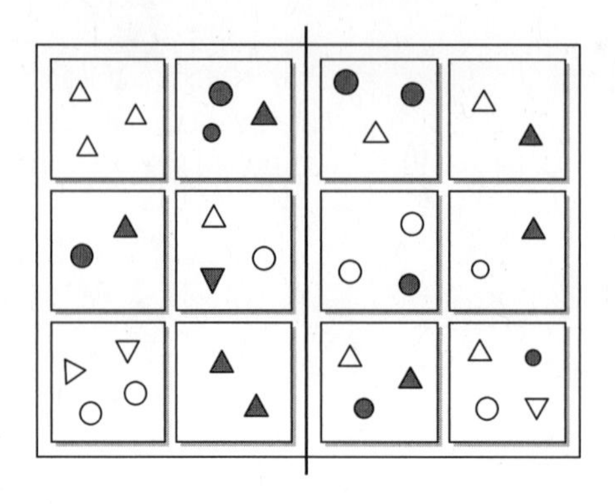

6 어떤 규칙에 따라 도형 카드를 이어 놓은 것입니다. 빈 곳에 놓을 수 있는 카드의 번호를 써넣으시오.

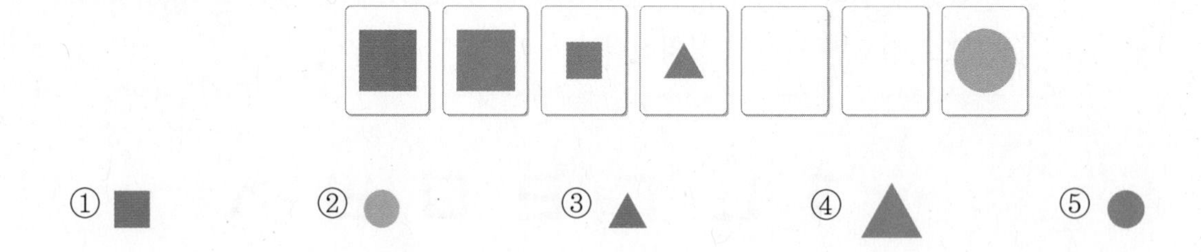

① ■ ② ● ③ ▲ ④ ▲ ⑤ ●

최상위
연산
수학

1~6학년(학기용)

단순 계산이 아닌
수학 원리를
알아가는
수학 공부의 첫 걸음,

같아 보이지만
완전히 다른 연산!

초등수학은 디딤돌!

아이의 학습 능력과 학습 목표에 따라
맞춤 선택을 할 수 있도록
다양한 교재를 제공합니다.

문제해결력 강화 문제유형, 응용

개념 다지기 원리, 기본

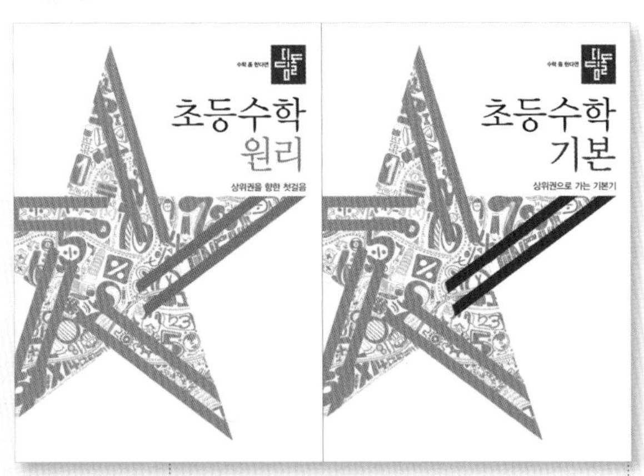

연산력 강화
최상위 연산

최상위
연산은
수학이다

개념+문제해결력 강화를 동시에
기본+유형, 기본+응용

정답과 풀이

초등 2A

초등 2A

상위권의 기준

최상위 사고력

수학 좀 한다면

최상위 사고력 SPEED 정답 체크

I 수

최상위 사고력 1 고대의 수 (10~17쪽)

1-1. 기호를 이용하여 수 나타내기

1 ll, ∩∩∩l, 9999∩∩llllll

2 277

최상위 사고력 (1) 뺄셈 (2) CCXL, CXIII, XCVIII, LXII

1-2. 위치를 이용하여 수 나타내기

1

최상위 사고력 (1) 248, 606 (2) ||||| ╥, ╥╥ ⊥ |

1-3. 규칙을 만들어 수 나타내기

1

1	2	4	8

1	2	4	8

1	2	4	8

1	2	4	8

2 4, 22, 68

최상위 사고력 (1) (2)

최상위 사고력

1 XXXII

2 1, 10, 11, 100, 101, 110, 111

3 105, 144

4

최상위 사고력 2 수 만들기 (18~25쪽)

2-1. 수 카드로 빠짐없이 수 만들기

1

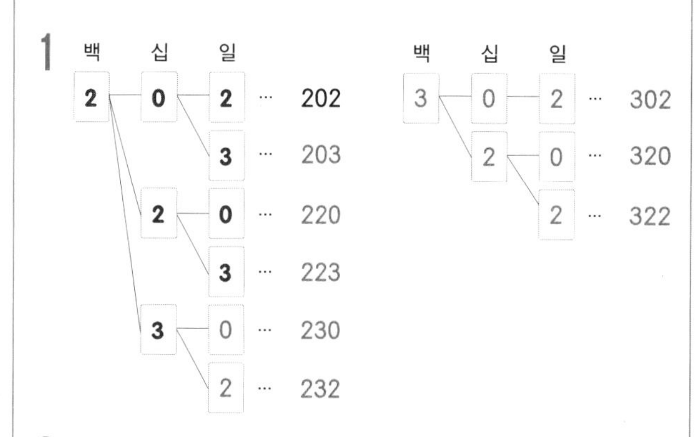

2 18개

최상위 사고력 희수, 6개

2-2. 자릿값을 이용하여 수 만들기

1 150, 110, 100, 60, 20

2 650원, 610원, 560원, 160원

최상위 사고력 210, 201, 120, 111, 102

2-3. 여러 가지 방법으로 한 가지 금액 만들기

1

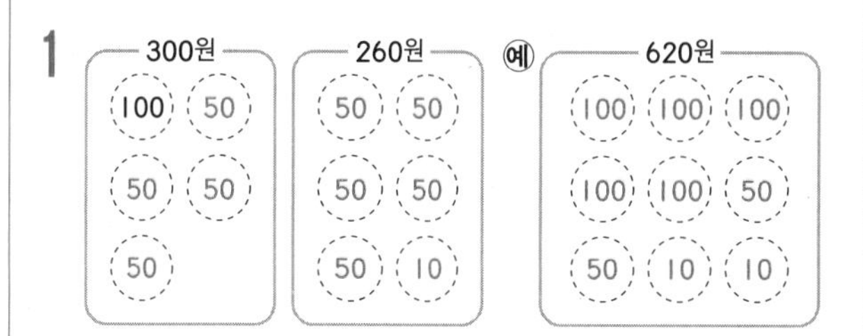

2 100원짜리 2개, 50원짜리 1개, 10원짜리 5개

최상위 사고력

최상위 사고력

1 10개, 37개

2 151, 155, 511, 515, 551, 555

3 7발

4 3가지

3 조건에 맞는 수 찾기

26~33쪽

3-1. 큰 수, 작은 수

1 정수, 소희

2 734, 340

최상위 사고력 8개

3-2. 뒤집힌 수 카드 맞히기

1 (위에서부터) 6□3, □63, □36, 3□6, 36□

최상위 사고력 A 6, 7

최상위 사고력 B 8

3-3. 여러 가지 조건에 맞는 수

1 (1)

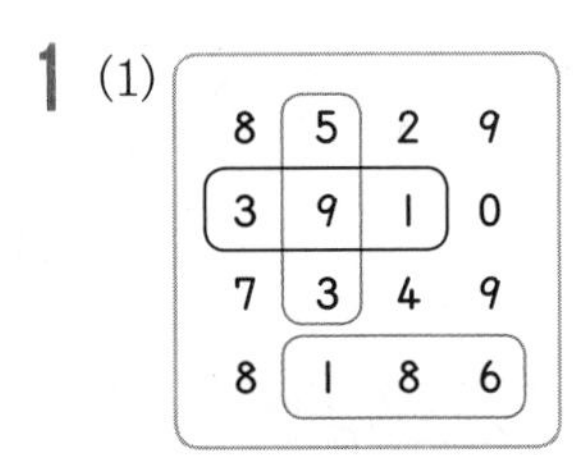

186 593

(2)

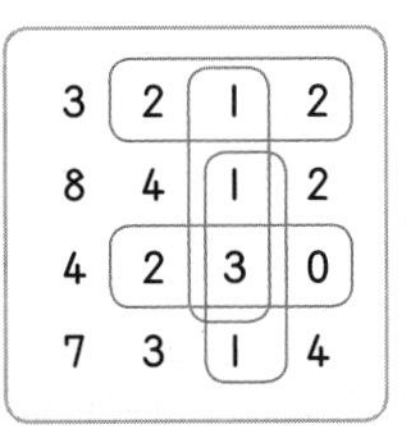

212 230 113 131

2 679, 697

최상위 사고력 412

최상위 사고력

1 297, 723, 937, 327

2 5

3 8개

4 65개

Review I 수

34~37쪽

1 999900IIII

2 84, 827

3 15개

4 7가지

5 410, 320, 310, 210

6 8, 9

7 7개

8 (1) 46 (2)

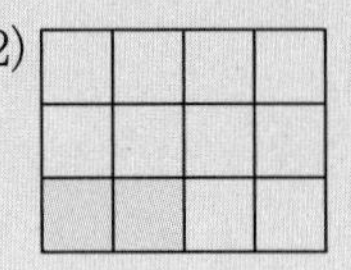

II 도형

4 도형 만들기

40~47쪽

4-1. 모양을 나누어 도형 만들기

1 풀이 참조

최상위 사고력 (1) 예

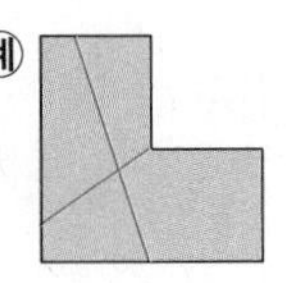

(2) 예

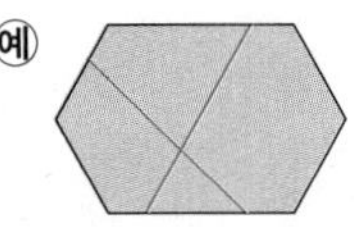

4-2. 모양을 겹쳐서 도형 만들기

1 풀이 참조 / 2, 3, 1, 1

2 예

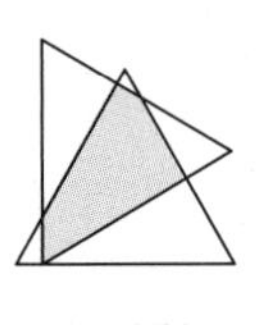

오각형

예

육각형

최상위 사고력

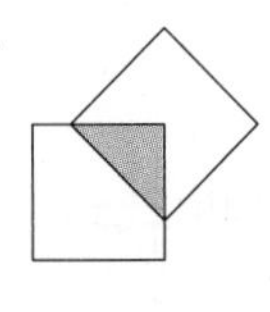

삼각형

사각형

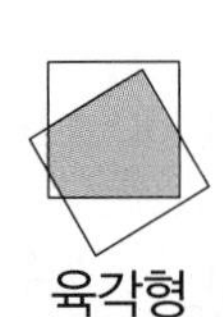

육각형

팔각형

4-3. 색종이로 도형 만들기

1 (1)

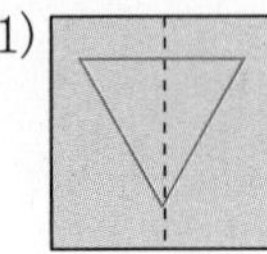

(2)

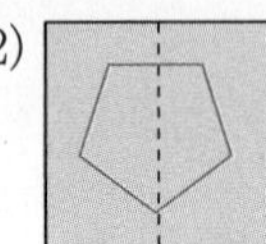

(3)

2 4, 1

최상위 사고력 삼각형 2개, 사각형 2개, 오각형 2개

최상위 사고력

1 예

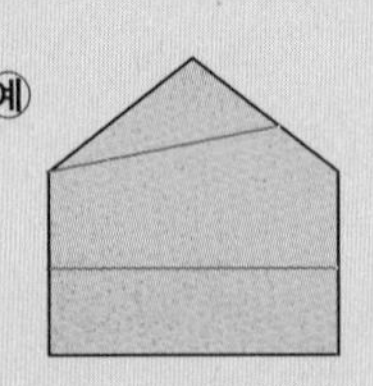

2 ㉠, ㉢, ㉥

3 10

4 삼각형 2개, 사각형 3개

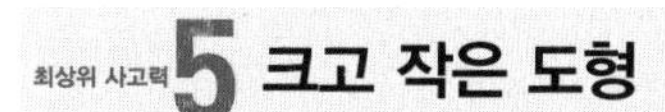

최상위 사고력 5 크고 작은 도형 48~55쪽

5-1. 곧은 선을 따라 도형 그리기

1

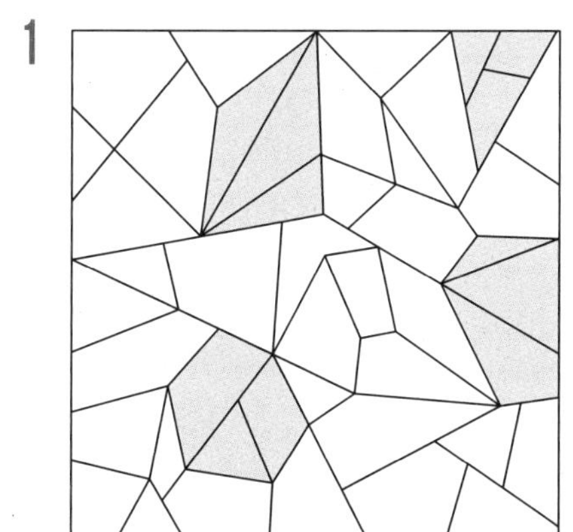

최상위 사고력 A 예

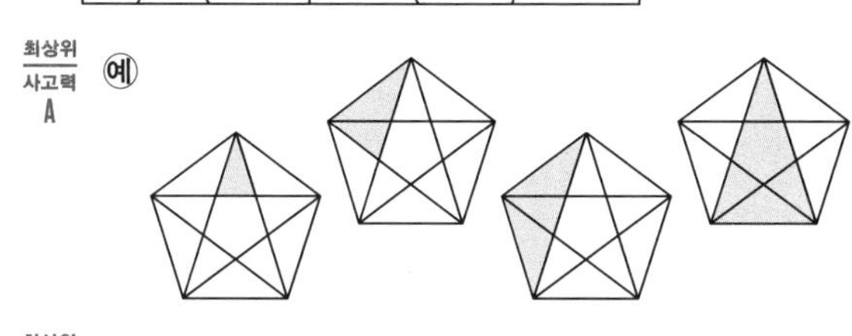

최상위 사고력 B (1) 예 (2) 예

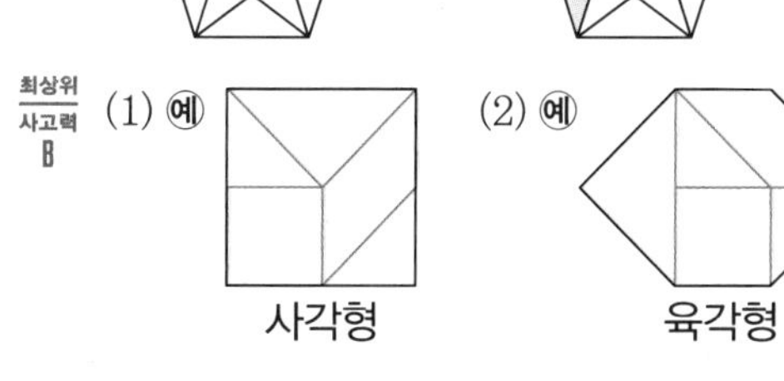

5-2. 크고 작은 도형의 개수 구하기

1 8, 2, 0, 1, 1 **2** 9개 최상위 사고력 21개

5-3. 개수에 맞게 곧은 선 긋기

1 (1) 3개 (2) 6개 (3) 6개 (4) 5개

2 예 , 8개 최상위 사고력 예 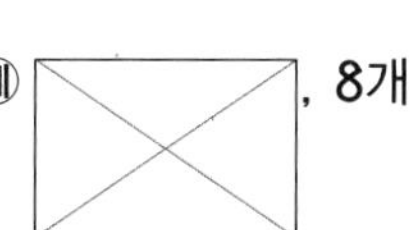, 8개

최상위 사고력

1 (1) 3, 4, 1 (2) 2, 4 **2** 9개

3 (1) 27개 (2) 13개

4 예 , 15개

최상위 사고력 6 점을 이어서 도형 만들기 56~63쪽

6-1. 닫힌 선 위의 점을 이어서 도형 만들기

1 (1) 2개 (2) 5개 (3) 9개 **2** 15개

최상위 사고력

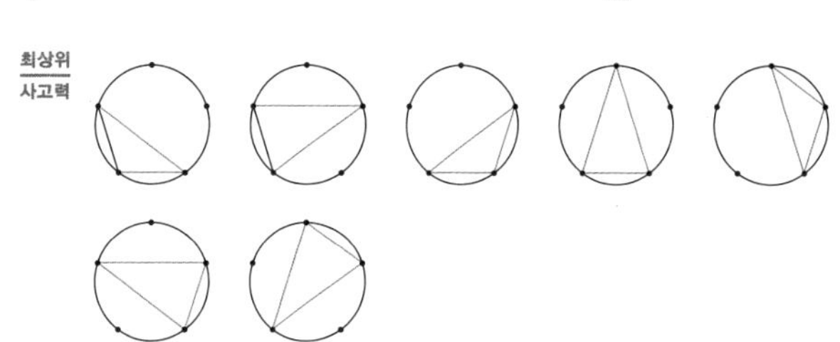

6-2. 열린 선 위의 점을 이어서 도형 만들기

1 풀이 참조 최상위 사고력 9개

6-3. 점을 이어서 크고 작은 도형 만들기

1 8, 4 / 2, 4

2 예

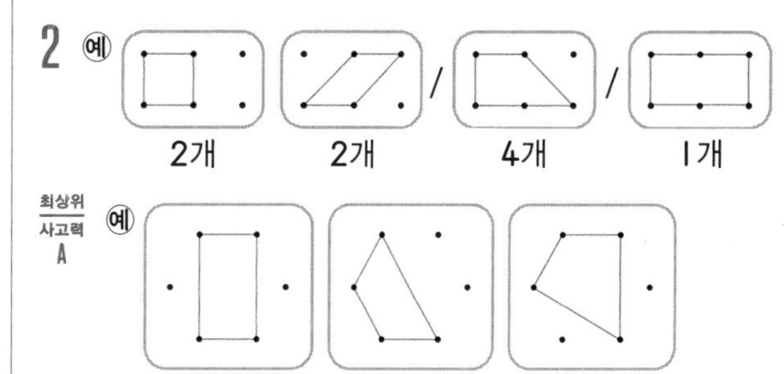

최상위 사고력 A 예

최상위 사고력 B 17개

최상위 사고력

1 (1) 예 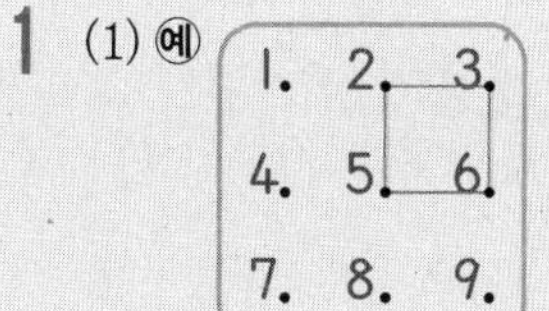

(2) 예 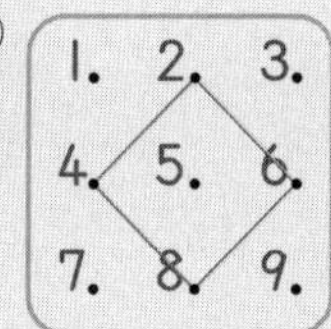

2 8개

3

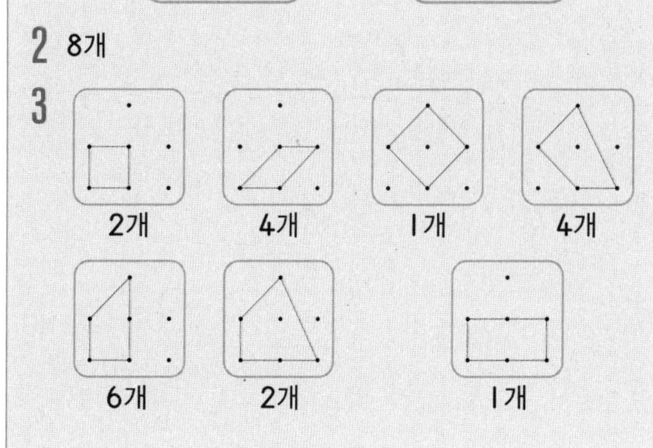

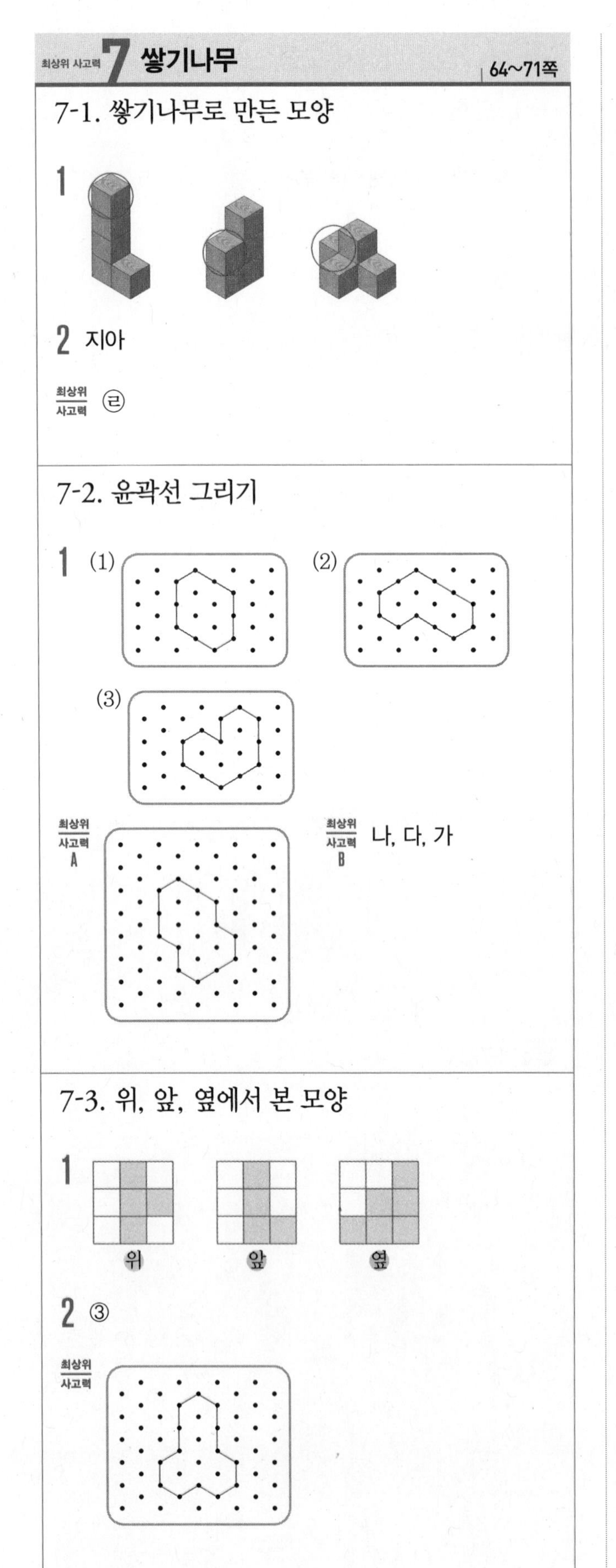

최상위 사고력 **7** 쌓기나무 64~71쪽

7-1. 쌓기나무로 만든 모양

1

2 지아

최상위 사고력 ㄹ

7-2. 윤곽선 그리기

1 (1) (2) (3)

최상위 사고력 A

최상위 사고력 B 나, 다, 가

7-3. 위, 앞, 옆에서 본 모양

1

2 ③

최상위 사고력

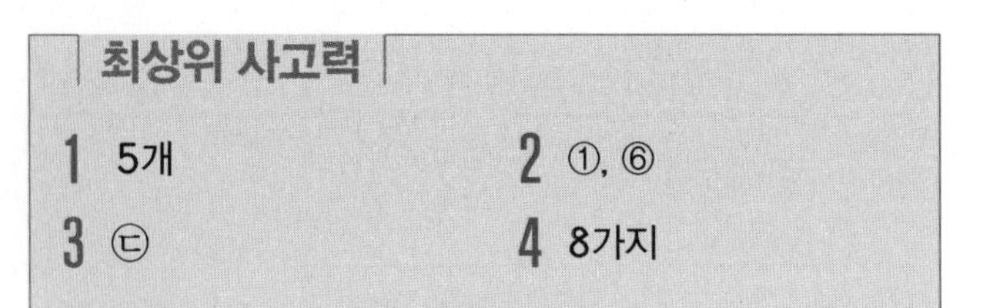

최상위 사고력

1 5개　　2 ①, ⑥

3 ㄷ　　4 8가지

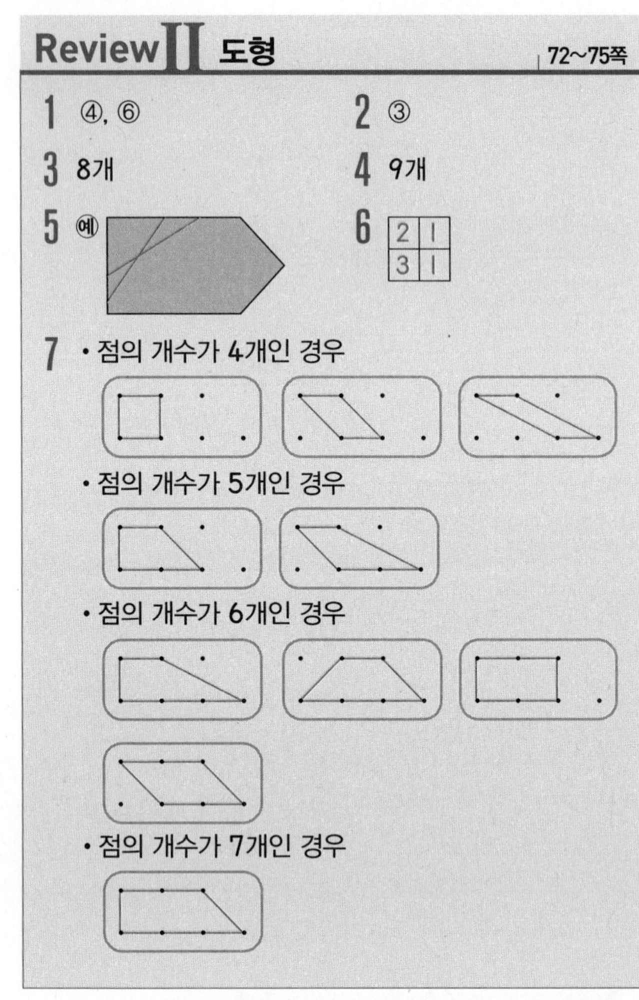

Review **II** 도형 72~75쪽

1 ④, ⑥　　2 ③

3 8개　　4 9개

5 예　　6

2	1
3	1

7 • 점의 개수가 4개인 경우

• 점의 개수가 5개인 경우

• 점의 개수가 6개인 경우

• 점의 개수가 7개인 경우

Ⅲ 연산

최상위 사고력 8 간단하게 계산하기 | 78~85쪽

8-1. 올바른 식 만들기

1

5	7	5	5	8	2
1	7	+9=	2	6	7
2	+5	8	+2	5	3
5	=8	7+	9	=9	6
4	2	+4	=8	=9	0
3	4	2	1	5	4

2 (1) 28+59=81 / 28+53=81

(2) 80−36=54 / 90−36=54

최상위 사고력 (1) 예 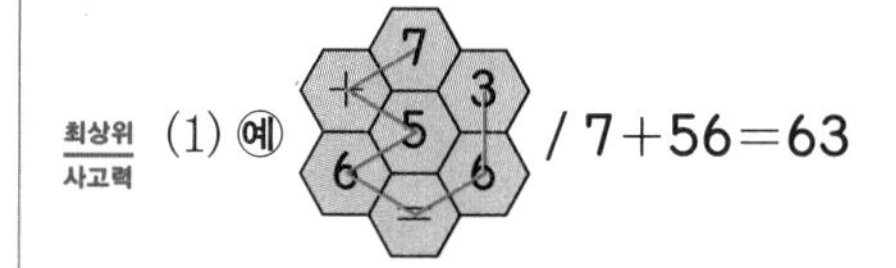

/ 7+56=63

(2) 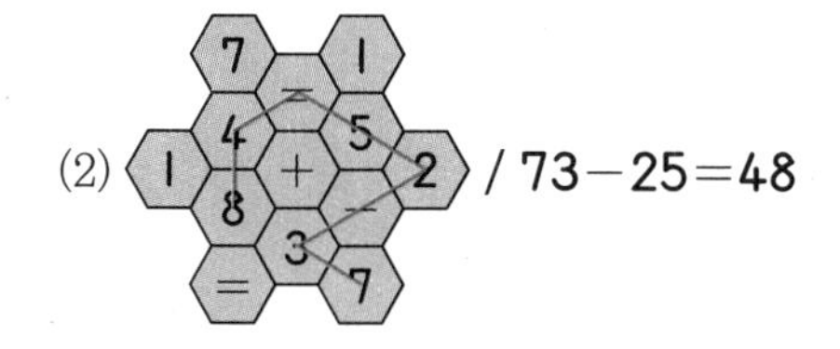

/ 73−25=48

8-2. 여러 가지 방법으로 계산하기

1 (1) 58 + 34 = 60+32=92
(2, 32)

(2) 29 + 43 = 30+42=72
(+1, −1)

(3) 23 + 68 = 93−2=91
(70, −2)

최상위 사고력 (1) 방법1 57+28=55+30=85
(55, 2)

방법2 57+28=60+25=85
(3, 25)

방법3 57+28=60+25=85
(+3, −3)

또는 57+28=55+30=85
(+2, −2)

(2) 방법1 예 72에서 40을 뺀 다음 1을 더 뺐으므로 다시 1을 더합니다.

72−39=72−40+1
=32+1
=33

방법2 예 70에서 39를 뺀 다음 2를 더합니다.

72−39=70−39+2
=31+2
=33

8-3. 간단하게 계산하기

1 (1) 110 (2) 210 (3) 90 (4) 6 (5) 104

최상위 사고력 (1) 50 (2) 20

최상위 사고력

1 6 5 − 6 3 = 2 9 / 65−36=29

2

34	47	9	44	28	62
6	20	48	12	30	33
30	23	67	40	8	25
14	70	23	15	48	42
67	7	15	35	50	26

3 ㉡, ㉠, ㉢ **4** 17, 25, 2, 23

최상위 사고력 9 조건에 맞게 계산하기
86~93쪽

9-1. 계산 결과의 최대, 최소

1 덧셈식 예 (위에서부터) 6, 3, 5, 2 / 2, 5, 3, 6
빼셈식 예 (위에서부터) 6, 5, 2, 3
/ 3, 5, 2, 6 또는 6, 2, 5, 3

2 63, 4

최상위 사고력 49, 0

9-2. 목표수 만들기

1 (1) 2, 6, 7, 9 / 2, 9, 7, 6 / 7, 9, 2, 6 / 7, 6, 2, 9
(2) 5, 4, 3, 8

2 예 9, 4, 1, 6, 5 / 예 1, 6, 9, 5, 4

최상위 사고력 예 $28+65=93$, 예 $93-28=65$

9-3. 연산 기호 넣기

1 (1) −, +, − (2) +, −, + (3) 예 −, +, +, +
(4) 예 +, −, −, + (5) 예 +, −, +, +, −

2 15+14+13+12−11−10−9+8=50

최상위 사고력 −, +, −, +, +, + / −, +, +, −, +, − /
+, −, −, +, +, − / +, −, +, −, −, + /
+, +, −, −, −, −

최상위 사고력

1 61
2 ⑤
3 96
4 6, 8

최상위 사고력 10 복면산과 마방진
94~101쪽

10-1. 도형이 나타내는 수

1 (위에서부터) 35, 25, 36, 31

2 ■=8, ♥=10

최상위 사고력 다=14, 라=7

10-2. 복면산

1 S=5, O=0, T=1

2 ●=1, ▲=9, ■=8

최상위 사고력 (1) $42+22=64$ (2) $98-89=9$

10-3. 마방진

1 예

4	9	2
3	5	7
8	1	6

2 ㉠=6, ㉡=16, ㉢=17, ㉣=14

최상위 사고력 (1)

12	24	6
8	14	20
22	4	16

(2)

18	17	25
27	20	13
15	23	22

최상위 사고력

1 $37+37+37=111$ 또는 $74+74+74=222$

2 ㉠=10, ㉡=5

3 (15), (2), (28); 17, 43, 30

4 A=1, B=9, C=3, D=4

최상위 사고력 11 덧셈 · 뺄셈 문장제 102~109쪽

11-1. 한 번 더 생각하는 문장제

1 53+39=92(명)　　2 8년 후

최상위 사고력 동호: 25개, 형: 15개

11-2. 어떤 수를 구하는 문장제

1 (1) 4　(2) 9　　2 10개

최상위 사고력 210

11-3. 각 자리 숫자를 구하는 문장제

1 (1) □6 + 4□ = 72 / 26, 46　　(2) □8 − 3□ = 49 / 88, 39

2 32　　최상위 사고력 72

최상위 사고력

1 1, 8, 6　　2 61

3 지현: 13개, 민정: 9개, 동우:18개

4 26, 16, 6

Review III 연산 110~113쪽

1 3+4+6+2✳1+5=39

2 48, 37　　3 8

4 3년 후　　5

14	19	12
13	15	17
18	11	16

6 76 − 13 = 63, 41 − 37 = 4

7 (1) 62+9=17 / 62+9=71

(2) 94−28=74 / 94−20=74

8 ●=8, ▲=12

Ⅳ 측정

최상위 사고력 12 단위로 길이 재기 116~123쪽

12-1. 길의 길이 재기

1 ㉡　　2 ㉢, ㉠, ㉡

최상위 사고력 예

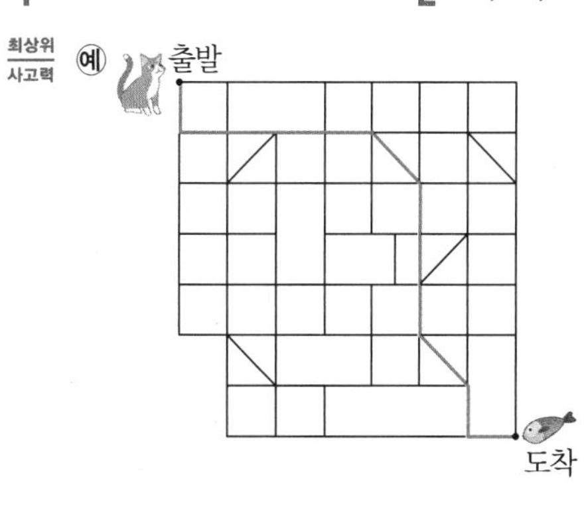

12-2. 여러 가지 단위로 길이 재기

1 6 cm, 8 cm, 3 cm

최상위 사고력 A 16자루　　최상위 사고력 B 22 cm

12-3. 꺾인 끈의 길이 재기

1 나, 20 cm　　2 14 cm

최상위 사고력 ㉣, ㉡, ㉠, ㉢

최상위 사고력

1 9 cm, 6 cm　　2 17 cm

3 15개

최상위 사고력 13 잴 수 있는 길이

124~131쪽

13-1. 눈금이 지워진 자

1

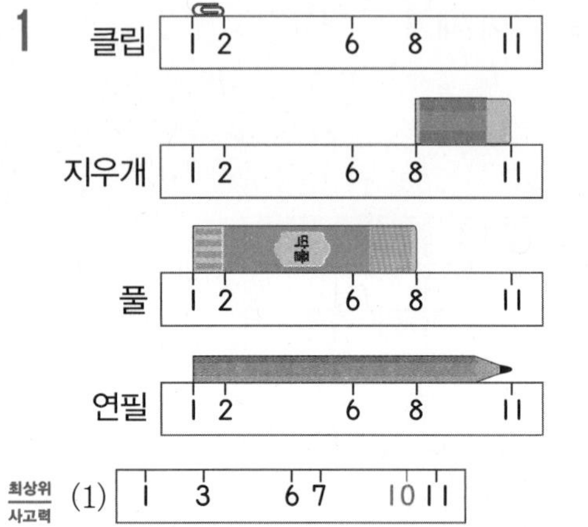

최상위 사고력 (1) 1 3 6 7 10 11

(2) 3 9 12 13 15 20

13-2. 겹쳐진 부분의 길이

1 2, ×, ×, 3　　2 25 cm

최상위 사고력 9개

13-3. 길이가 주어진 막대

1 예

길이	식	길이	식
1	1	10	11−1=10
2	3−1=2	11	11
3	3	12	11+1=12
4	4	13	×
5	×	14	11+3=14
6	11−1−4=6	15	11+4=15
7	11−4=7	16	11+4+1=16
8	11−3=8	17	×
9	×	18	11+3+4=18

2 11가지　　최상위 사고력 1 cm, 3 cm, 9 cm

최상위 사고력

1 8가지　　2 9 cm

3 8 cm, 9 cm, 10 cm, 11 cm, 12 cm, 13 cm

4 6, 12

Review IV 측정

132~134쪽

1 ㉡　　2 10가지

3 52 cm　　4 14 cm

5 16 cm, 17 cm, 20 cm　　6 14 cm

V 확률과 통계

최상위 사고력 14 분류와 기준

136~143쪽

14-1. 기준에 따라 분류하기

1

곧은 선이 있습니다.	곧은 선이 없습니다.
A, D, E, F, L, M, N, P, R, T, V, Z	C, O, S

선으로 완전히 둘러싸인 곳이 있습니다.	선으로 완전히 둘러싸인 곳이 없습니다.
R, A, D, O, P	C, E, F, L, M, N, S, T, V, Z

반으로 접었을 때 완전히 겹쳐집니다.	반으로 접었을 때 완전히 겹쳐지지 않습니다.
C, A, D, E, M, O, T, V	F, L, N, P, R, S, Z

최상위 사고력 (1) ㉠, ㉢, ㉣, ㉤　(2) ㉠, ㉢, ㉤

14-2. 여러 가지 기준으로 분류하기

1

뿔의 개수 / 얼굴 모양	1개	2개	3개
○			
□			
▽			

2 133, 282, 55, 666 / 342, 96, 208, 73, 760, 519 / 133, 55 / 282, 666 / 73, 519 / 342, 96, 208, 760

최상위 사고력 (1) 95, 705　(2) 705

14-3. 분류 기준 찾기

1 아니요

2 예 싱싱은 그림이 나타내는 단어에 '사'가 들어간 것입니다.

최상위 사고력 (×) (○) / (○) (×)

최상위 사고력

1 예 초록색이 있는 것, 초록색이 없는 것 / 예 삼각형이 없는 것, 삼각형이 있는 것

2 (×) / (○)

3 ㉠: ③, ⑤, ㉡: ④, ⑥, ㉢: ②, ⑧

4 ㉢, ㉡, ㉠

최상위 사고력 15 속성과 추론

144~151쪽

15-1. 공통점과 차이점

1 (1) 예 왼쪽 도형은 삼각형이고, 오른쪽 도형은 사각형입니다.

(2) 예 왼쪽 도형은 선을 안쪽부터 그릴 때 시계 방향으로 그린 것이고, 오른쪽 도형은 선을 안쪽부터 그릴 때 시계 반대 방향으로 그린 것입니다.

(3) 예 왼쪽 도형은 ╲방향으로 반으로 접었을 때 완전히 겹쳐지고, 오른쪽 도형은 ╲방향으로 반으로 접었을 때 완전히 겹쳐지지 않습니다.

최상위 사고력 A (1)

(2)

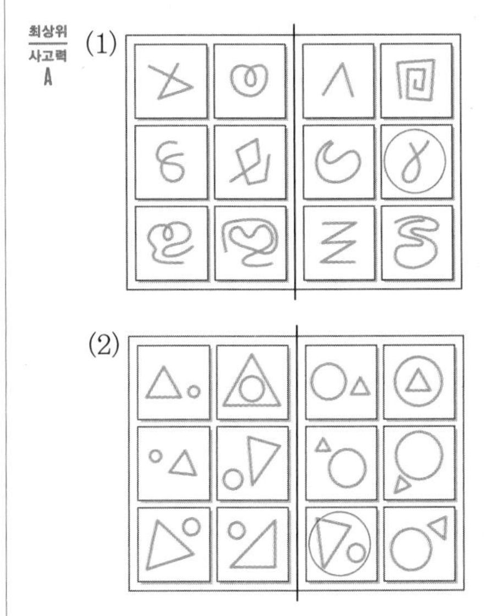

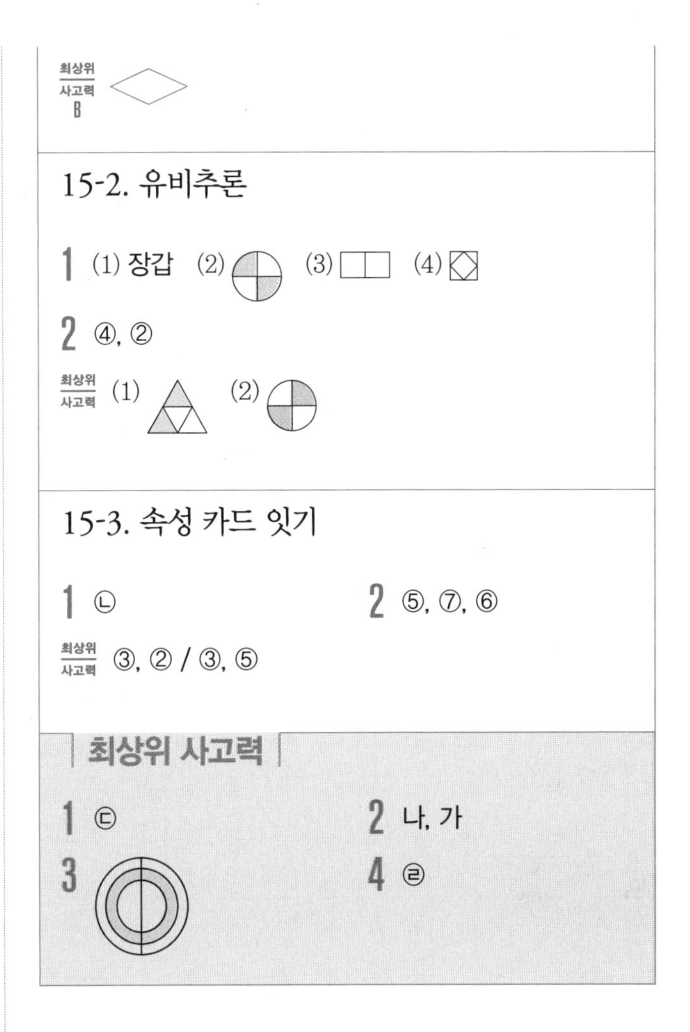

최상위 사고력 B

15-2. 유비추론

1 (1) 장갑 (2) (3) (4)

2 ④, ②

최상위 사고력 (1) (2)

15-3. 속성 카드 잇기

1 ㉡

2 ⑤, ⑦, ⑥

최상위 사고력 ③, ② / ③, ⑤

최상위 사고력

1 ㉢

2 나, 가

3

4 ㉣

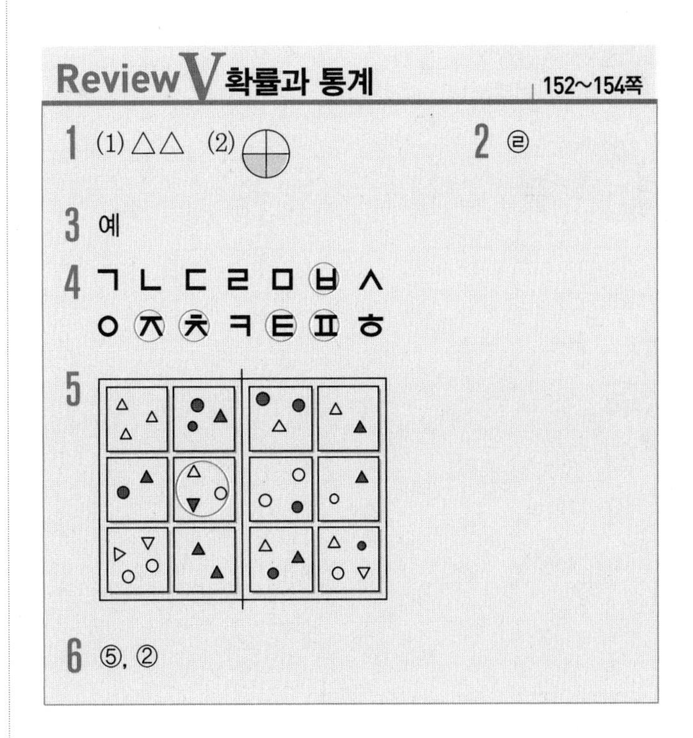

Review V 확률과 통계

152~154쪽

1 (1) △△ (2)

2 ㉣

3 예

4 ㄱ ㄴ ㄷ ㄹ ㅁ ㅂ ㅅ ㅇ ㅈ ㅊ ㅋ ㅌ ㅍ ㅎ

5

6 ⑤, ②

Final 평가

1회

1~4쪽

01 36, 812

02 22cm

03 60

04

05 15개

06 ②, ④

07 6, 7, 9

08 18가지

09

8	10	15	1
11	5	4	14
2	16	9	7
13	3	6	12

10 24개

2회

5~8쪽

01 9cm

02 (위에서부터) 33 / 19, 28

03 10개

04 8년 후

05 5, 6

06 15cm

07

○	○	
○	○	○

08 예 +, +, −, +, +, +, +, +, −

09 ⑤, ②

10 삼각형 4개, 사각형 2개

I 수

100부터 1000까지의 수를 배우는 단원입니다. 이 단원에서 가장 중요한 개념은 십진법에 따른 자릿값입니다. 우리가 사용하는 십진법에 따른 수는 0부터 9까지의 10개의 숫자만을 사용하여 모든 수를 나타낼 수 있습니다. 따라서 같은 숫자라도 자리에 따라 다른 수를 나타내고, 10개의 숫자만으로 무한히 큰 수를 만들 수 있습니다.
먼저 우리가 현재 사용하는 숫자가 생기기 전에 사용한 고대의 수를 배우고 규칙을 찾아보며 불편함은 없는지 알아봅니다. 그 다음 수를 사용하여 여러 가지 조건에 맞는 수를 만들어 보며 수 감각과 수 조작 능력을 키워봅니다.

최상위 사고력 1 고대의 수

1-1. 기호를 이용하여 수 나타내기 10~11쪽

1 ||, ∩∩∩|, ⳨⳨⳨⳨∩∩|||||| 2 277

최상위 사고력 (1) 뺄셈 (2) CCXL, CXIII, XCVIII, LXII

저자 톡! 고대 이집트 수, 그리스 수, 로마 수는 자릿수마다 새로운 기호를 만들어 수를 나타내었습니다. 이 방법은 수가 커짐에 따라 계속해서 새로운 기호를 만들고 외워야 하는 불편함이 있습니다. 고대 이집트 수와 고대 그리스 수는 기호를 늘어 놓아 수를 나타내므로 큰 수를 나타내기에 번거로웠습니다. 거기서 좀 더 발전한 로마 수는 기호의 위치에 따라 더하거나 빼어 수를 나타냈기 때문에 고대 이집트 수와 그리스 수보다는 큰 수를 나타내기 편리했지만 숫자의 모양과 수의 구성 원리가 복잡합니다. 문제 푸는 과정 속에서 현재 우리가 쓰고 있는 수의 편리함을 느껴 봅니다.

1 고대 이집트 수는 |=1, ∩=10, ⳨=100을 나타내고 이 기호의 개수만큼 더하여 수를 나타내었습니다.
2=|| 31(=30+1)=∩∩∩| 426(=400+20+6)=⳨⳨⳨⳨∩∩||||||

2 고대 그리스 수는 Η=100, 𐅄=50, Δ=10, Γ=5, |=1을 나타내므로
ΗΗ𐅄ΔΔΓ||=100+100+50+10+10+5+1+1=277입니다.

> **지도 가이드**
> 고대 그리스에서는 고대 이집트에서와 같이 1, 10, 100을 기준 수로 만들어 수를 나타내었지만 한 단계 더 나아가 5, 50, 500도 기준 수로 만들어 수를 나타내었습니다. 따라서 반복하여 수를 표기하는 수고를 덜 수 있었지만 외워야 하는 수가 많다는 단점이 있습니다.

최상위 사고력 (1) 로마 수는 5, 10, 50, 100을 기준 수로 놓고 기준 수의 오른쪽에 작은 수가 있으면 덧셈을, 기준 수의 왼쪽에 작은 수가 있으면 뺄셈을 하여 수를 나타냅니다.
IV=5−1=4, IX=10−1=9, XL=50−10=40,
XC=100−10=90

(2) LXII=50+10+1+1=62, CXIII=100+10+1+1+1=113,
CCXL=100+100+50−10=240,
XCVIII=100−10+5+1+1+1=98입니다.
따라서 240>113>98>62이므로 큰 수부터 차례로 쓰면
CCXL, CXIII, XCVIII, LXII입니다.

지도 가이드
로마 수는 현재에도 시계, 성당의 벽, 책 속의 목차 등 우리 생활 속에서 자주 사용되고 있습니다. 하지만 로마 수는 수의 모양과 수의 구성 원리가 복잡할 뿐만 아니라 수가 커지면 외워야 할 기준 수가 많아 매우 불편합니다. 이에 비해 인도-아라비아 수는 0~9의 10개의 숫자와 자릿값의 원리만 알면 아무리 큰 수도 쉽게 만들 수 있어 전 세계에서 사용하고 있습니다.

1-2. 위치를 이용하여 수 나타내기 12~13쪽

1

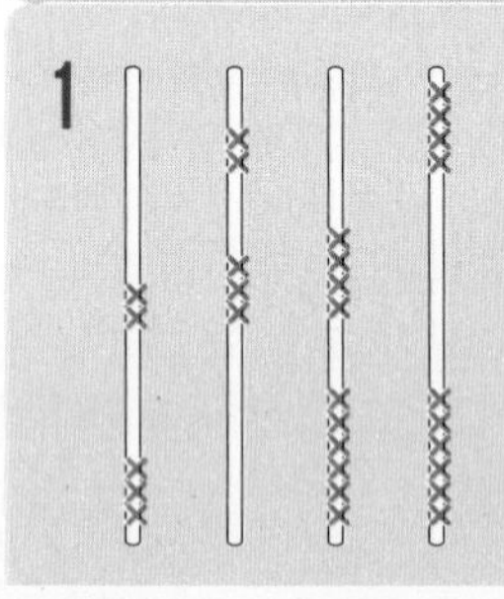

최상위 사고력 (1) 248, 606 (2) 𝍤 𝍦, 𝍨𝍯𝍠

저자 톡! 고대 잉카 문명의 수와 중국 산가지 수는 지금의 인도 아라비아 수와 마찬가지로 위치에 따라 자릿값을 갖는 '위치 기수법'을 이용하였습니다. 앞에서 배운 고대 이집트 수, 고대 그리스 수, 로마 수보다는 좀 더 발전된 수 체계라고 볼 수 있습니다. 다만 아직 0의 표기가 없어 자릿값이 없는 곳은 칸을 띄어서 수를 나타냈기 때문에 정확한 수 표기 방법이라고는 할 수 없습니다.

1 키푸는 막대의 위쪽에 있는 매듭부터 높은 자리의 수를 나타내었는데 붙어 있는 매듭은 같은 자리의 수를, 띄어 있는 매듭은 다른 자리의 수를 나타냅니다.

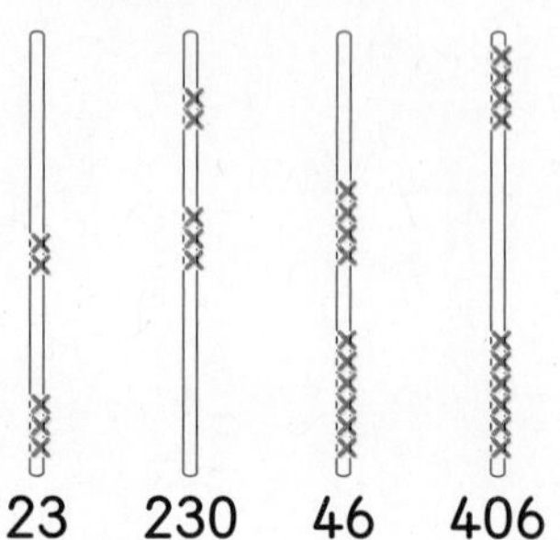

보충 개념
위치 기수법: 숫자를 어느 자리에 놓느냐에 따라 자릿값이 달라지는 방법입니다.
3 3 3(삼백삼십삼)
300 30 3

주의
키푸는 0이 없어서 203(이백삼)과 같은 수는 2와 3을 띄어서 나타낼 수밖에 없었습니다. 하지만 얼마만큼 띄어야 하는지는 사람마다 다를 수 있어 23, 203, 230과 같은 수들은 정확히 구별하기 어렵습니다.

최상위 사고력 중국의 산가지 수는 홀수 자리에서는 세로로, 짝수 자리에서는 가로로 선을 그어 수를 나타내었습니다. 자릿값이 없는 자리는 띄어서 나타내었습니다.

(1) ‖ ≡ Ⅲ=248, ⊤ ⊤=606　(2) 507=||||| ⊤, 971=Ⅲ ⊥ |

지도 가이드
중국의 산가지 수도 키푸와 마찬가지로 자릿값을 나타낼 때 띄는 간격이 일정하지 않아 정확히 수를 표현하기에는 불완전한 수였습니다. 하지만 수의 모양으로 홀수 자리와 짝수 자리를 구별할 수 있어 키푸보다는 조금 더 발전된 수 표기 방법이라고 할 수 있습니다.

1-3. 규칙을 이용하여 수 나타내기

14~15쪽

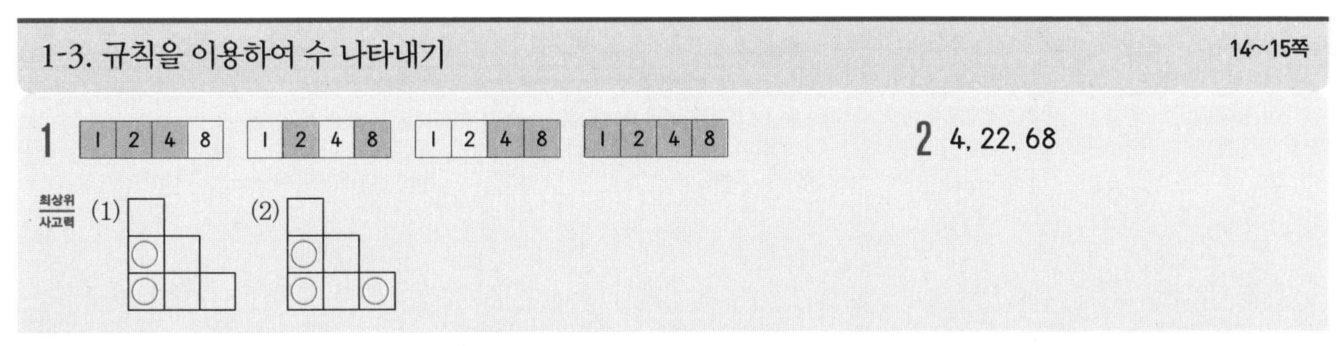

2 4, 22, 68

저자 톡! 고대 이집트 수, 그리스 수, 로마 수, 키푸, 산가지 수 등의 공통점은 일정한 규칙을 정하여 수를 나타내었다는 것입니다. 마찬가지로 일정한 규칙만 있다면 새롭게 수를 만들어 쓸 수 있습니다. 도형으로 만든 새로운 수 체계 속에서 규칙을 찾고 도형이 나타내는 수를 구해 보며 다양한 수 표현 방법을 경험해 보도록 합니다.

1 도형이 나타내는 수는 도형에서 색칠한 각 칸이 나타내는 수의 합입니다.

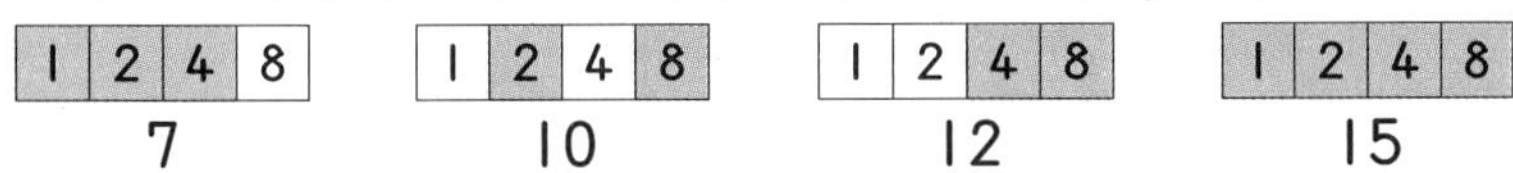

7　10　12　15

지도 가이드
도형이 나타내는 수는 이진법, 삼진법, 오진법 등 진법의 원리가 적용되기 때문에 진법 도형이라고도 부릅니다. 진법은 아이들이 어려워하는 주제 중 하나입니다. 도형이 나타내는 수를 구하기 위해서는 먼저 도형의 각 칸이 어떤 수를 나타내는지를 찾도록 합니다.

2 도형의 각 칸이 나타내는 수는

27	27
9	9
3	3
1	1

입니다.

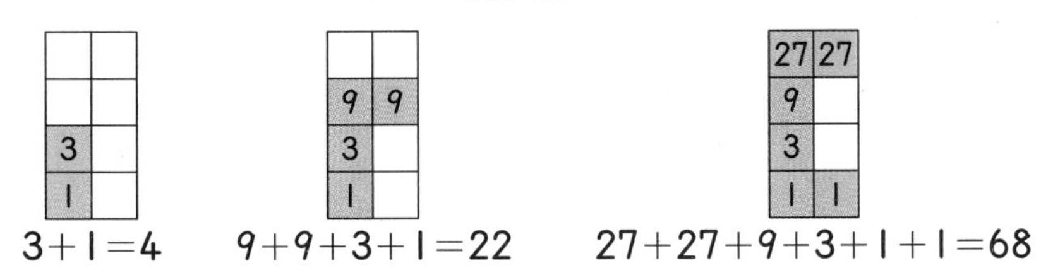

$3+1=4$　$9+9+3+1=22$　$27+27+9+3+1+1=68$

해결 전략
먼저 도형의 각 칸이 어떤 수를 나타내는지 찾습니다. 이때 다음과 같이 도형을 서로 비교하여 각 칸이 나타내는 수를 찾습니다.

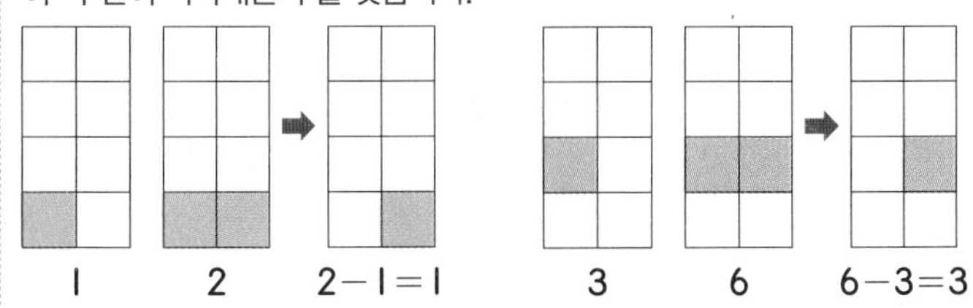

1　2　$2-1=1$　3　6　$6-3=3$

최상위 사고력 도형의 각 칸이 나타내는 수는 (6 / 6 2 / 6 2 1) 입니다.

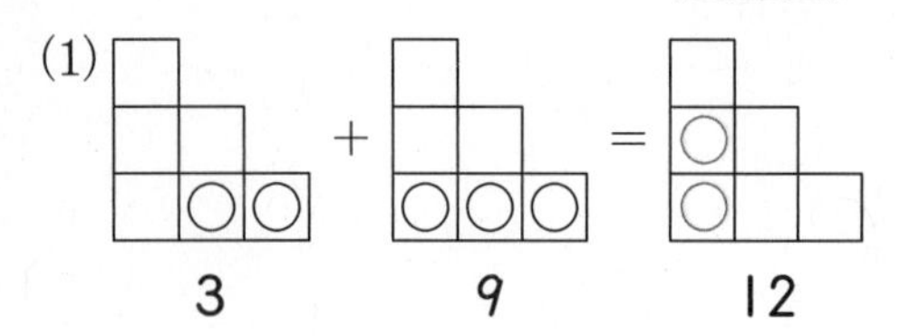

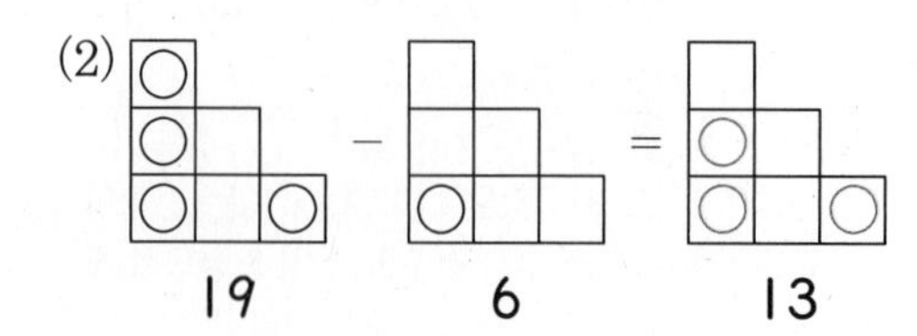

최상위 사고력

16~17쪽

1 XXXII

2 1, 10, 11, 100, 101, 110, 111

3 105, 144

4

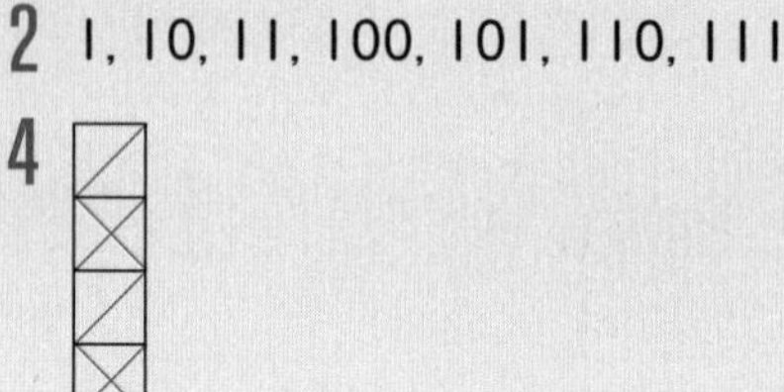

1 XIV=14, XVIII=18이므로 XIV+XVIII=14+18=32입니다.
따라서 32를 로마 수로 나타내면 XXXII입니다.

2 1장, 2장, 3장으로 만들 수 있는 수를 각각 나누어 구합니다.

1장으로 만들 수 있는 수: 1(|), 10(∩), 100(୨)

2장으로 만들 수 있는 수: 11(∩ |), 101(୨ |), 110(୨ ∩)

3장으로 만들 수 있는 수: 111(୨ ∩ |)

따라서 주어진 카드 3장으로 만들 수 있는 수는 1, 10, 11, 100, 101, 110, 111입니다.

3 ∨ 1개는 1을 나타내는데 왼쪽에 쓸 때는 60이 됩니다.
또한 < 1개는 10을 나타냅니다.

∨ <<<< ∨∨∨∨∨ =60+40+5=105

∨∨ << ∨∨∨∨ =120+20+4=144

> 주의
> 바빌로니아 수는 같은 기호라도 위치에 따라 ∨이 나타내는 수가 다릅니다.

4 각 칸에는 대각선을 2개까지 그을 수 있고

각 칸의 대각선이 나타내는 수는 (27 / 9 / 3 / 1) 입니다.

27+9+9+3+1+1=50이므로 50은 (그림) 입니다.

> 해결 전략
> 50을 만들기 위해 1, 3, 9, 27 중에서 큰 수부터 더해 봅니다.

2-1. 수 카드로 빠짐없이 수 만들기

18~19쪽

1

백	십	일	
2	0	2	➡ 202
		3	➡ 203
	2	0	➡ 220
		3	➡ 223
	3	0	➡ 230
		2	➡ 232

백	십	일	
3	0	2	➡ 302
	2	0	➡ 320
		2	➡ 322

2 18개

최상위 사고력 희수, 6개

저자 톡! 인도–아라비아 수가 등장하기 전 고대의 수들은 0~9까지의 숫자와 위치 기수법이 없어서 매우 어렵고 불편했습니다. 이 단원에서는 주어진 수 카드로 만들 수 있는 모든 세 자리 수를 만들어 봅니다.

1 나뭇가지 그림의 높은 자리부터 작은 수를 차례로 놓아 세 자리 수를 만듭니다.

> **주의**
> 백의 자리에는 0을 놓을 수 없고 한 번 사용한 수는 중복하여 사용할 수 없습니다. 하지만 수 카드 2는 2장이므로 2번 사용할 수 있습니다.

2 나뭇가지 그림을 그려 찾아봅니다.

따라서 만들 수 있는 세 자리 수는 406, 407, 460, 467, 470, 476, 604, 607, 640, 647, 670, 674, 704, 706, 740, 746, 760, 764로 모두 18개입니다.

> **해결 전략**
> 수를 중복해서 만들거나 빠뜨릴 수 있으므로 가장 높은 자리부터 작은(큰) 수를 차례로 놓는 나뭇가지 그림을 그려 수를 만듭니다.

최상위 사고력 나뭇가지 그림을 그려 찾아봅니다.

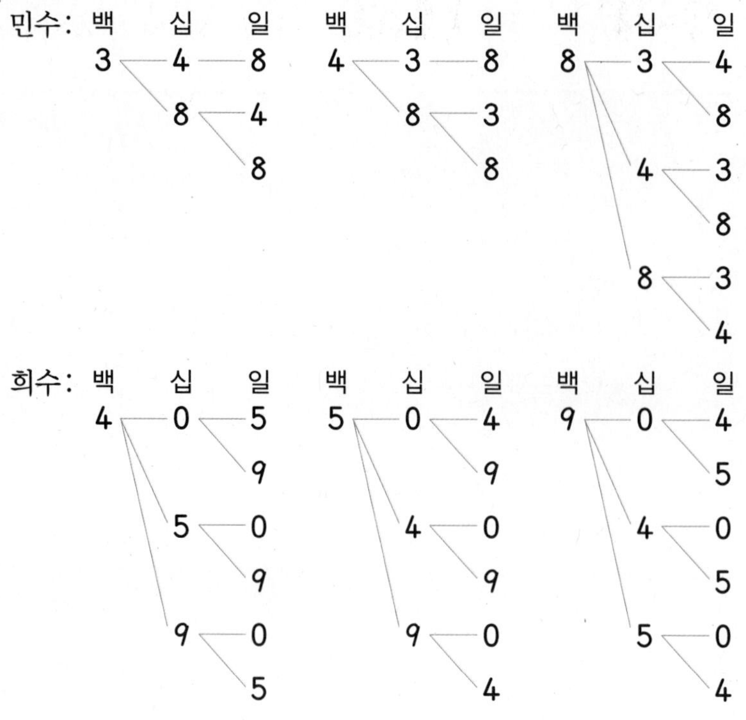

따라서 만들 수 있는 세 자리 수는 민수가 12개, 희수가 18개이므로 희수가 18−12=6(개) 더 많이 만들 수 있습니다.

2-2. 자릿값을 이용하여 수 만들기

20~21쪽

1

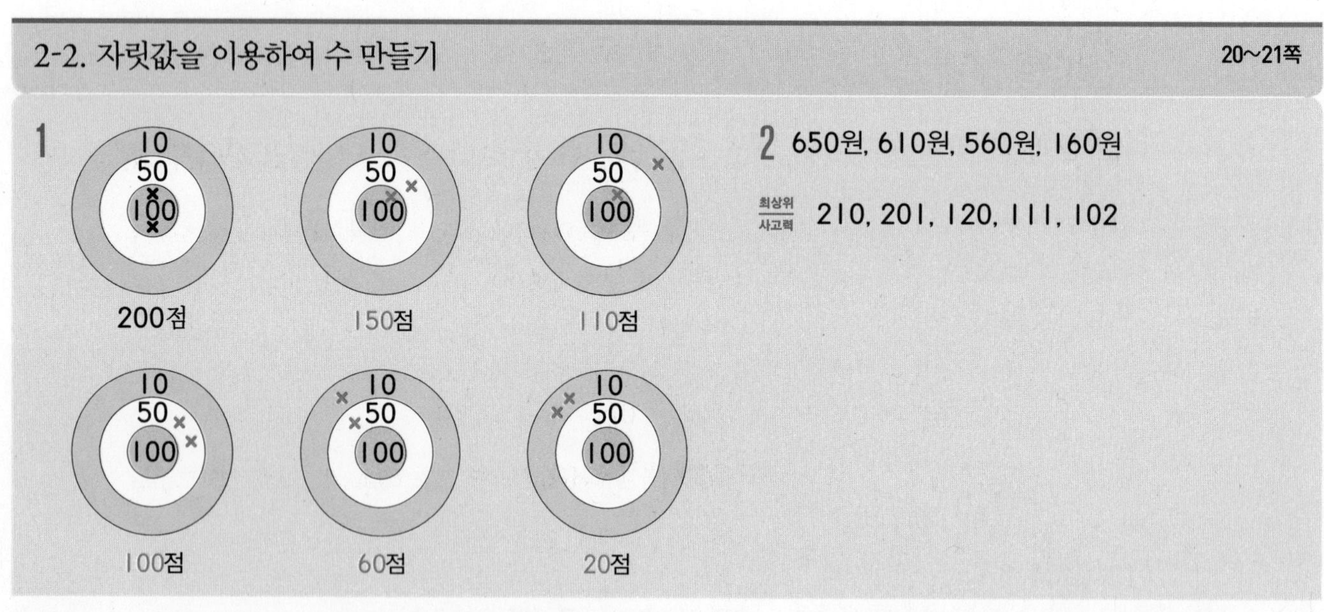

2 650원, 610원, 560원, 160원

최상위 사고력 210, 201, 120, 111, 102

저자 톡! 앞 단원에서 배운 수 카드로 수 만들기만으로는 자칫 인도−아라비아 수의 자릿값 원리를 간과할 수 있습니다. 다양한 상황 속에서 자릿값의 원리를 떠올리며 수를 빠짐없이 만들어 보는 경험을 해 봅니다.

1 가장 큰(작은) 점수를 맞힐 수 있는 방법부터 차례로 찾아봅니다.

지도 가이드

만들 수 있는 수를 중복하거나 빠뜨리지 않으려면 하나의 수를 먼저 선택하고 다른 수를 하나씩 바꾸는 방법을 이용합니다. 예를 들어 100점짜리 하나를 선택하면 (100, 100), (100, 50), (100, 10)과 같이 3가지 경우가 나옵니다.

2 다음과 같이 표로 나타내어 찾아봅니다.

500원(수첩)	100원(지우개)	50원(집게)	10원(색종이)	금액(원)
1	1	1	0	650
1	1	0	1	610
1	0	1	1	560
0	1	1	1	160

따라서 나올 수 있는 금액은 650원, 610원, 560원, 160원입니다.

다른 풀이

물건 4가지 중에서 물건 3가지를 선택하는 방법을 물건 4가지 중에서 물건 1가지를 선택하지 않는 방법으로 바꾸어 생각해도 됩니다.

수첩(500원)	지우개(100원)	집게(50원)	색종이(10원)	금액(원)
○	○	○	×	650
○	○	×	○	610
○	×	○	○	560
×	○	○	○	160

최상위 사고력 다음과 같이 표로 나타내어 찾아봅니다.

100 모형	10 모형	1 모형	세 자리 수
2	1	0	210
2	0	1	201
1	2	0	120
1	1	1	111
1	0	2	102

따라서 나타낼 수 있는 세 자리 수는 210, 201, 120, 111, 102입니다.

주의

세 자리 수를 만들어야 하므로 백 모형 1개는 꼭 사용해야 합니다.

2-3. 여러 가지 방법으로 금액 만들기

22~23쪽

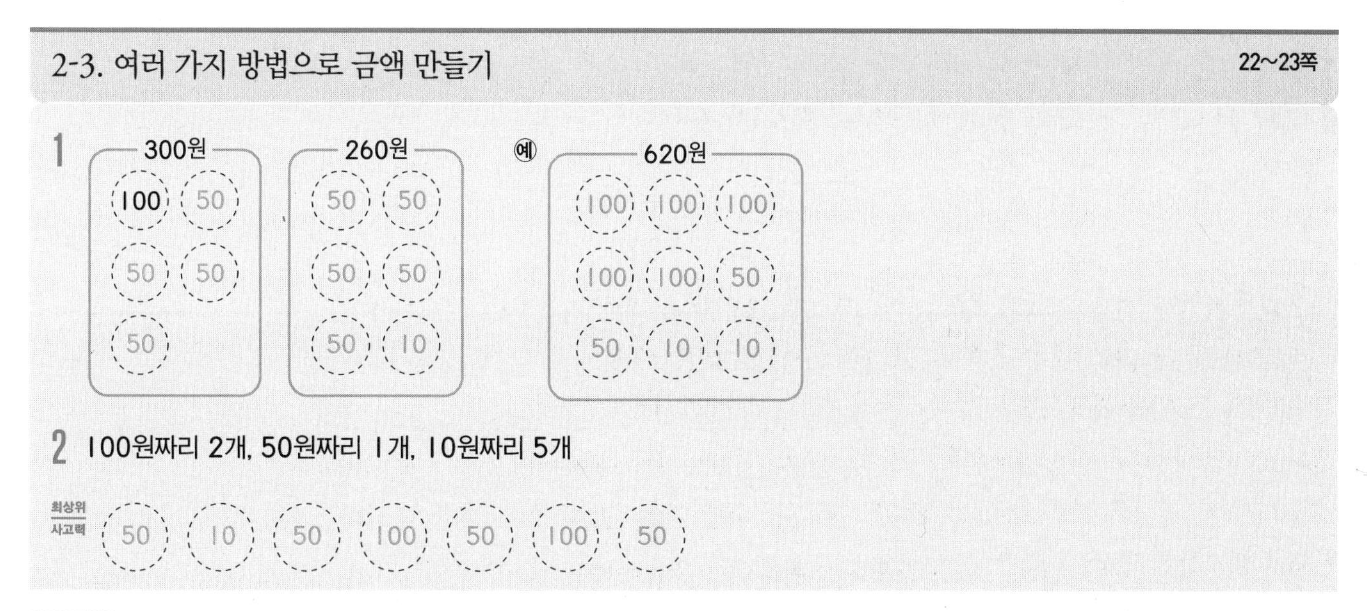

저자 톡! 우리가 일상생활에서 자주 사용하는 돈은 수를 이해하는 가장 좋은 도구입니다. 금액과 동전의 수만 주어진 상황에서 어떤 동전이 몇 개 있는지 퀴즈를 풀 듯이 재미있게 맞혀 보는 시간을 갖도록 합니다.

1 먼저 큰 금액의 동전부터 사용하여 금액을 맞추고, 작은 금액의 동전으로 바꾸어 가며 동전의 수를 맞춥니다.
620원은 500원 1개, 50원 1개, 10원 7개로 나타낼 수도 있습니다.

주의

금액은 맞지만 동전의 수가 맞지 않으면 안 됩니다.

2 금액은 같은데 동전의 수가 늘어났다는 것은 큰 금액의 동전을 작은 금액의 동전으로 바꾸었다는 것입니다. 100원짜리 1개를 50원짜리 2개로 바꾸면 동전 1개가 늘어나고, 50원짜리 1개를 10원짜리 5개로 바꾸면 동전 4개가 늘어나므로 모두 동전 5개가 늘어나게 됩니다.

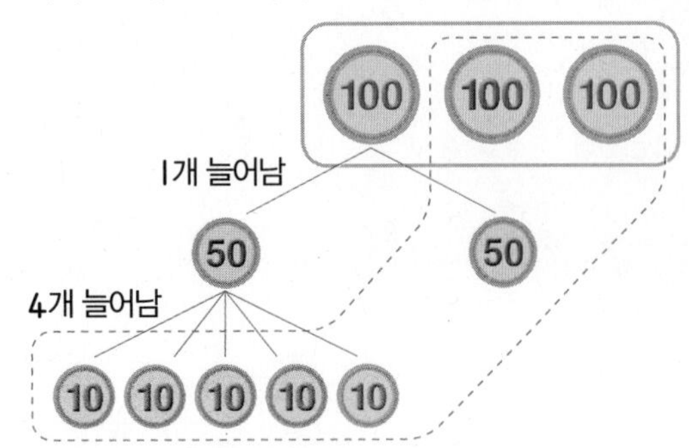

따라서 주형이가 가진 동전은 100원짜리 2개, 50원짜리 1개, 10원짜리 5개입니다.

최상위 사고력 첫 번째 조건부터 차례로 알아봅니다.

조건 1: 동전 7개의 금액의 합이 410원입니다.

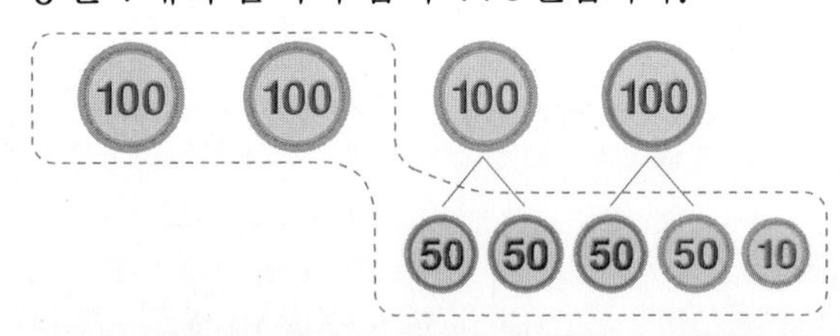

➡ 100원짜리 2개, 50원짜리 4개, 10원짜리 1개입니다.

조건 2: 같은 종류의 동전은 바로 옆에 있지 않습니다.

조건 3: 네 번째에 있는 동전의 금액은 두 번째에 있는 동전의 금액보다 큽니다.

> **해결 전략**
> 큰 금액의 동전부터 사용하여 금액을 맞추고, 작은 금액의 동전으로 바꾸어 가며 동전의 수를 맞추어 7개의 동전을 먼저 찾습니다.

최상위 사고력

24~25쪽

1 10개, 37개　　**2** 151, 155, 511, 515, 551, 555

3 7발　　**4** 3가지

1 큰 금액의 동전을 많이 사용하면 전체 동전의 수가 적어지고, 반대로 큰 금액의 동전을 적게 사용하면 전체 동전의 수가 많아집니다.

• 동전의 수가 가장 적은 경우

: 큰 금액의 동전을 가장 많이 사용한 경우

(100) : 4개, (50) : 1개, (10) : 5개 ➡ 10개

> **주의**
> 세 종류의 동전을 적어도 1개씩은 사용해야 합니다.

• 동전의 수가 가장 많은 경우: 큰 금액의 동전을 가장 적게 사용한 경우

(100) : 1개, (50) : 1개, (10) : 35개 ➡ 37개

따라서 동전의 수가 가장 적은 경우 동전의 수는 10개, 가장 많은 경우 동전의 수는 37개입니다.

2 나뭇가지 그림을 그린 후 작은 수부터 차례로 찾아봅니다.

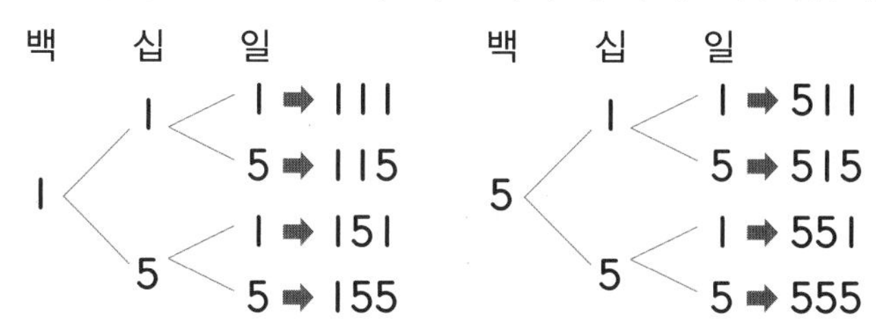

따라서 □ 안에 151, 155, 511, 515, 551, 555를 써넣습니다.

다른 풀이
1이 0개, 1개, 2개, 3개인 경우로 나누어 찾아봅니다.
1이 0개인 경우: 555
1이 1개인 경우: 155, 515, 551
1이 2개인 경우: 115, 151, 511
1이 3개인 경우: 111

3 표를 그린 후 큰 점수를 가장 많이 맞힌 경우부터 차례로 찾습니다.

100점	50점	10점	화살의 수(발)
4	1	2	7
3	3	2	8
2	5	2	9
1	7	2	10

따라서 50점짜리 과녁에 명중한 화살은 7발입니다.

지도 가이드
동전 바꾸기와 같이 큰 점수를 맞힌 경우부터 찾고 큰 점수를 작은 점수로 바꾸어 나가는 전략을 사용합니다. 이때 100점짜리를 50점짜리로 바꾸면 화살 1개가 더 늘어나고, 50점짜리를 10점짜리로 바꾸면 화살 4개가 더 늘어나게 됨을 알아야 합니다.

4 500원짜리 1개를 100원짜리로 바꾸면 동전 4개가 늘어나고, 100원짜리 동전 1개를 50원짜리로 바꾸면 동전 1개가 늘어나고, 50원짜리 1개를 10원짜리로 바꾸면 동전 4개가 늘어납니다.

주의
늘어나야 하는 동전의 수가 많아서 100원짜리 동전을 바꿀 필요가 없다고 생각하면 안됩니다.

방법 1

(500) → (100) (100) (100) (100) (100)

(50) → (10) (10) (10) (10) (10)

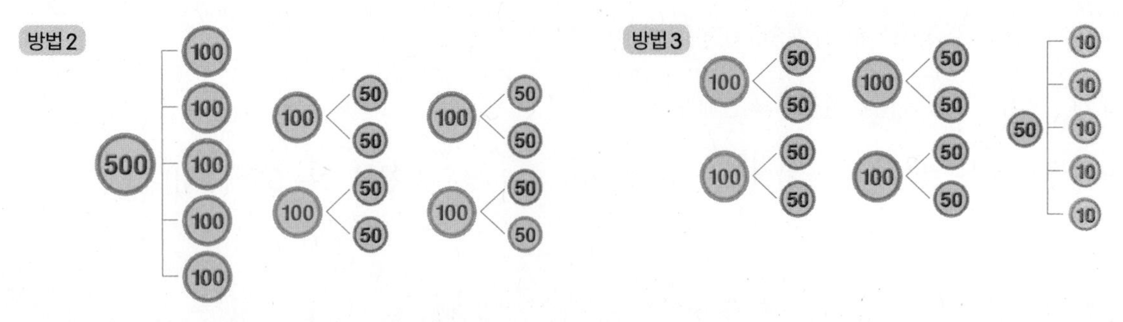

따라서 동전을 바꿀 수 있는 방법은 3가지입니다.

주의

: 동전을 바꾼 결과가 방법 3 과 같습니다.

최상위 사고력 3 조건에 맞는 수 찾기

3-1. 큰 수, 작은 수

26~27쪽

1 정수, 소희

2 734, 340

최상위 사고력 8개

저자 톡! 앞에서 수를 빠짐없이 만드는 연습을 하였다면 이번에는 조건에 맞는 수를 찾는 문제를 접하게 됩니다. 수 만들기에 사용하였던 '나뭇가지 그림'을 사용하여 조건에 맞는 수를 찾아봅니다.

1 가장 큰 수는 높은 자리부터 큰 수를 넣어 만들고, 가장 작은 수는 높은 자리부터 작은 수를 넣어 만듭니다.

	민주	소희	정수	경미
가장 큰 수	540	761	930	871
가장 작은 수	405	167	309	178

따라서 가장 큰 수를 만들 수 있는 사람은 정수, 가장 작은 수를 만들 수 있는 사람은 소희입니다.

주의
세 자리 수를 만들어야 하므로 백의 자리에는 0을 놓을 수 없습니다.

2 가장 큰 수는 높은 자리부터 큰 수를 넣어 만들고, 가장 작은 수는 높은 자리부터 작은 수를 넣어 만듭니다.

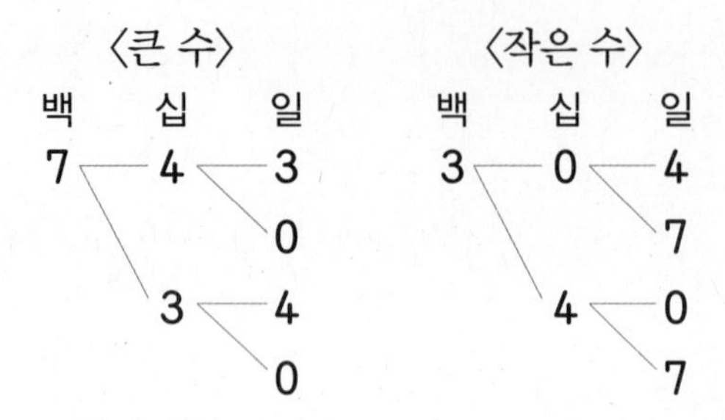

따라서 세 번째로 큰 수는 734이고, 세 번째로 작은 수는 340입니다.

지도 가이드
나뭇가지 그림은 만들 수 있는 모든 수를 빠짐없이 찾는데 사용되는 유용한 방법이기도 하지만 몇 번째로 큰 수, 작은 수를 찾는데도 사용됩니다.

최상위 사고력 나뭇가지 그림을 그려 636보다 큰 수를 만듭니다.

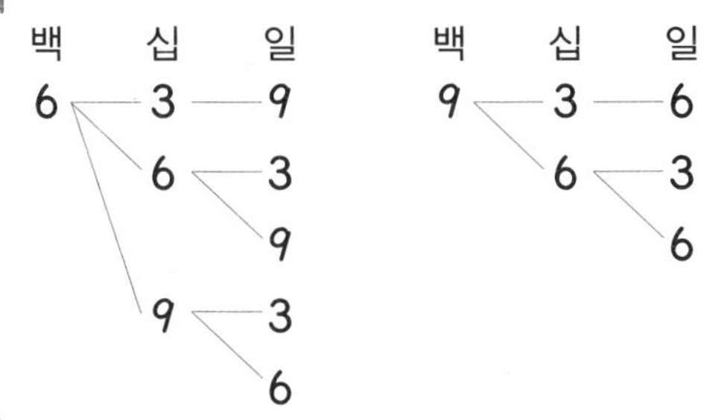

따라서 636보다 큰 수는 639, 663, 669, 693, 696, 936, 963, 966이므로 현서가 만들 수 있는 수는 모두 8개입니다.

3-2. 뒤집힌 수 카드 맞히기

28~29쪽

1 (위에서부터) 6□3, □63, □36, 3□6, 36□ 최상위 사고력 A 6, 7 최상위 사고력 B 8

저자 톡! 모르는 수가 있는 문제는 어려운 유형 중 하나입니다. 모르는 수는 실체를 알 수 없는 수이기 때문에 다른 조건이 있는 상태로 생각하면 오히려 문제가 복잡하고 어려워집니다. 모르는 수가 있는 문제는 어떻게 푸는 것이 효율적인지 문제를 풀면서 직접 느껴 봅시다.

1

	0<□<3인 경우	3<□<6인 경우	6<□<10인 경우
가장 큰 수	63□	6□3	□63
가장 작은 수	□36	3□6	36□

지도 가이드
모르는 수가 있을 때 모르는 수를 1이라 가정하고, 2라 가정하는 등 수를 가정하여 문제를 푸는 것은 자연스러운 문제 풀이 방법입니다. 이 가정하는 방법 중에서도 수가 속한 구간으로 가정하면 좀 더 빨리 답을 구할 수 있음을 느끼게 합니다.

최상위 사고력 A 뒤집힌 카드의 수를 □라 하여 □를 0<□<5, 5<□<8, 8<□<10인 3가지 경우로 나누어 큰 수부터 차례로 만듭니다.

① 0<□<5인 경우 ➡ 85□, 8□5, 58□

② 5<□<8인 경우 ➡ 8□5, 85□, □85

③ 8<□<10인 경우 ➡ □85, □58, 8□5

따라서 세 번째로 큰 수가 □85인 경우는 5<□<8일 때이므로 □=6, 7입니다.

주의
세 수가 모두 다르므로 □는 5와 8이 될 수 없습니다.

최상위 사고력 B 뒤집힌 카드의 수를 □라 하여 □를 0<□<2, 2<□<7, 7<□<10인 3가지 경우로 나누어 생각해 봅니다.

	0<□<2인 경우	2<□<7인 경우	7<□<10인 경우
가장 큰 수	72□	7□2	□72
가장 작은 수	□27	2□7	27□

0<□<2인 경우 2<□<7인 경우 7<□<10인 경우

0<□<2인 경우	2<□<7인 경우	7<□<10인 경우
7 2 □	7 □ 2	8 7 2
+ □ 2 7	+ 2 □ 7	+ 2 7 8
1 1 5 0	1 1 5 0	1 1 5 0
불가능	불가능	가능

따라서 뒤집힌 카드의 수는 8입니다.

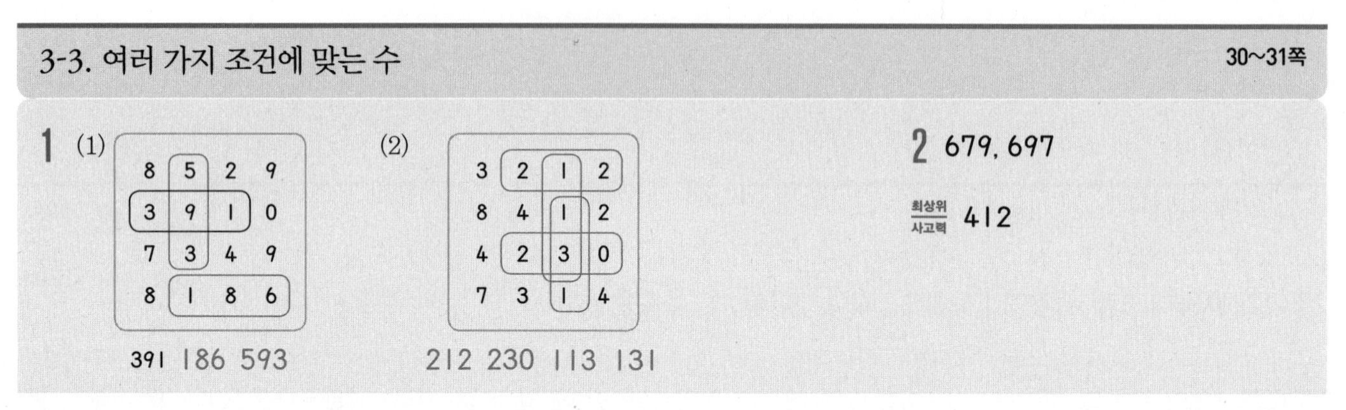

저자 톡! 앞에서는 조건이 1개 또는 2개인 상황에서 조건에 맞는 수를 찾았습니다. 이 단원에서는 좀 더 다양한 조건이 주어졌을 때, 어떤 방법으로 조건에 맞는 수를 찾는 것이 효율적인지 생각하며 문제를 풀어 봅니다.

1 (1) 십의 자리 숫자가 7보다 큰 세 자리 수
➡ 십의 자리 숫자가 8 또는 9인 세 자리 수

8	5	2	9
3	9	1	0
7	3	4	9
8	1	8	6

➡ 391, 186, 593

(2) 각 자리 숫자의 합이 5인 세 자리 수 ➡ (5, 0, 0), (4, 1, 0), (3, 2, 0), (3, 1, 1), (2, 2, 1)의 숫자로 이루어진 세 자리 수

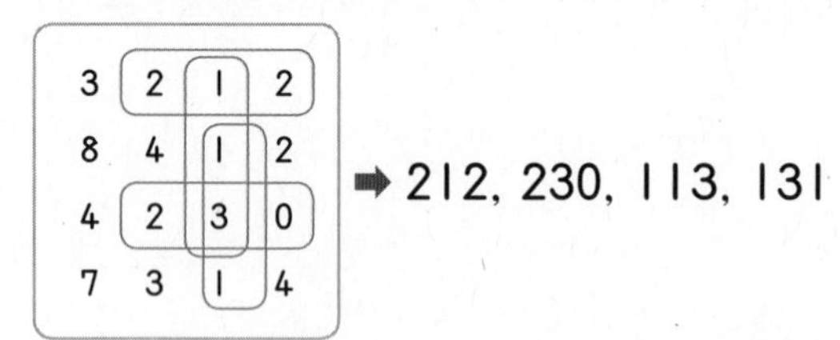

해결 전략
가로줄부터 조건에 맞는 수를 찾은 후 세로줄에서 조건에 맞는 수를 찾습니다.

2 조건 2 : 백의 자리 숫자는 6입니다. ➡ 6□△
조건 3 : 각 자리 숫자의 합이 22입니다.
➡ 6+□+△=22, □+△=16
조건 1 : 각 자리 숫자가 다른 세 자리 수입니다.
➡ (□, △) ➡ (7, 9) 또는 (9, 7)
따라서 조건에 맞는 수는 679, 697입니다.

해결 전략
두 번째 조건, 세 번째 조건, 첫 번째 조건 순서로 수를 찾아봅니다.

최상위 사고력 금고의 비밀번호는 600보다 작아야 하므로 백의 자리 숫자가 5인 경우부터 각 자리 숫자의 합이 7인 수를 큰 수부터 차례로 찾습니다.

백의 자리 숫자가 5인 경우: 520(첫 번째) 511(두 번째) 502(세 번째)

백의 자리 숫자가 4인 경우: 430(네 번째) 421(다섯 번째) 412(여섯 번째) ……

따라서 금고의 비밀번호는 412입니다.

최상위 사고력

32~33쪽

1 297, 723, 937, 327 **2** 5 **3** 8개 **4** 65개

1 어떤 자리 숫자가 주어졌을 때 큰 수, 작은 수를 구하는 문제입니다. 조건에 맞는 자리의 숫자를 먼저 써넣은 후 큰 수는 높은 자리부터 큰 숫자를, 작은 수는 높은 자리부터 작은 숫자를 써넣습니다.

백의 자리 숫자가 2인 가장 큰 수: (297)−294−293−……

백의 자리 숫자가 7인 가장 작은 수: (723)−724−729−……

일의 자리 숫자가 7인 두 번째 큰 수: 947−(937)−927−……

십의 자리 숫자가 2인 두 번째 작은 수: 324−(327)−329−……

2 뒤집힌 카드의 수를 □라 하면 3장의 수 카드를 한 번씩 사용하여 만든 가장 큰 수가 975이므로 □가 될 수 있는 수는 일의 자리 수 5보다 작거나 같은 5, 4, 3, 2, 1입니다.

3장의 수 카드를 한 번씩 사용하여 만든 가장 작은 수가 135이므로 □가 될 수 있는 수는 일의 자리 수 5보다 크거나 같은 5, 6, 7, 8, 9입니다.

두 조건을 모두 만족하는 수는 5이므로 뒤집힌 카드의 수는 5입니다.

주의
수 카드에 적힌 수가 모두 다르다는 조건이 없습니다.

3 첫 번째 조건, 두 번째 조건, 세 번째 조건 순서로 수를 찾아봅니다.

조건 1: 700보다 큰 홀수입니다.

➡ 7□□, 8□□, 9□□ 3개

조건 2: 일의 자리 숫자와 백의 자리 숫자가 같습니다.

➡ 7□7, 9□9 2개

조건 3: 각 자리 숫자의 합이 20보다 작습니다.

➡ 707, 717, 727, 737, 747, 757 6개

➡ 909, 919 2개

따라서 조건에 맞는 수는 모두 8개입니다.

주의
첫 번째 조건에는 '700보다 크다'와 '홀수'라는 두 가지 조건이 주어졌습니다.

4 ㉡이 0부터 4까지인 경우 ㉠은 1부터 6까지의 수가 될 수 있고, ㉡이 5부터 9까지인 경우 ㉠은 1부터 7까지의 수가 될 수 있습니다.

〈만들 수 있는 두 자리 수 ㉠㉡〉

㉡=0인 경우 ㉠=1, 2, 3, 4, 5, 6 ➡ 10, 20, 30, 40, 50, 60 ➡ 6개
㉡=1인 경우 ㉠=1, 2, 3, 4, 5, 6 ➡ 11, 21, 31, 41, 51, 61 ➡ 6개
㉡=2인 경우 ㉠=1, 2, 3, 4, 5, 6 ➡ 12, 22, 32, 42, 52, 62 ➡ 6개
㉡=3인 경우 ㉠=1, 2, 3, 4, 5, 6 ➡ 13, 23, 33, 43, 53, 63 ➡ 6개
㉡=4인 경우 ㉠=1, 2, 3, 4, 5, 6 ➡ 14, 24, 34, 44, 54, 64 ➡ 6개
㉡=5인 경우 ㉠=1, 2, 3, 4, 5, 6, 7 ➡ 15, 25, 35, 45, 55, 65, 75 ➡ 7개
㉡=6인 경우 ㉠=1, 2, 3, 4, 5, 6, 7 ➡ 16, 26, 36, 46, 56, 66, 76 ➡ 7개
㉡=7인 경우 ㉠=1, 2, 3, 4, 5, 6, 7 ➡ 17, 27, 37, 47, 57, 67, 77 ➡ 7개
㉡=8인 경우 ㉠=1, 2, 3, 4, 5, 6, 7 ➡ 18, 28, 38, 48, 58, 68, 78 ➡ 7개
㉡=9인 경우 ㉠=1, 2, 3, 4, 5, 6, 7 ➡ 19, 29, 39, 49, 59, 69, 79 ➡ 7개

따라서 만들 수 있는 두 자리 수는 6+6+6+6+6+7+7+7+7+7=65(개)입니다.

해결 전략
㉡이 0부터 9까지인 경우로 각각 나누어 ㉠이 될 수 있는 수를 구해 봅니다.

다른 풀이
㉠이 0부터 9까지인 경우로 각각 나누어 ㉡이 될 수 있는 수를 구해 봅니다.
㉠이 1부터 6까지인 경우 ㉡은 0부터 9까지의 모든 수가 될 수 있고, ㉠이 7인 경우 ㉡은 5부터 9까지의 수가 될 수 있으며 ㉠이 8, 9인 경우 ㉡을 만족하는 수는 없습니다.
따라서 만들 수 있는 두 자리 수는 10+10+10+10+10+10+5=65(개)입니다.

Review I 수

34~37쪽

1 9999∩∩||||
2 84, 827
3 15개
4 7가지
5 410, 320, 310, 210
6 8, 9
7 7개
8 (1) 46 (2)

1 |이 10개가 모이면 ∩이 1개가 되고, ∩이 10개가 모이면 9이 1개가 되는 규칙이 있습니다.

9∩∩∩∩∩|||||| + 99∩∩∩∩∩∩∩||||||||
= 999∩∩∩∩∩∩∩∩∩∩∩∩||||||||||||||
= 9999∩∩||||

보충 개념
고대 이집트에서는 인도-아라비아 수와 같이 10개가 모이면 큰 수가 되는 십진법을 사용하였습니다. 사람의 손가락이 10개인 것에 의해 발생되었다고 합니다.

2 주판은 가장 오른쪽 줄부터 왼쪽으로 갈수록 자릿값이 일, 십, 백으로 커지는 위치 기수법을 사용하였습니다.
주판에서 가로선 윗줄에 있는 알은 오른쪽부터 5, 50, 500을 나타내고 가로선 아래에 있는 알 1개는 오른쪽부터 1, 10, 100을 나타냅니다.

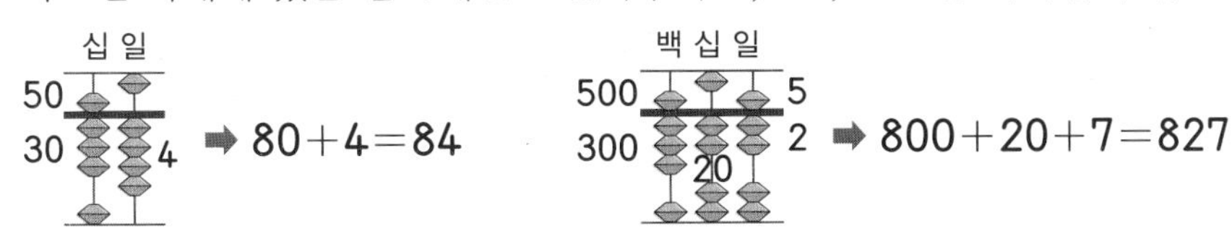

3 각 자리 숫자가 1씩 커지는 수는 123, 234, 345, 456, 567, 678, 789로 7개가 있고, 각 자리 숫자가 1씩 작아지는 수는 987, 876, 765, 654, 543, 432, 321, 210으로 8개가 있습니다.
따라서 각 자리 숫자가 1씩 커지거나 1씩 작아지는 세 자리 수는 모두 7+8=15(개)입니다.

4 다음과 같이 표를 그려 구해 보면 모두 7가지가 나옵니다.

500원	100원	50원	10원	받을 수 있는 금액(원)
1	1			600
1		1		550
1			1	510
	2			200
	1	1		150
	1		1	110
		2		100

5 조건 1 : 500보다 작은 세 자리 수입니다.
➡ 4□□ 3□□ 2□□ 1□□
조건 2 : (백의 자리 숫자)>(십의 자리 숫자)>(일의 자리 숫자)입니다.

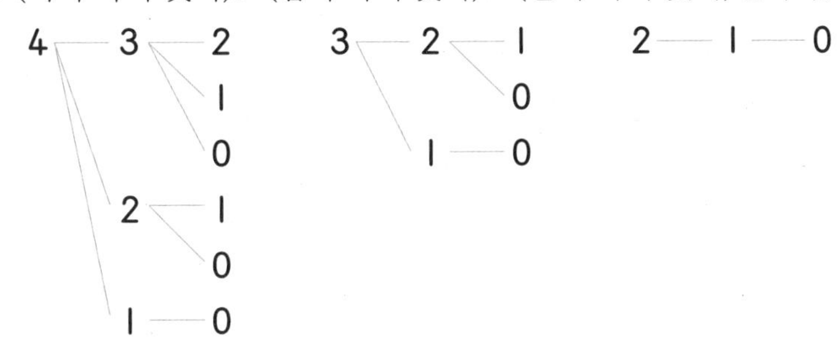

조건 3 : 각 자리 숫자의 합이 6보다 작습니다. ➡ 410, 320, 310, 210
따라서 조건에 맞는 수는 410, 320, 310, 210입니다.

해결 전략
첫 번째 조건, 두 번째 조건, 세 번째 조건 순서로 수를 찾아봅니다.

6 뒤집힌 카드의 수를 □라 하여 0<□<4, 4<□<7, 7<□<10인 3가지 경우로 나누어 생각해 봅니다.

큰 수	0<□<4	4<□<7	7<□<10
첫 번째	74□	7□4	□74
두 번째	7□4	74□	□47
세 번째	47□	□74	7□4
⋮	⋮	⋮	⋮

따라서 세 번째로 큰 수가 7□4인 경우는 7<□<10일 때이므로 □=8, 9입니다.

7 수영이는 450원짜리 아이스크림 2개를 샀으므로 900원을 낸 것입니다.
낸 동전이 11개이므로 큰 금액의 동전부터 이용하여 조건에 맞게 만들어 봅니다.

500원짜리	100원짜리	50원짜리	동전 개수
1개	4개	0개	5개

동전 11개가 되기 위해 동전 6개를 늘려야 합니다.
500원짜리 ➡ 100원짜리(4개 늘어남), 100원짜리 ➡ 50원짜리(1개 늘어남)이므로
500원짜리 1개를 100원짜리로 바꾸고, 100원짜리 2개를 50원짜리로 바꾸면 됩니다.

500원짜리	100원짜리	50원짜리	동전 개수
1개	4개	0개	5개
0개	9개	0개	9개
0개	7개	4개	11개

따라서 수영이는 100원짜리 동전을 7개 냈습니다.

8 도형의 각 칸이 나타내는 수는 오른쪽과 같습니다.

64	16	4	1
64	16	4	1
64	16	4	1

(1)

		4	
	16	4	1
	16	4	1

➡ 16+16+4+4+4+1+1=46

(2) 큰 수부터 사용하여 만들면 80=64+16입니다.

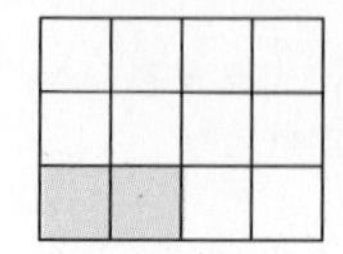

사고력이 톡톡

38쪽

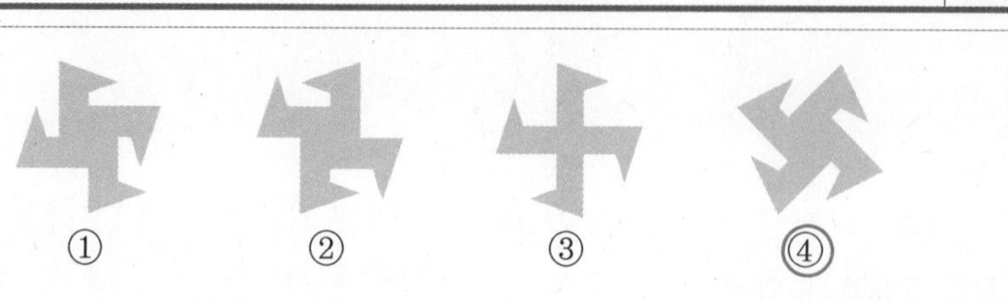

Ⅱ 도형

이번 단원에서는 삼각형, 사각형, 오각형과 같은 다각형을 이용하여 공간감각이 필요한 여러 가지 주제를 다룹니다. 먼저 생활 속에서 흔히 접할 수 있는 색종이를 소재로 하여 색종이를 자르고 겹쳐서 조건에 맞는 도형을 만듭니다. 이어서 평면도형, 점판을 소재로 크고 작은 도형이 모두 몇 개인지, 주어진 도형을 만들려면 어떤 방법이 효율적인지 알아봅니다. 마지막으로 쌓기나무로 쌓은 모양을 쌓기표, 위, 앞, 옆에서 본 모양, 윤곽선 등으로 입체도형의 다양한 표현을 익히며 단원을 마무리합니다.

공간지각력은 수학 과목 뿐만 아니라 우리 생활에 없어서는 안될 중요한 능력입니다. 다각형을 자르고, 옮기고, 개수를 세는 여러 활동을 통하여 공간감각을 한층 높일 수 있는 경험을 가져 봅니다.

최상위 사고력 **4 도형 만들기**

4-1. 모양을 나누어 도형 만들기 40~41쪽

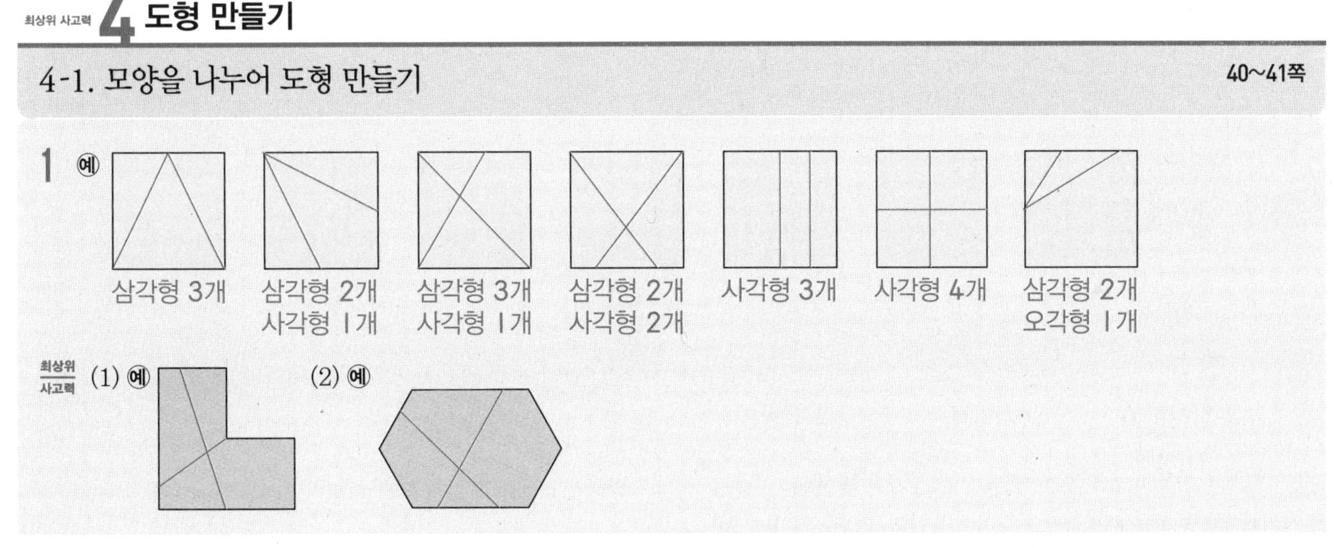

저자 톡! 색종이에 곧은 선을 그어 만들어지는 도형을 찾는 문제입니다. 처음에는 여러 번의 시행착오가 필요하지만 만들어진 도형을 관찰하고 비교해 봄으로써 도형의 꼭짓점과 변에 유의하며 선을 그어야 함을 느끼도록 합니다.

1 색종이에 곧은 선 2개를 그어 만들어지는 가장 많은 조각은 4조각이고, 가장 적은 조각은 3조각입니다.

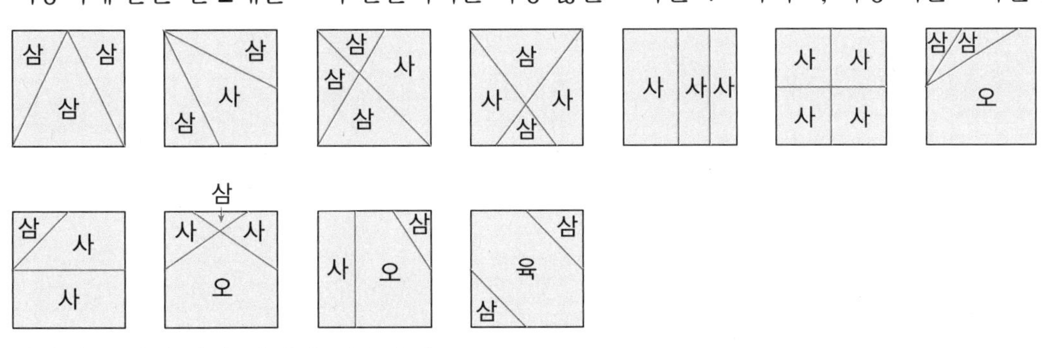

이외에도 여러 가지 방법이 있습니다.

최상위 사고력 4조각이 나와야 하므로 2개의 곧은 선이 도형의 안쪽에서 만나야 합니다.

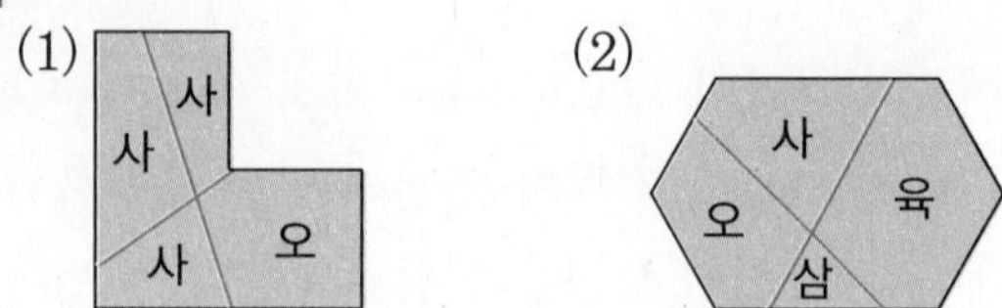

이외에도 여러 가지 방법이 있습니다.

4-2. 모양을 겹쳐서 도형 만들기

42~43쪽

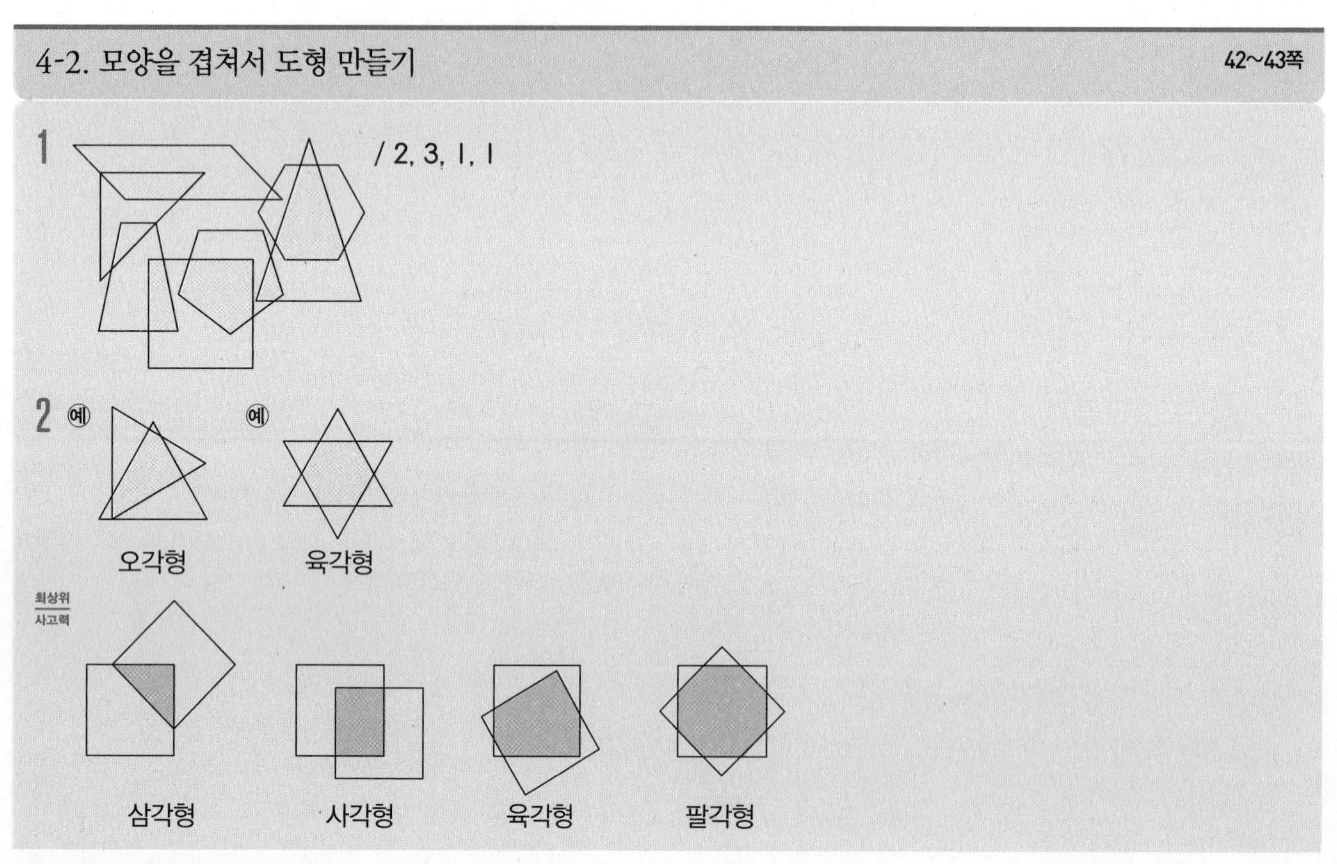

저자 톡! 모양을 겹쳐서 만들어지는 도형을 찾기 위해서는 모양을 직접 다양하게 움직이고 겹쳐 보는 경험이 필요합니다. 이때 모양을 무작정 겹쳐서 찾기보다는 시행착오를 줄이는 간단한 방법을 찾아보도록 합니다.

1 겹치는 부분을 찾아 색칠하면 삼각형 2개, 사각형 3개, 오각형 1개, 육각형 1개입니다.

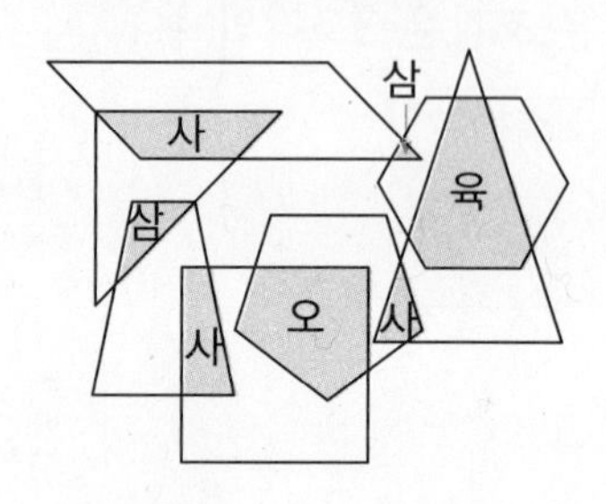

지도 가이드

삼각형, 사각형, 오각형, 육각형은 둘러싸인 곧은 선의 개수에 따라 붙여진 것입니다.
따라서 둘러싸인 곧은 선의 개수로 도형을 찾도록 합니다.

2 1개의 삼각형을 고정시킨 후, 나머지 삼각형을 움직여 가며 찾습니다. 이외에도 여러 가지 방법이 있습니다.

> 주의
> 크기와 모양이 같은 모양 2개를 겹쳐야 하므로 삼각형의 모양을 마음대로 변형시키면 안됩니다.

최상위 사고력 사각형은 꼭짓점 부분이 ㄱ 모양으로 꺾여 있고, 마주보는 변이 평행한 특징이 있습니다. 이 부분에 주의하며 사각형이 어떻게 놓였는지 곧은 선을 그어 찾습니다.

4-3. 색종이로 도형 만들기

44~45쪽

1 (1) (2) (3)

2 4, 1

최상위 사고력 삼각형 2개, 사각형 2개, 오각형 2개

저자 톡! 색종이를 접고 자른 후 펼친 모양 예상하기는 공간감각을 묻는 문제에 자주 출제되는 유형입니다. 직접 색종이를 접고 자르는 경험을 통해 이 문제의 핵심인 '대칭의 원리'와 '거꾸로 생각하기 전략'을 스스로 찾아볼 수 있도록 합니다.

1 원래의 모양은 한쪽에 그대로 그리고, 그 모양을 접힌 선을 기준으로 다른 쪽으로 뒤집어 그려서 펼친 모양을 완성합니다.

> 주의
> (3)에서 펼쳤을 때의 모양을 왼쪽과 같이 그리지 않도록 합니다.

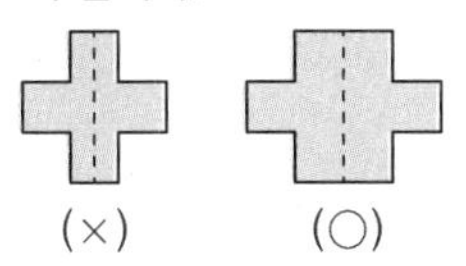

2 마지막 접은 모양부터 거꾸로 펼쳐가며 생각합니다.

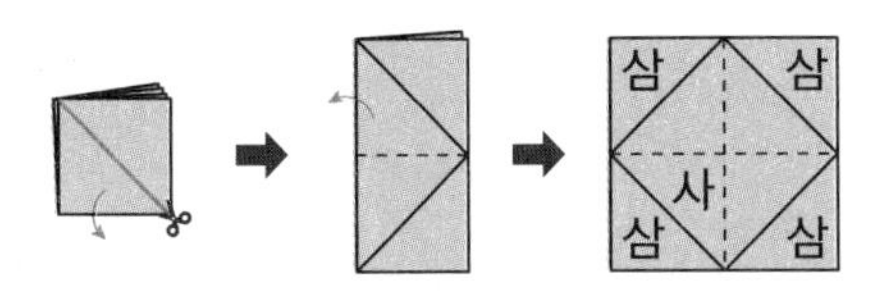

따라서 삼각형 4개, 사각형 1개입니다.

> 주의
> 색종이를 펼칠 때는 반드시 접은 방향과 반대 방향으로 펼쳐야 합니다.

최상위 사고력 마지막 접은 모양부터 거꾸로 펼쳐가며 생각합니다.

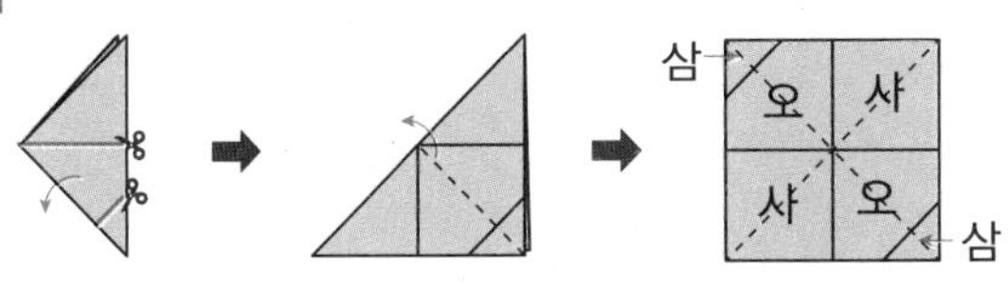

따라서 삼각형 2개, 사각형 2개, 오각형 2개가 만들어집니다.

최상위 사고력

46~47쪽

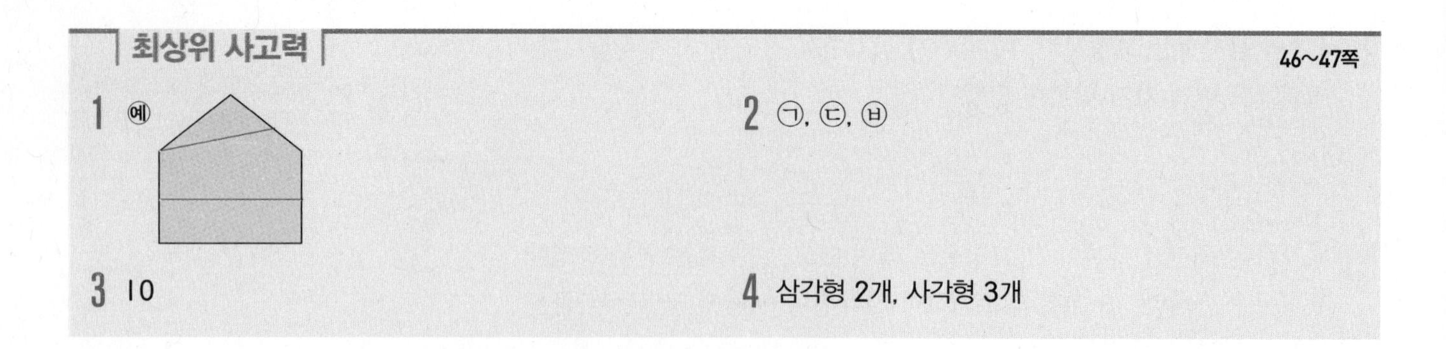

1 예

2 ㉠, ㉢, ㉥

3 10

4 삼각형 2개, 사각형 3개

1 곧은 선 2개를 그어 3조각이 나와야 하므로 곧은 선 2개가 도형 안쪽에서 만나지 않도록 긋습니다.

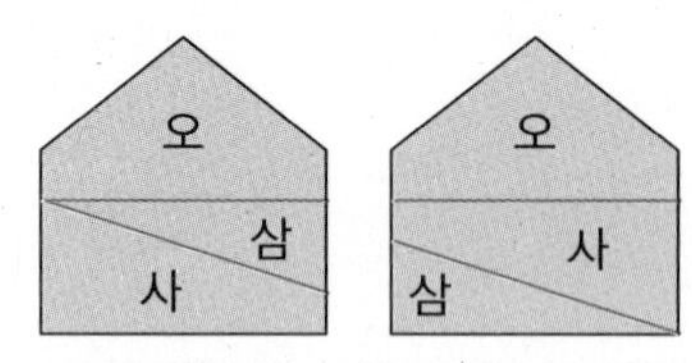

이외에도 여러 가지 방법이 있습니다.

2 ㉠ ㉢ ㉥

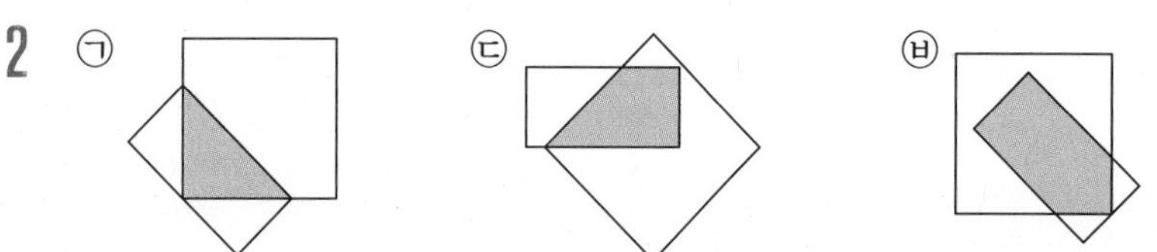

> 해결 전략
> 사각형의 꼭짓점 부분인 ㄱ 모양에 주의하며 색종이가 어떻게 놓였는지 선을 그어 찾습니다.

3 잘려 나간 부분은 2조각으로 3, 2가 적힌 조각과 1, 4가 적힌 조각입니다.
따라서 잘려 나간 부분에 있는 수의 합은 $3+2+1+4=10$입니다.

> 해결 전략
> 마지막 접은 종이에서 거꾸로 하나씩 펼쳐 가며 생각합니다.

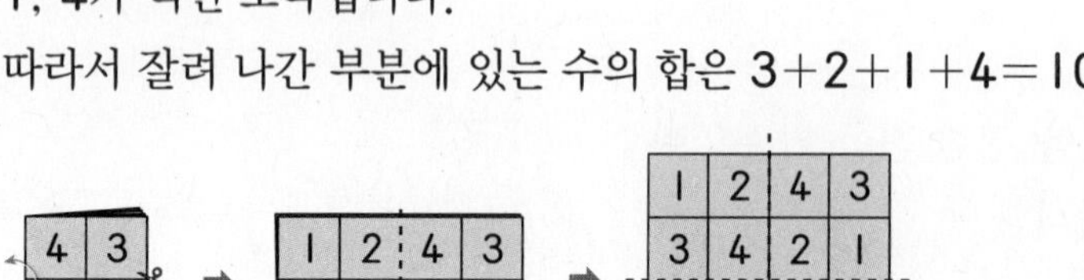
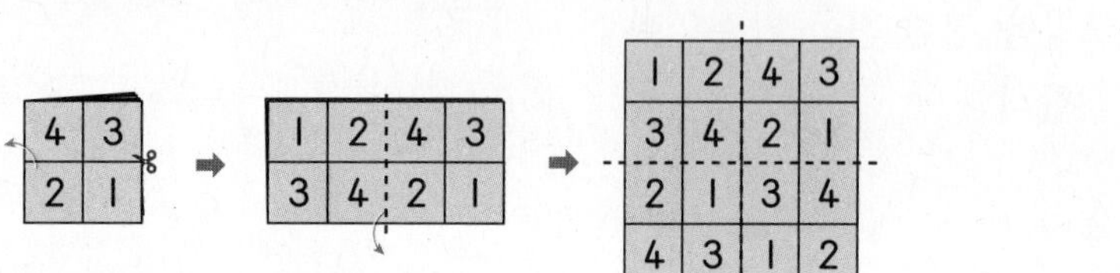

4

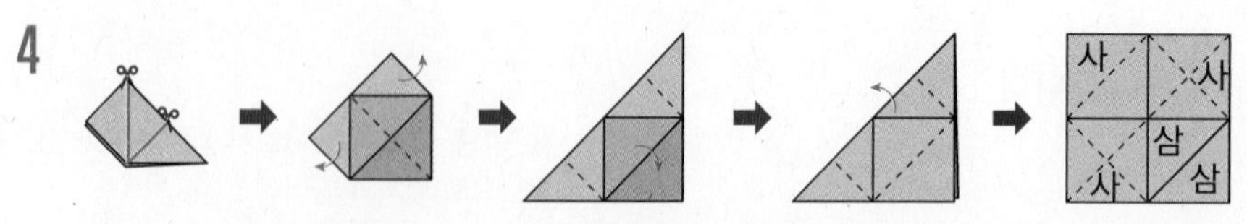

따라서 삼각형 2개, 사각형 3개가 만들어집니다.

> 해결 전략
> 마지막 접은 종이에서 접은 순서와 반대로 펼쳐가며 생각합니다.

5-1. 곧은 선을 따라 도형 그리기

48~49쪽

1

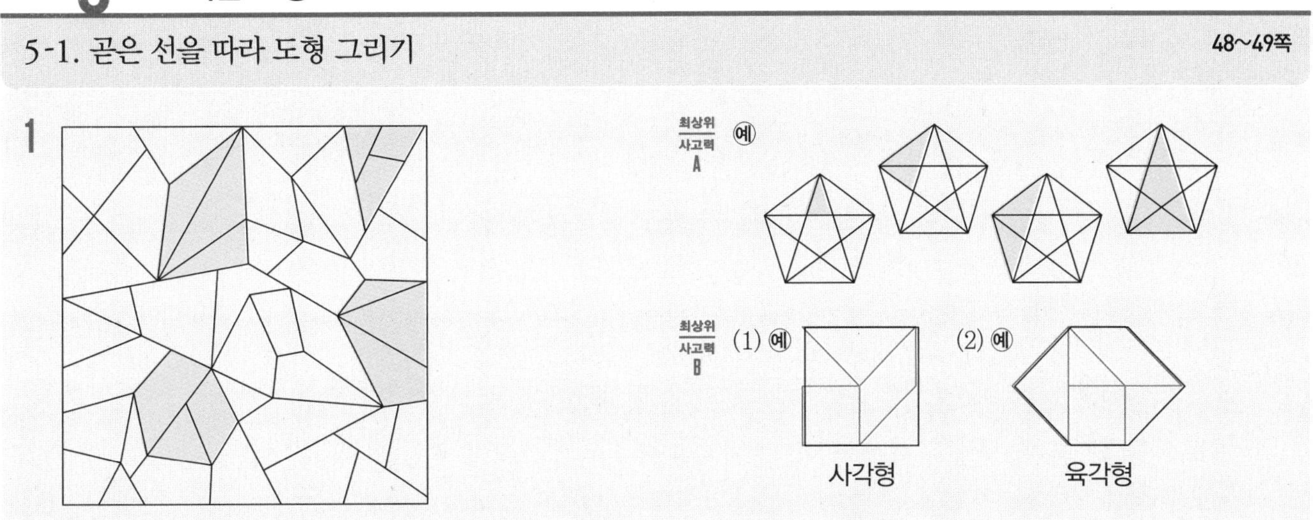

저자 톡! 많은 선들이 복잡하게 그려진 그림에서 주어진 도형을 찾는 관찰력이 필요한 문제입니다. 숨은그림찾기를 하듯이 머릿속으로 주어진 도형의 전체 모양을 상상하며 도형을 찾아보도록 합니다.

1 작은 도형 3개로만 이루어진 삼각형, 사각형, 오각형, 육각형을 찾습니다.

지도 가이드
초등 교육과정에서는 다음과 같이 꼭짓점이 안쪽으로 움푹 들어간 오목다각형은 다루지 않습니다.

최상위 사고력 A 작은 도형 1개, 2개, 3개, 5개로 만들 수 있는 삼각형을 각각 찾아봅니다.

최상위 사고력 B

지도 가이드
큰 조각부터 이용하거나 한쪽 부분부터 이어 붙이는 방법으로 하여 시행착오를 줄일 수 있도록 합니다.

5-2. 크고 작은 도형의 개수 구하기

50~51쪽

1 8, 2, 0, 1, 1 2 9개 최상위 사고력 21개

저자 톡! 크고 작은 도형의 개수를 세는 문제는 선으로 나누어진 작은 도형뿐만 아니라 작은 도형을 포함하는 큰 도형까지 생각해야 합니다. 색종이를 잘라 나오는 도형의 개수를 구하는 문제와 비슷해 보일 수 있지만 난이도상으로는 매우 큰 차이가 있습니다. 이런 유형의 문제를 풀 때 학생들이 실수하기 쉬운 부분은 중복되거나 빠뜨리고 세는 것입니다. 이와 같은 실수를 하지 않기 위해서는 어떤 전략이 필요한지 생각하며 문제를 풀어 보도록 합니다.

1 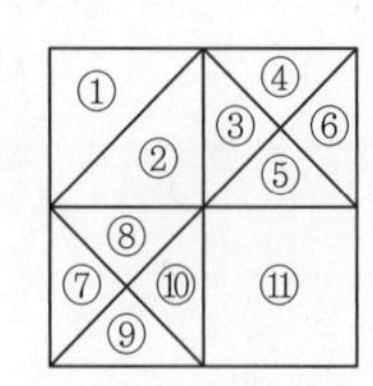

작은 도형의 수를 1개씩 늘려가며 차례로 삼각형의 수를 세어야 합니다.

- 작은 도형 1개로 된 삼각형 : ①, ②, ③, ④, ⑤, ⑥, ⑦, ⑧, ⑨, ⑩ ➡ 10개
- 작은 도형 2개로 된 삼각형 : ③+④, ③+⑤, ④+⑥, ⑤+⑥, ⑦+⑧, ⑦+⑨, ⑧+⑩, ⑨+⑩ ➡ 8개
- 작은 도형 3개로 된 삼각형 : ②+③+⑤, ②+⑧+⑩ ➡ 2개
- 작은 도형 5개로 된 삼각형 : ⑤+⑥+⑨+⑩+⑪ ➡ 1개
- 작은 도형 6개로 된 삼각형 : ①+②+③+④+⑦+⑧ ➡ 1개

해결 전략

삼각형의 크기나 모양에 관계없이 작은 도형의 수에 따라 삼각형의 수를 세어야 합니다. 이때 위쪽에서 아래쪽으로 세거나 시계 반대 방향으로 세는 등 하는 나만의 기준이 있으면 실수를 줄일 수 있습니다.

2 작은 삼각형 수를 1개씩 늘려가며 세어 봅니다.

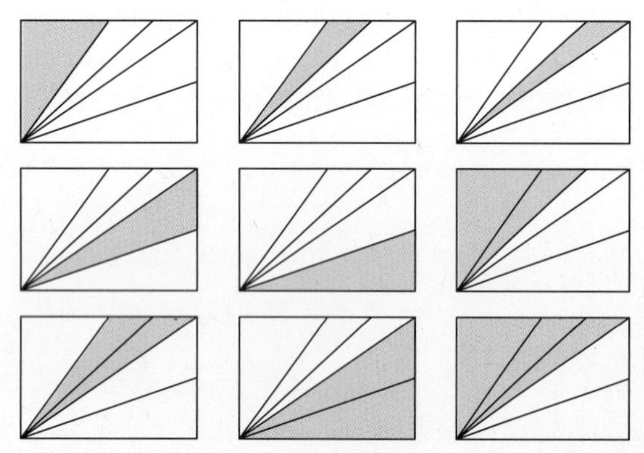

따라서 그림에서 찾을 수 있는 크고 작은 삼각형은 모두 9개입니다.

주의

다음과 같이 색칠한 모양은 삼각형이 아닙니다.

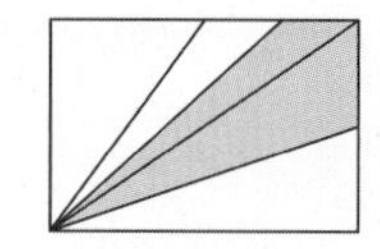

최상위 사고력 먼저 대각선을 이용하지 않는 경우와 대각선을 이용하는 경우로 나누어 생각한 후, 포함하는 작은 도형의 수에 따라 크고 작은 사각형을 세어 봅니다.

- 대각선을 이용하지 않는 사각형

  □ : 6개 □□ : 7개 □□□ : 2개 ⊞ : 2개 ⊞⊞ : 1개

  ➡ 18개

- 대각선을 이용하는 사각형

  □▱ : 3개 ➡ 3개

따라서 그림에서 찾을 수 있는 크고 작은 사각형은 모두 $18+3=21$(개)입니다.

지도 가이드

이 문제와 같은 경우 포함하는 작은 도형의 수에 따라 크고 작은 사각형의 수를 구할 수도 있지만 대각선 때문에 도형을 세는 것이 더 어렵고 복잡해질 수 있습니다. 따라서 대각선을 이용하지 않는 경우와 이용하는 경우를 생각하여 문제를 해결할 수 있도록 합니다.

1 (1) 3개 (2) 6개 (3) 6개 (4) 5개 2 예 / 8개 최상위 사고력 예 / 8개

저자 톡! 이번에는 크고 작은 도형의 개수가 가장 많게 되도록 곧은 선을 긋는 문제를 다룹니다. 도형 안에 선을 긋는 방법이 수없이 많아 복잡하다고 생각할 수 있지만 따져 보면 선을 긋는 방법은 몇 가지 유형으로 정해져 있습니다. 선을 1개 그을 때와 2개 그을 때의 차이점을 생각하며 문제를 풀어 보도록 합니다.

1 (1)

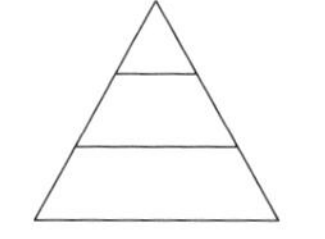

작은 도형의 수(개)	1	2	3
삼각형의 수(개)	1	1	1

➡ 3개

(2)

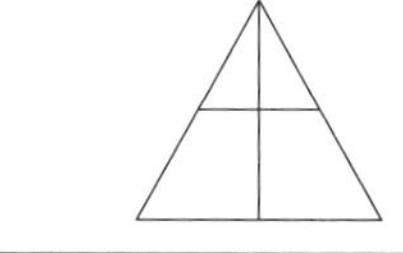

작은 도형의 수(개)	1	2	4
삼각형의 수(개)	2	3	1

➡ 6개

(3)

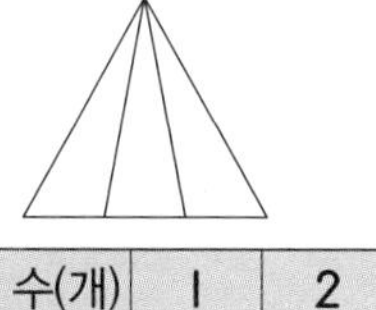

작은 도형의 수(개)	1	2	3
삼각형의 수(개)	3	2	1

➡ 6개

(4)

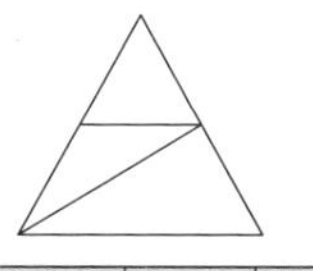

작은 도형의 수(개)	1	2	3
삼각형의 수(개)	3	1	1

➡ 5개

해결 전략
작은 도형의 수에 따라 크고 작은 삼각형의 수를 세어 봅니다.

2 삼각형 안에 곧은 선을 긋는 방법은 ① 꼭짓점과 변을 잇는 방법 ② 변과 변을 잇는 방법 2가지입니다. 이 중에서 꼭짓점과 변을 잇는 방법이 크고 작은 삼각형을 더 많이 만들 수 있습니다.

예

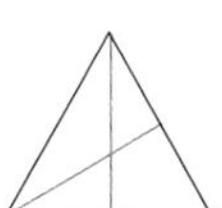

작은 도형의 수(개)	1	2	3	4
삼각형의 수(개)	3	4	0	1

➡ 8개

해결 전략
2개의 곧은 선이 도형 안쪽에서 만나게 그으면 도형이 가장 많은 조각으로 나누어집니다.

최상위 사고력 사각형 안에 곧은 선을 긋는 방법은 ① 꼭짓점과 꼭짓점을 잇는 방법 ② 꼭짓점과 변을 잇는 방법 ③ 변과 변을 잇는 방법 3가지입니다. 이 중에서 꼭짓점과 꼭짓점을 잇는 방법이 크고 작은 삼각형을 더 많이 만들 수 있습니다.

예

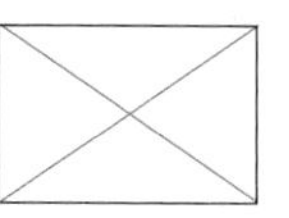

작은 도형의 수(개)	1	2	3	4
삼각형의 수(개)	4	4	0	0

➡ 8개

해결 전략
2개의 곧은 선이 도형 안쪽에서 만나게 그으면 도형이 가장 많은 조각으로 나누어집니다.

최상위 사고력

54~55쪽

1 (1) 3, 4, 1 (2) 2, 4 **2** 9개 **3** (1) 27개 (2) 13개 **4** 예 / 15개

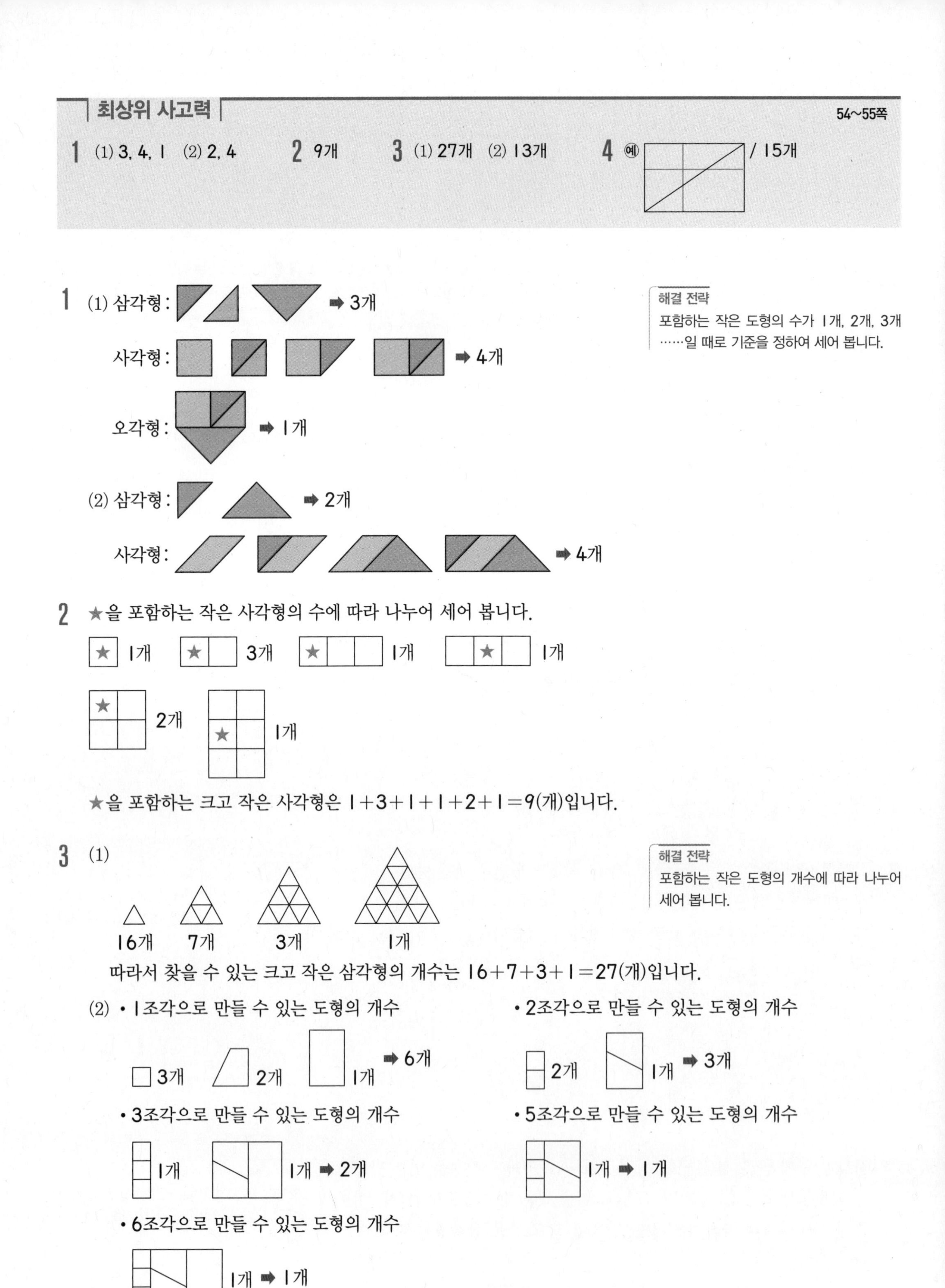

1 (1) 삼각형 : ➡ 3개

사각형 : ➡ 4개

오각형 : ➡ 1개

(2) 삼각형 : ➡ 2개

사각형 : ➡ 4개

> 해결 전략
> 포함하는 작은 도형의 수가 1개, 2개, 3개 ……일 때로 기준을 정하여 세어 봅니다.

2 ★을 포함하는 작은 사각형의 수에 따라 나누어 세어 봅니다.

1개 3개 1개 1개

2개 1개

★을 포함하는 크고 작은 사각형은 $1+3+1+1+2+1=9$(개)입니다.

3 (1)

16개 7개 3개 1개

따라서 찾을 수 있는 크고 작은 삼각형의 개수는 $16+7+3+1=27$(개)입니다.

> 해결 전략
> 포함하는 작은 도형의 개수에 따라 나누어 세어 봅니다.

(2) • 1조각으로 만들 수 있는 도형의 개수

3개 2개 1개 ➡ 6개

• 2조각으로 만들 수 있는 도형의 개수

2개 1개 ➡ 3개

• 3조각으로 만들 수 있는 도형의 개수

1개 1개 ➡ 2개

• 5조각으로 만들 수 있는 도형의 개수

1개 ➡ 1개

• 6조각으로 만들 수 있는 도형의 개수

1개 ➡ 1개

따라서 찾을 수 있는 크고 작은 도형의 개수는 $6+3+2+1+1=13$(개)입니다.

4 예

• 비스듬한 선을 이용하지 않는 경우

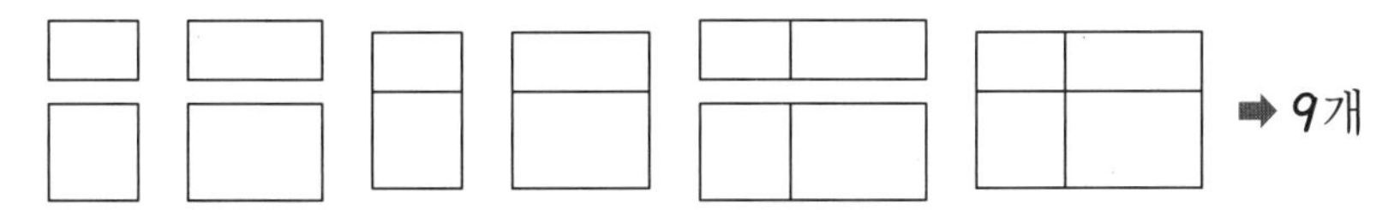

➡ 9개

• 비스듬한 선을 이용하는 경우

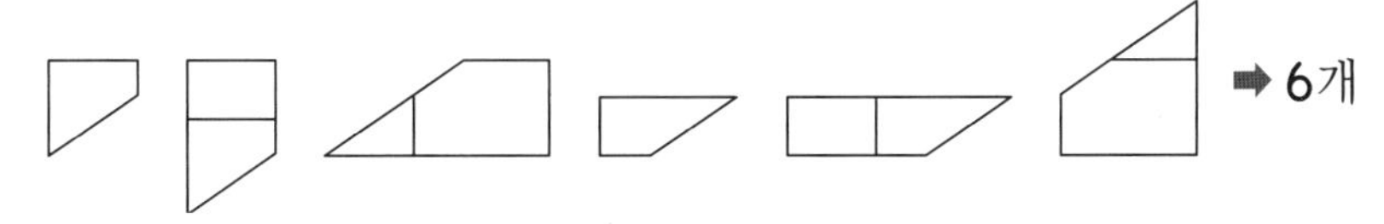

➡ 6개

따라서 찾을 수 있는 크고 작은 사각형은 모두 9+6=15(개)입니다.

해결 전략

2개의 곧은 선이 도형 안쪽에서 만나게 그으면 도형이 가장 많은 조각으로 나누어집니다. 사각형 안에 곧은 선 2개를 긋는 방법 중에서 변과 변을 잇는 방법이 크고 작은 사각형을 가장 많이 만들 수 있습니다.

최상위 사고력 6 점을 이어서 도형 만들기

6-1. 닫힌 선 위의 점을 이어서 도형 만들기

56~57쪽

1 (1) 2개 (2) 5개 (3) 9개　　2 15개

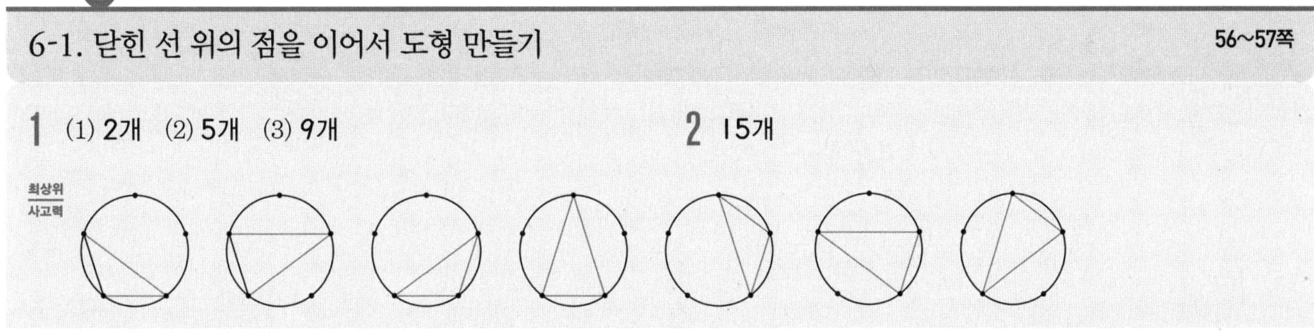

저자 톡! 중등 교육과정 도형 영역에서도 다루어지는 유형으로 원 위에 있는 점끼리 그을 수 있는 곧은 선과 도형을 빠짐없이 모두 세는 문제입니다. 한 번 센 도형을 중복하여 세지 않고 도형을 빠뜨리지 않도록 자기 나름대로의 기준을 정하여 세어 보도록 합니다.

1 (1) (2) (3)

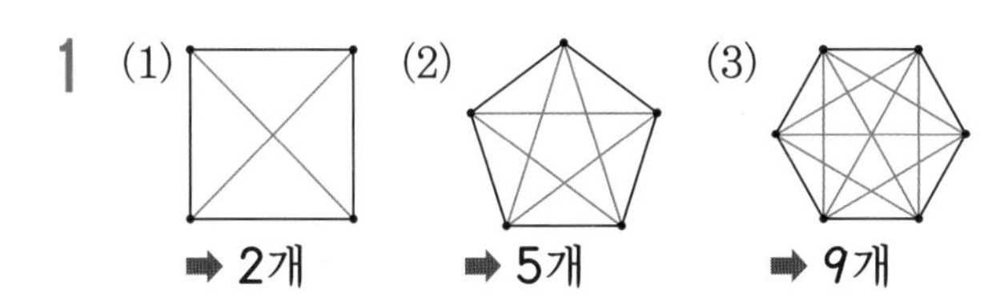

➡ 2개　➡ 5개　➡ 9개

주의

곧은 선을 그을 때 중복하여 긋거나 선을 빠뜨리지 않도록 주의하며 그어 봅니다.

지도 가이드

다각형 안에 그을 수 있는 대각선의 수를 세는 문제입니다. 대각선은 다각형에서 이웃하지 않는 두 꼭짓점을 이은 선분을 말합니다. 2학년 교육과정에는 아직 '대각선'이나 '선분'과 같은 용어는 배우지 않아서 '곧은 선'이라는 직관적으로 알아볼 수 있는 표현을 하였습니다.
삼각형은 모든 꼭짓점이 서로 이웃하고 있으므로 대각선을 그을 수 없습니다.
따라서 대각선의 수가 가장 적은 다각형은 사각형이라는 것을 알 수 있습니다.

2

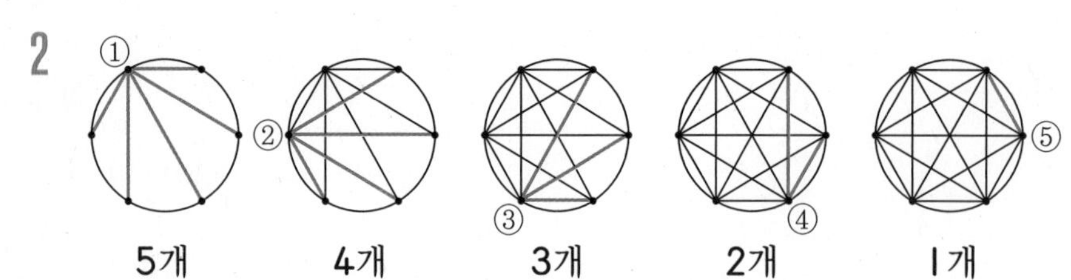

서로 다른 두 점을 이어 그을 수 있는 곧은 선은 모두
$5+4+3+2+1=15$(개)입니다.

> **지도 가이드**
> 앞에서는 한 점을 기준으로 하여 도형을 그렸다면 이번에는 한 변을 기준으로 하여 도형을 그립니다.

최상위 사고력 두 꼭짓점을 이은 하나의 곧은 선을 기준으로 나머지 한 점을 시계 반대 방향으로 옮겨가면서 삼각형을 그리면 크고 작은 삼각형을 모두 10개 그릴 수 있습니다.

6-2. 열린 선 위의 점을 이어서 도형 만들기

58~59쪽

1 풀이 참조　　최상위 사고력 9개

저자 톡! 이 단원에서는 곧은 선 위에 여러 개의 점이 있는 경우에 대하여 크고 작은 도형의 개수를 세는 문제를 다룹니다. 크고 작은 도형의 개수를 구하는 문제는 대부분 도형을 세는 기준을 잘 잡으면 생각보다 쉽게 해결될 수 있습니다. 곧은 선이 지나는 점의 개수를 또 하나의 기준으로 삼아 크고 작은 도형의 개수를 세는 경험을 해 봅니다.

1

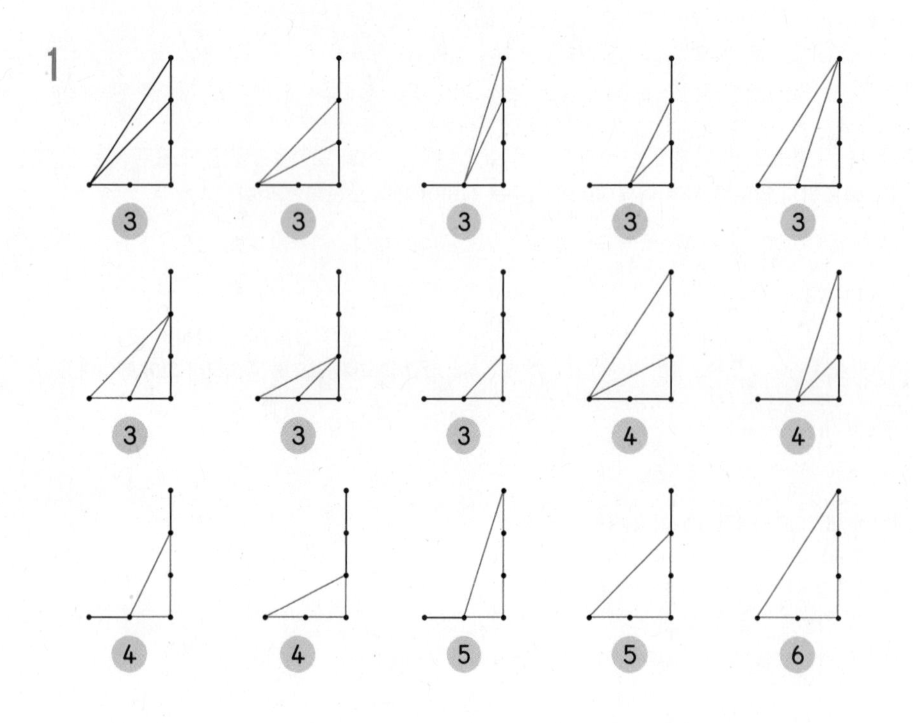

> **해결 전략**
> 가로선에서 한 점, 두 점, 세 점을 지날 때로 각각 나누어 그려 봅니다.

최상위 사고력 사각형이 만들어지려면 위에 있는 선에서 두 점을 선택하고, 아래에 있는 선에서 두 점을 선택해야 합니다. 지나는 점의 개수가 4개, 5개, 6개인 경우로 나누어 세어 봅니다.

> 주의
> 같은 선 위에 있는 3개의 점 중에서 점 1개만 선택하면 사각형을 만들 수 없습니다.

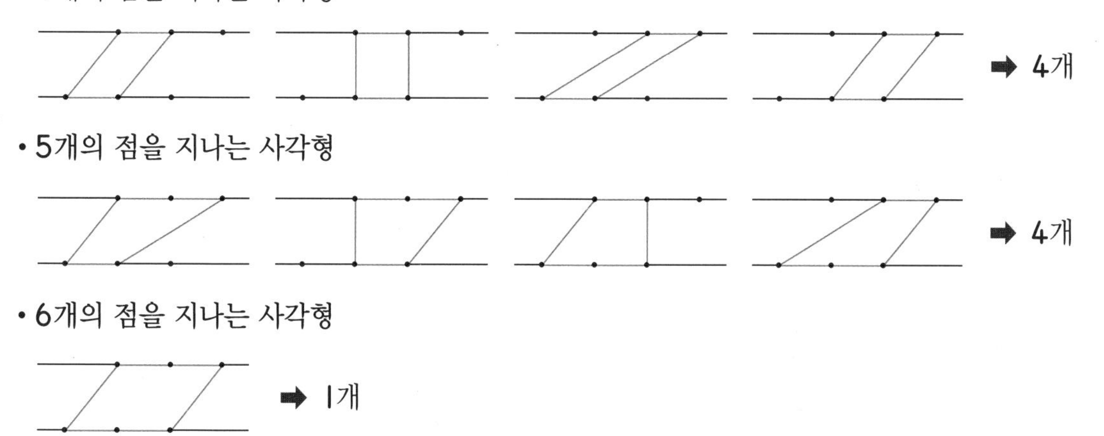

• 4개의 점을 지나는 사각형

➡ 4개

• 5개의 점을 지나는 사각형

➡ 4개

• 6개의 점을 지나는 사각형

➡ 1개

따라서 찾을 수 있는 크고 작은 사각형은 모두
$4+4+1=9$(개)입니다.

6-3. 점을 이어서 크고 작은 도형 만들기

60~61쪽

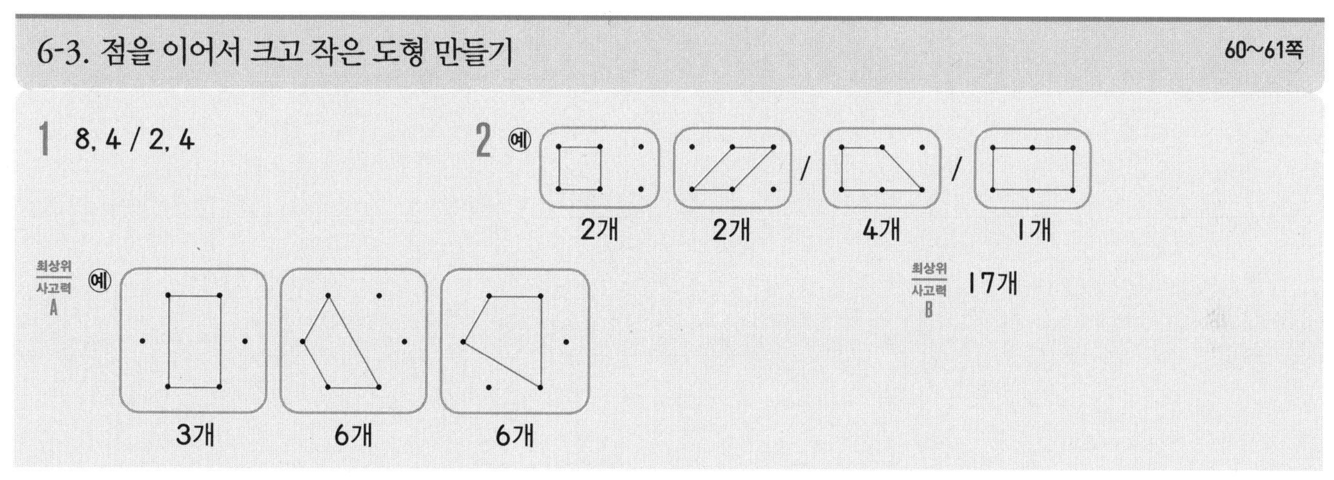

1 8, 4 / 2, 4

2 예 2개 2개 / 4개 / 1개

최상위 사고력 A 예 3개 6개 6개

최상위 사고력 B 17개

저자 톡! 점 종이 위에서 크고 작은 도형의 개수를 세는 문제로 가장 난이도가 높은 문제 유형입니다. 앞에서 학습한 대로 지나는 점의 개수에 따라 도형을 분류하고, 그중에서 도형의 모양별로 새롭게 기준을 정하여 크고 작은 도형의 개수를 세어 봅니다.

1 주어진 삼각형을 돌리거나 뒤집어 그릴 수 있는 삼각형이 모두 몇 개인지 세어 봅니다.

• 점 3개를 지나는 삼각형

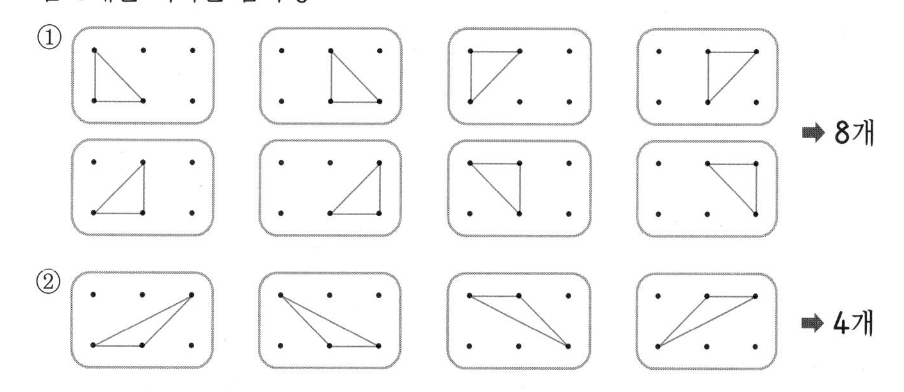

① ➡ 8개

② ➡ 4개

• 점 4개를 지나는 삼각형

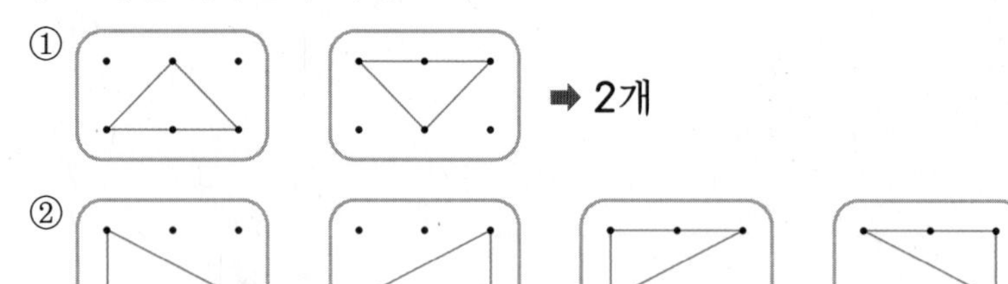

① ➡ 2개

② ➡ 4개

2 주어진 개수의 점을 이어서 서로 다른 모양의 사각형을 만들고, 그 사각형을 돌리거나 뒤집어 그릴 수 있는 사각형이 모두 몇 개인지 세어 봅니다.

• 점 4개를 지나는 사각형

① ➡ 2개 ② ➡ 2개

• 점 5개를 지나는 사각형

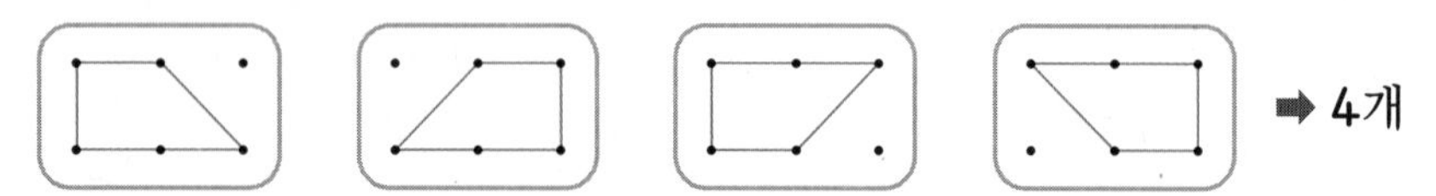

➡ 4개

• 점 6개를 지나는 사각형

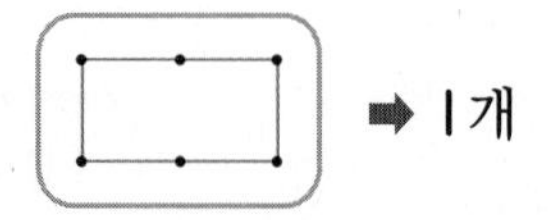

➡ 1개

최상위 사고력 A 4개의 점을 이어서 서로 다른 모양의 사각형을 만들고, 그 사각형을 돌리거나 뒤집어 그릴 수 있는 사각형이 모두 몇 개인지 세어 봅니다.

> 주의
> 점 5개나 점 6개를 지나는 사각형은 그릴 수 없습니다.

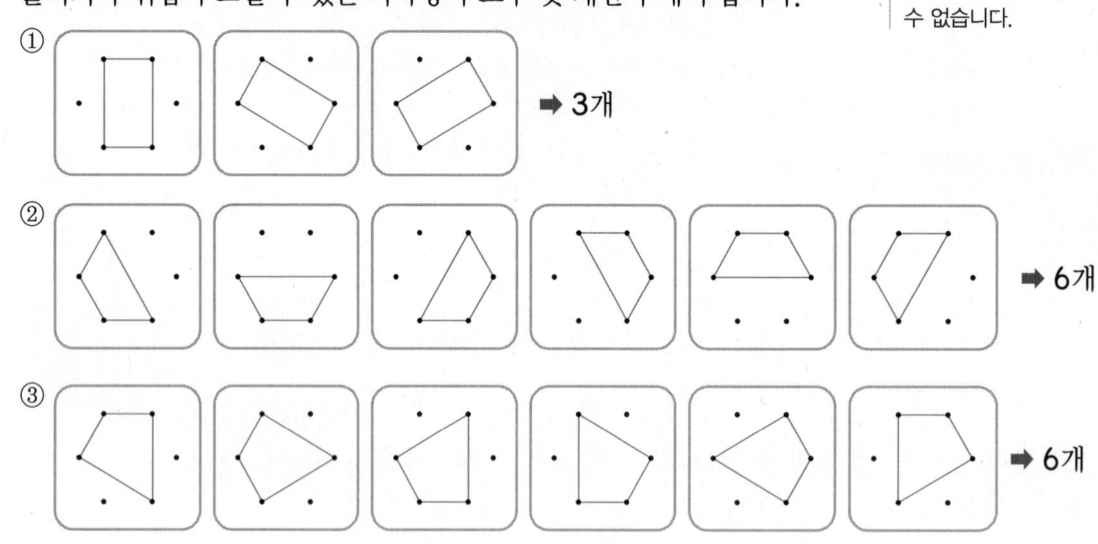

① ➡ 3개

② ➡ 6개

③ ➡ 6개

최상위 사고력 B 3개의 점을 지나는 삼각형: 4개 6개

4개의 점을 지나는 삼각형: 6개

6개의 점을 지나는 삼각형: 1개

따라서 점을 이어서 만들 수 있는 크고 작은 삼각형은 모두 $4+6+6+1=17$(개)입니다.

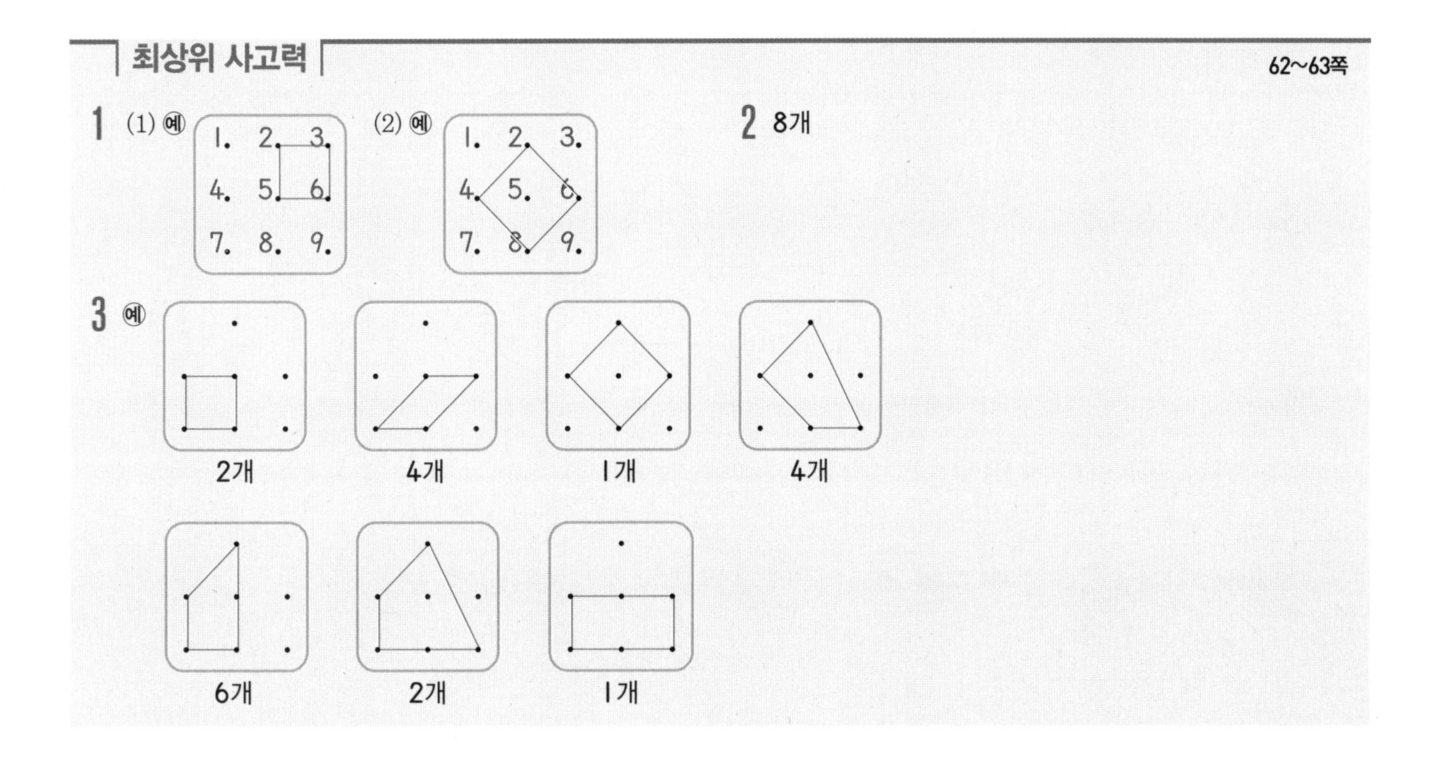

1 사각형은 꼭짓점이 4개인 도형입니다. 4개의 꼭짓점을 다양하게 움직여 가며 네 수의 합이 주어진 수가 되도록 찾아봅니다.
이외에도 여러 가지 답이 있습니다.

> 주의
> 사각형의 변이 지나는 점의 번호를 모두 더하는 것이 아니라 사각형의 4개의 꼭짓점에 있는 4개의 수만 더해야 합니다.

2 지나는 점의 개수에 따라 크고 작은 삼각형을 세어 봅니다.

3개의 점을 지나는 삼각형 : 4개 　　 4개의 점을 지나는 삼각형 : 4개

따라서 곧은 선 위의 점을 이어서 그릴 수 있는 크고 작은 삼각형은 모두 $4+4=8$(개)입니다.

3 지나는 점의 개수에 따라 크고 작은 사각형을 세어 봅니다.

> 주의
> 가로나 세로가 아닌 기울어진 선을 한 변으로 하는 사각형도 빠짐없이 찾아야 합니다.

• 점 4개를 지나는 사각형

① 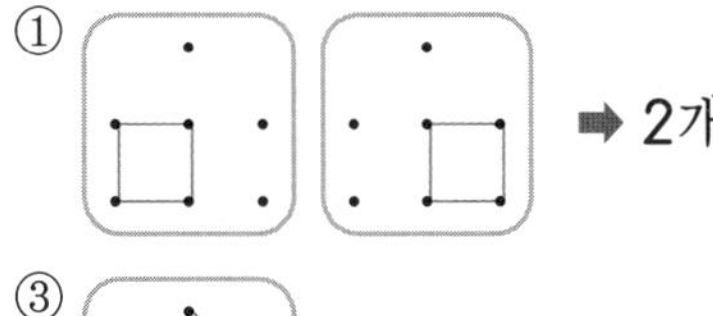 ➡ 2개

② 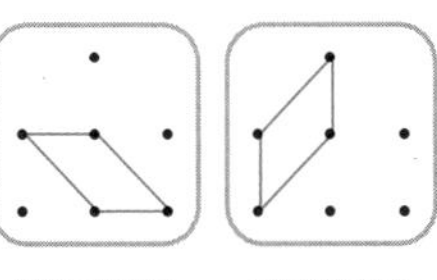 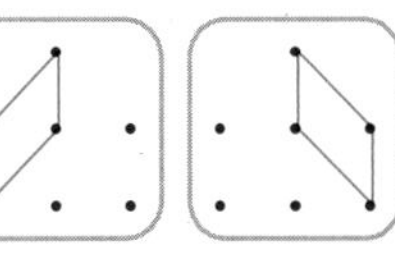  ➡ 4개

③ 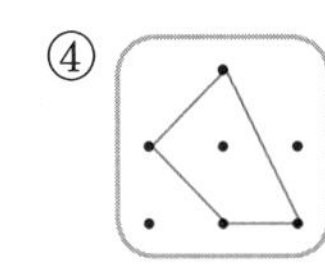 ➡ 1개

④ 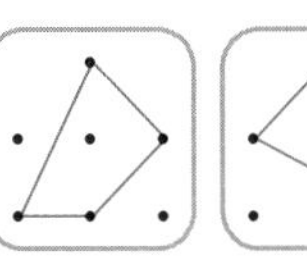 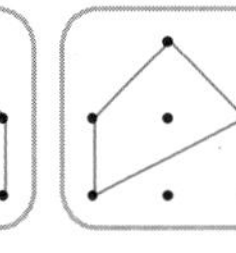  ➡ 4개

• 점 5개를 지나는 사각형

① 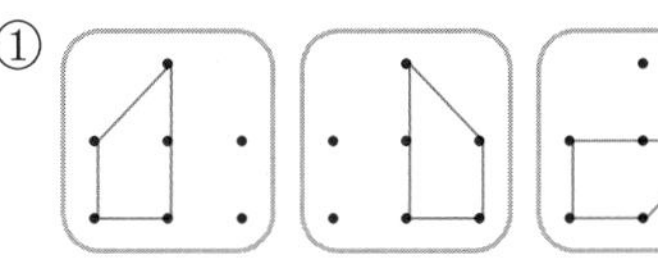 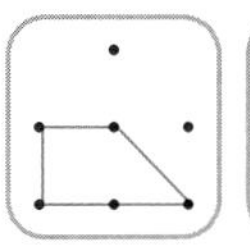 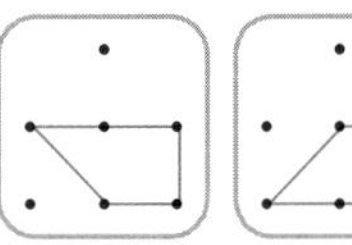 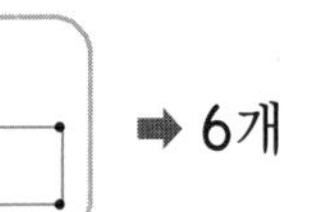 ➡ 6개

② 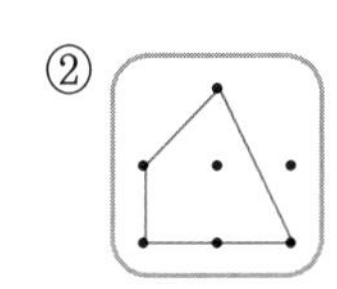 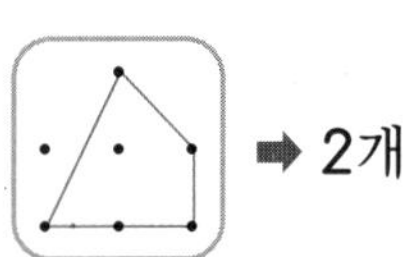 ➡ 2개

• 점 6개를 지나는 사각형

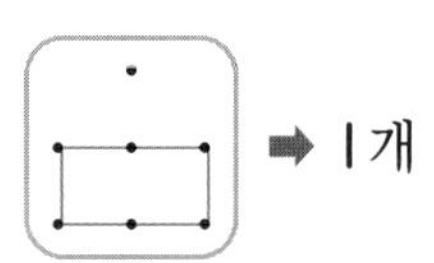 ➡ 1개

최상위 사고력 7 쌓기나무

7-1. 쌓기나무로 만든 모양

64~65쪽

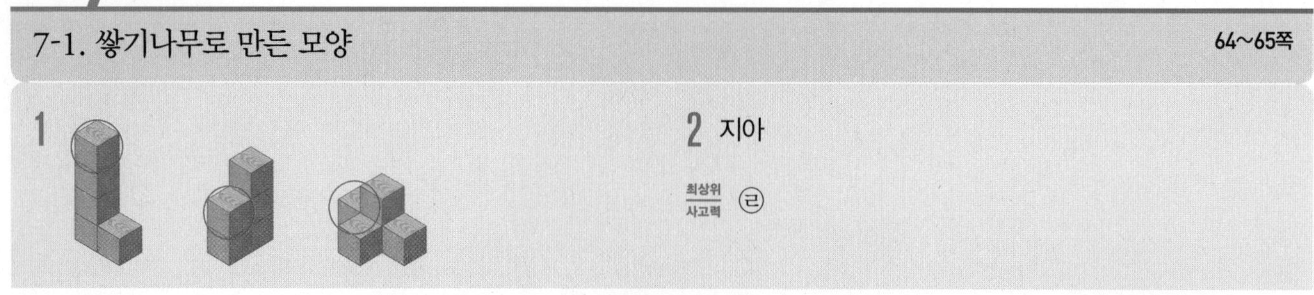

저자 톡! 공간감각이란 시각, 청각, 촉각을 이용해서 공간관계나 위치를 파악하는 능력을 말합니다. 쌓기나무는 공간감각을 길러 주는 대표적인 교구입니다. 직접 쌓기나무를 조작해 보고 그 경험을 바탕으로 머릿속으로 쌓기나무를 붙이고 띄우고 움직여 보며 문제를 해결하며, 쌓기나무로 쌓은 모양을 말로도 설명할 수 있도록 합니다.

1 원래의 쌓기나무 모양을 보면서 같은 점과 다른 점을 서로 비교해 가며 찾도록 합니다.

2 은수: 보이지 않는 쌓기나무는 1개입니다.
민수: 위에서 본 모양과 앞에서 본 모양이 다릅니다.
따라서 바르게 설명한 사람은 지아입니다.

최상위 사고력 쌓기나무 7개로 만들어진 모양의 쌓기표는 ㉡, ㉢, ㉣, ㉥입니다.
2층에 쌓인 쌓기나무의 수는 ㉡ 2개, ㉢ 1개, ㉣ 2개, ㉥ 2개이므로
2층에 2개의 쌓기나무가 쌓인 것은 ㉡, ㉣, ㉥입니다.

	위에서 본 모양	앞에서 본 모양
㉡		
㉣		
㉥		

따라서 위와 앞에서 본 모양이 같은 것은 ㉣입니다.

7-2. 윤곽선 그리기

66~67쪽

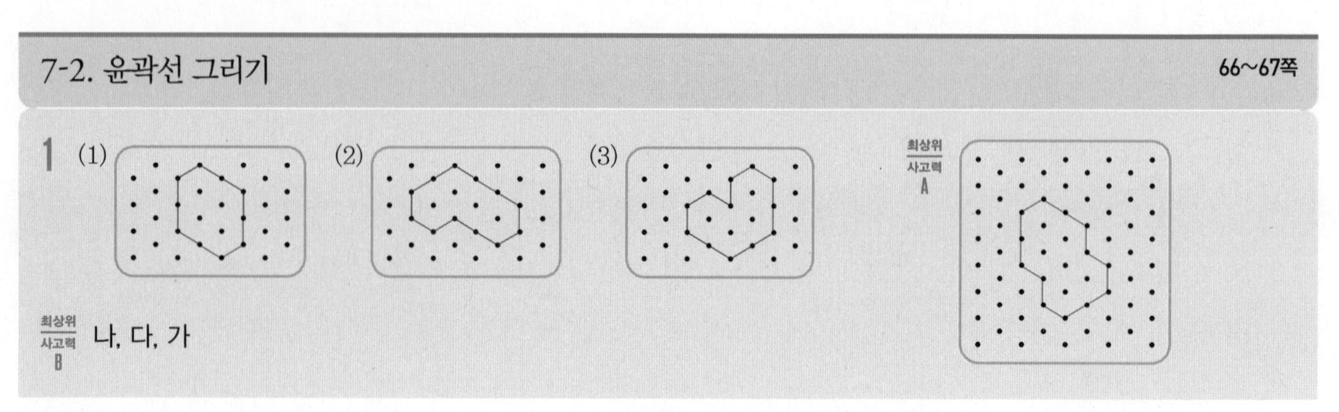

저자 톡! 입체도형을 평면에 보이는 대로 그리기 위해서는 공간감각이 있어야 합니다. 쌓기나무를 쌓은 모양의 윤곽선만을 그리는 것은 비교적 어렵습니다. 윤곽선을 그릴 때는 윤곽선 안쪽까지 먼저 그려 전체 모양을 그린 후 안쪽에 그린 선은 지우는 순서로 하도록 합니다.

최상위 사고력 A 윤곽선 안쪽까지 모두 똑같이 그린 후 안쪽의 선을 지우는 방법으로 윤곽선을 그려 봅니다.

최상위 사고력 B

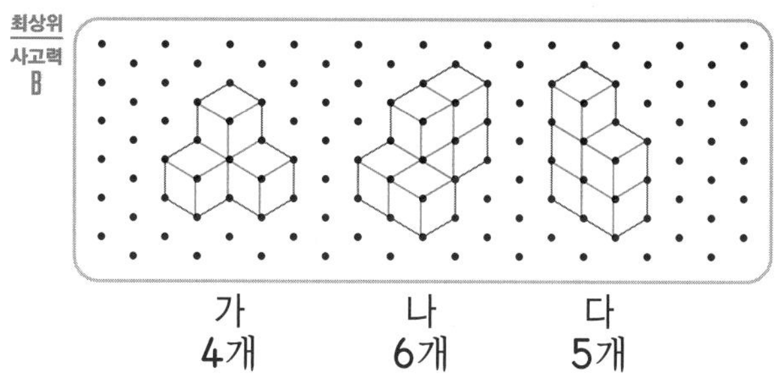

가 4개　　나 6개　　다 5개

따라서 사용한 쌓기나무가 가장 많은 것부터 차례로 기호를 쓰면 나, 다, 가입니다.

> 해결 전략
> 윤곽선 안쪽까지 모두 그린 후 쌓기나무로 쌓은 모양을 알아봅니다.

7-3. 위, 앞, 옆에서 본 모양

68~69쪽

저자 톡! 이 단원에서는 쌓기나무를 위, 앞, 옆에서 본 모양을 모두 다룹니다. 위, 앞, 옆에서 본 모양을 보고 원래의 모양을 직접 유추하는 것이 공간지각력 향상에 가장 좋지만 쌓기표라는 효율적인 방법을 사용하여 좀 더 쉽게 쌓기나무로 만든 모양을 찾아보도록 합니다.

1 쌓기나무를 쌓은 모양을 앞, 옆에서 볼 때, 가장 높게 쌓인 쌓기나무까지 보이게 됩니다.

2 ①, ②, ③, ④의 위에 각각 놓았을 때 위, 앞, 옆에서 본 모양은 다음과 같습니다.

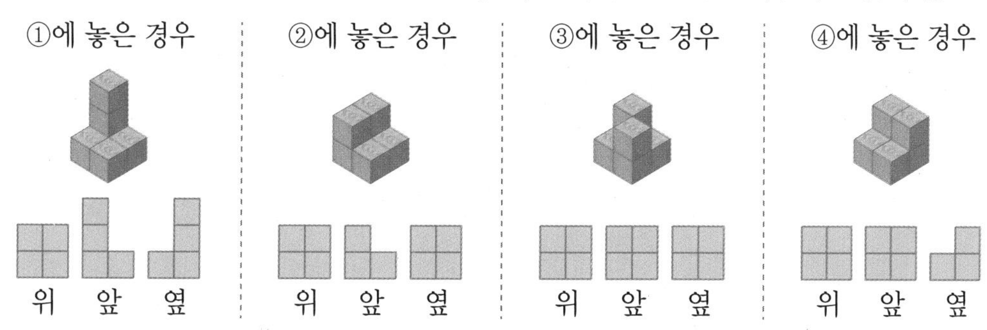

따라서 위, 앞, 옆에서 본 모양이 모두 같으려면 ③의 위에 놓아야 합니다.

최상위 사고력 위에서 본 모양에 앞과 옆에서 본 모양을 이용하여 쌓기표를 만들어 원래의 모양을 찾아봅니다.

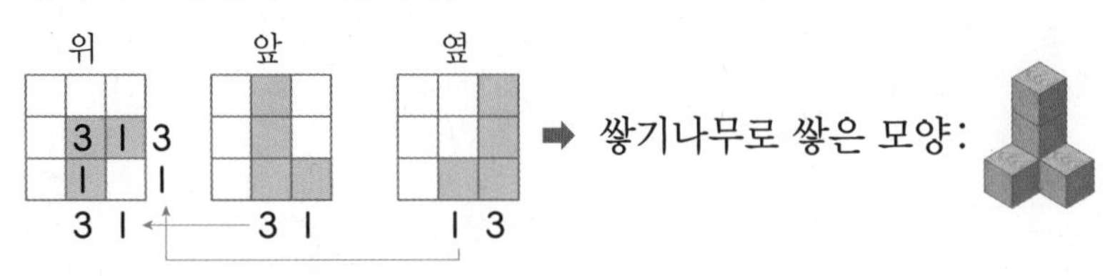

> **지도 가이드**
> 쌓기나무를 위, 앞, 옆에서 본 모양을 보고 원래의 모양을 한 번에 떠올리기는 어려울 수 있습니다. 이럴 때는 위에서 본 모양의 각 자리에 쌓여 있는 쌓기나무의 수를 써서 원래의 모양을 상상해 보도록 합니다.

최상위 사고력

70~71쪽

1 5개	**2** ①, ⑥	**3** ㉢	**4** 8가지

1 쌓기나무로 쌓은 모양을 윤곽선 안쪽까지 모두 그려 봅니다.

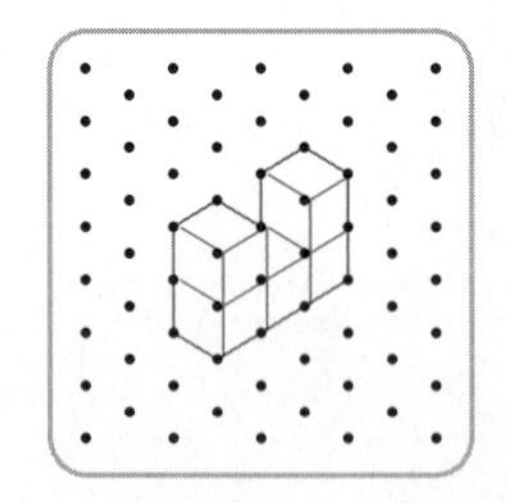

따라서 사용한 쌓기나무의 수는 5개입니다.

2 먼저 쌓은 모양과 나중에 쌓은 모양의 앞·뒤의 관계를 살펴보며 찾습니다.

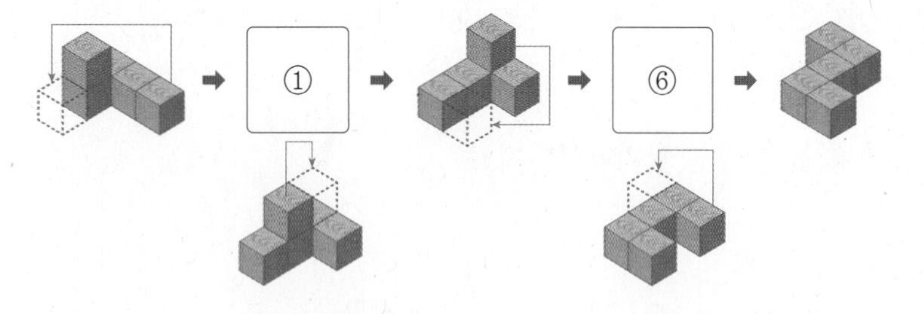

> **주의**
> 첫 번째 모양으로 ②의 모양을 만들 수 있지만 ②의 모양으로 세 번째 모양을 만들 수 없습니다.

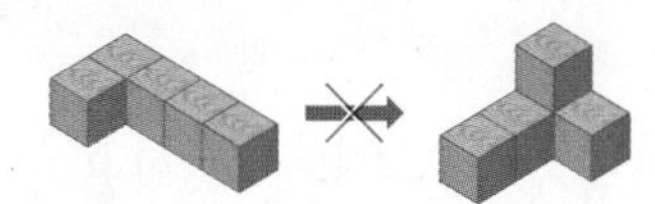

3 ㉠ 쌓기나무 8개를 사용했습니다.
㉡ 1층에 놓인 쌓기나무의 수는 2층에 놓인 쌓기나무의 수보다 1개 더 많습니다.
㉣ 3층에 놓인 쌓기나무는 1개입니다.
따라서 바르게 설명한 것은 ㉢입니다.

> **해결 전략**
> 쌓기표를 그릴 때 다음과 같이 알 수 있는 곳부터 위에서 본 모양에 숫자를 씁니다.

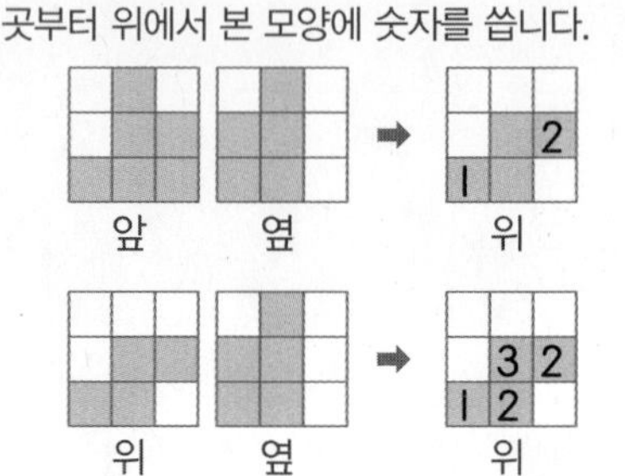

4 쌓기나무 3개로 만들 수 있는 모양에서 쌓기나무 1개를 더 쌓을 수 있는 경우를 모두 찾습니다.

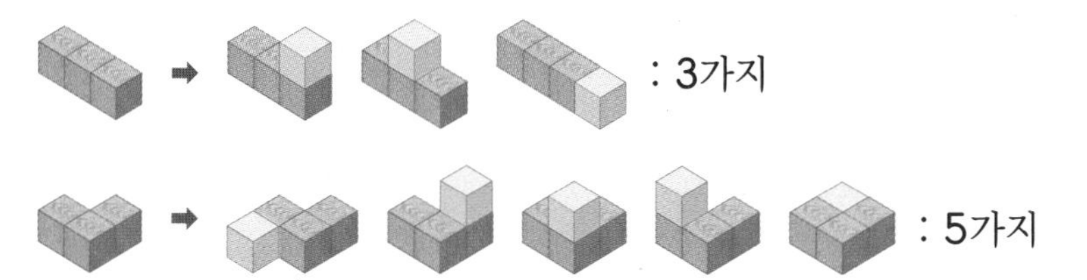

따라서 쌓기나무 4개를 쌓아 만들 수 있는 모양은
모두 $3+5=8$(가지)입니다.

> 해결 전략
> 쌓기나무 3개로 만들 수 있는 모양은 다음과 같습니다.
>
> 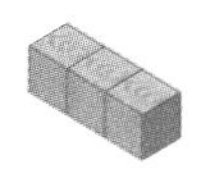 

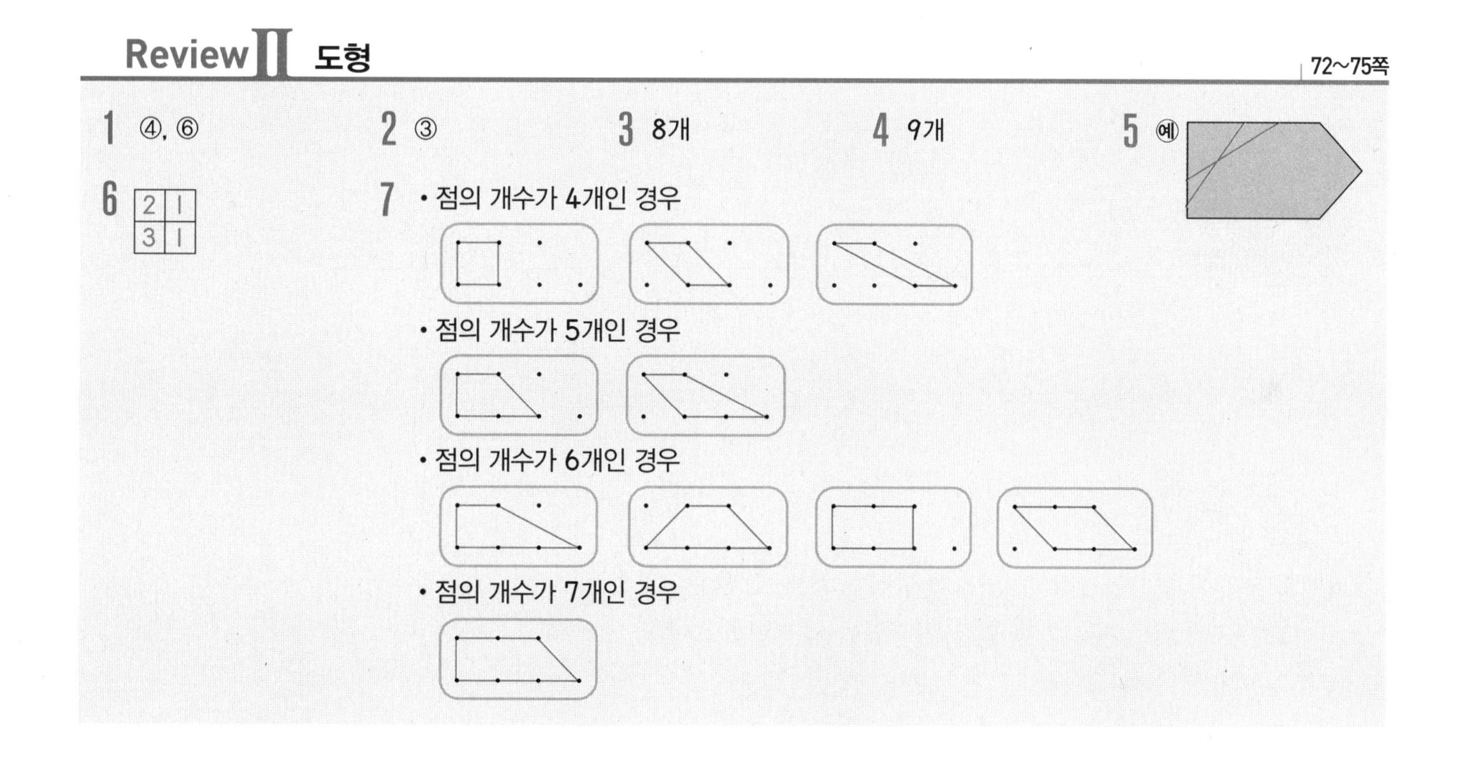

Review II 도형

72~75쪽

1 ④, ⑥ 2 ③ 3 8개 4 9개 5 예

6

2	1
3	1

7 • 점의 개수가 4개인 경우
• 점의 개수가 5개인 경우
• 점의 개수가 6개인 경우
• 점의 개수가 7개인 경우

1 자른 후 펼친 모양을 접은 순서대로 그대로 접어 보면 잘라야 하는 두 점은 ④와 ⑥입니다.

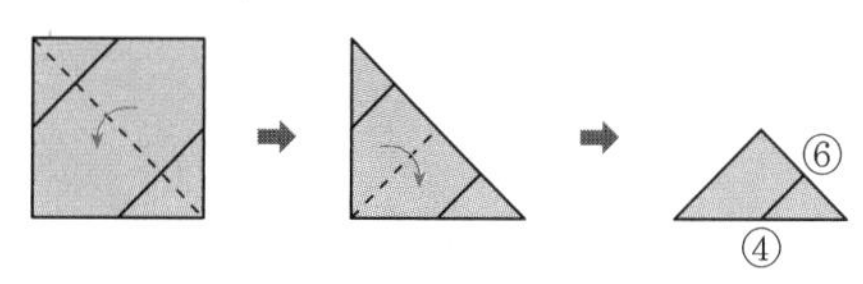

> **지도 가이드**
> 이 문제는 자른 후 펼친 모양을 찾는 문제가 아니라 펼친 모양을 보고 자르는 부분을 찾는 문제입니다. 이런 종류의 문제는 접은 모양을 하나씩 펼치면서 생각하는 것이 아니라, 자른 후 펼친 모양을 원래 접은 순서대로 접으며 생각하면 쉽습니다.

2 ① ② ④ ⑤

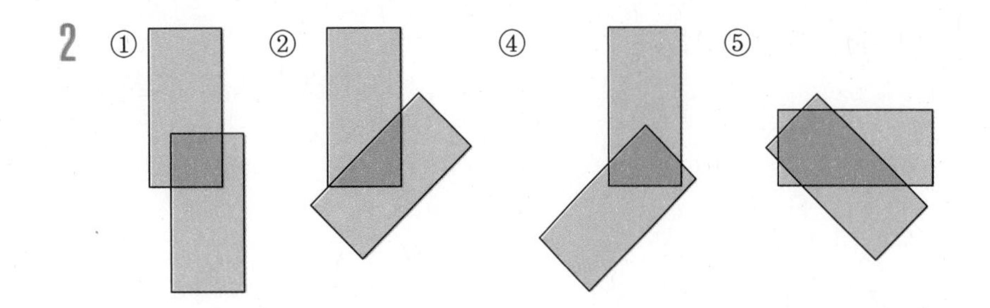

해결 전략
한 직사각형을 고정시킨 후 다른 직사각형을 여러 가지 방법으로 겹쳐서 찾아봅니다.

3 가로선에 있는 세 점 중에서 한 점을 꼭짓점으로 하는 경우와 두 점을 꼭짓점으로 하는 경우로 나누어 구합니다.

• 가로선의 한 점을 꼭짓점으로 하는 삼각형

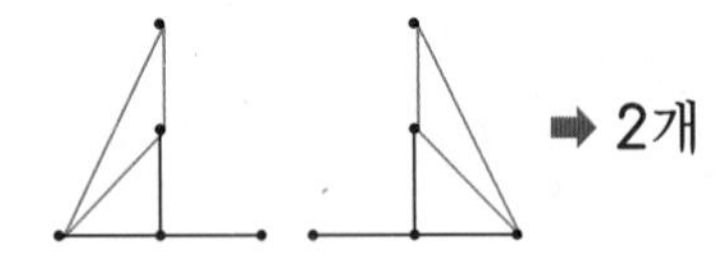

➡ 2개

• 가로선의 두 점을 꼭짓점으로 하는 삼각형

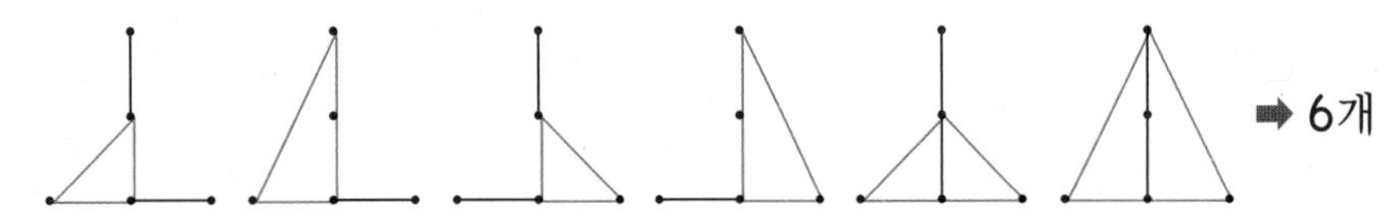

➡ 6개

따라서 크고 작은 삼각형은 모두 $2+6=8$(개)입니다.

4 포함하는 삼각형의 수에 따라 나누어 세어 봅니다.

포함하는 삼각형의 수(개)	2	3	4	5
사각형의 수(개)	3	3	2	1

따라서 그릴 수 있는 사각형은 모두 $3+3+2+1=9$(개)입니다.

주의
포함하는 삼각형의 수가 2개인 것 중에 사각형이 아닌 도형도 있습니다.

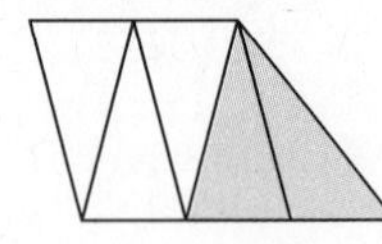

5

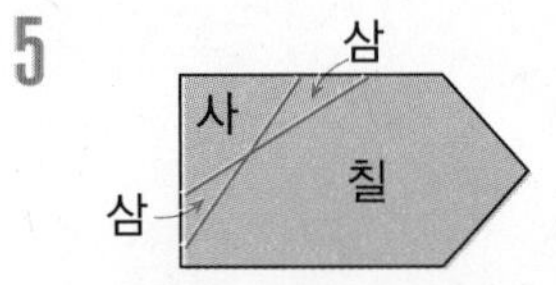

4개의 조각이 생기려면 두 선이 도형 안에서 서로 교차해야 합니다.
그리고 꼭짓점이 7개로 가장 많은 칠각형이 나오려면 도형의 오른쪽 부분을 이용해야 합니다.
이외에도 여러 가지 답이 있습니다.

6 앞과 옆에서 보았을 때 각 줄에 보이는 쌓기나무의 수를 위에서 본 모양의 아래와 오른쪽에 쓴 후 쌓기표를 그려 봅니다.

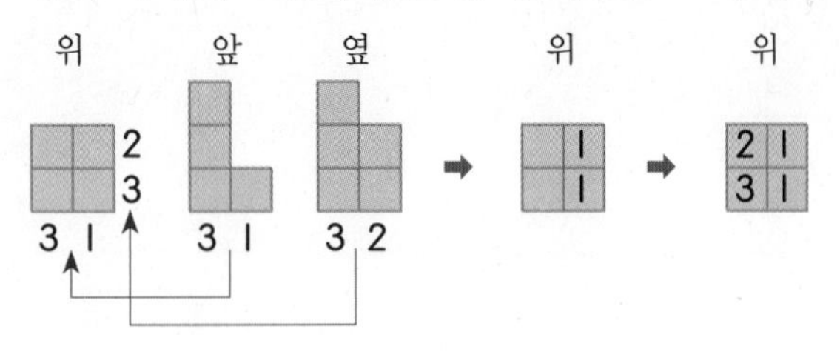

7 사각형이 지나는 점의 개수가 4개, 5개, 6개, 7개일 때로 나누어 그려 보면 모두 10가지가 나옵니다.

• 점의 개수가 4개인 경우

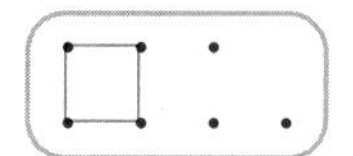 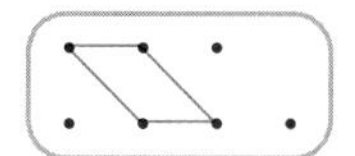 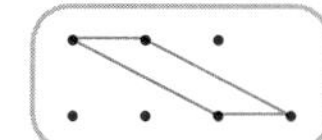

• 점의 개수가 5개인 경우

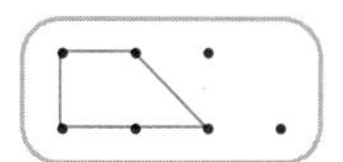 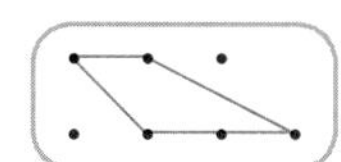

• 점의 개수가 6개인 경우

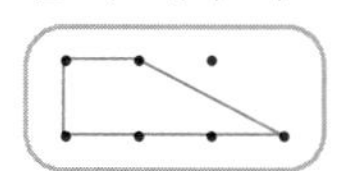 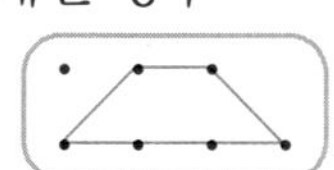 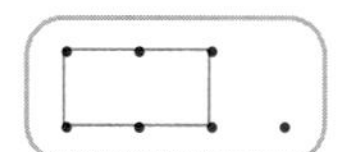 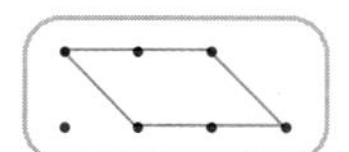

• 점의 개수가 7개인 경우

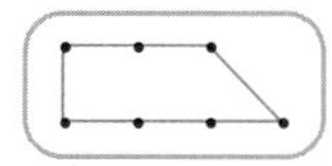

주의
윗줄이나 아랫줄에서 점 1개만 선택하면 사각형을 만들 수 없습니다.

사고력이 톡톡

76쪽

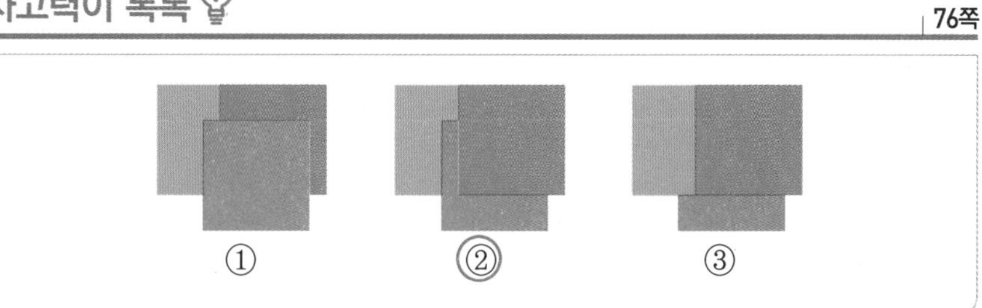

Ⅲ 연산

이번 단원에서는 학교에서 학습한 (두 자리 수)+(두 자리 수)의 계산을 바탕으로 복잡해 보이는 계산을 간단히 하는 것에서부터 여러 가지 연산 감각을 기를 수 있는 주제까지 다양한 유형의 두 자리 수의 계산을 다룹니다.
연산 감각은 세로셈과 같은 알고리즘 식의 방법으로 수없이 계산 연습을 한다고 해서 길러지지 않습니다. 두 자리 수의 덧셈도 먼저 하나의 수를 큰 수로 만든 후 계산하거나, 두 수에 같은 수를 뺀 후 계산하는 등 다양한 방법으로 계산해 보며 그 중에서 효율적인 방법을 자신의 것으로 만들면서 실력이 차곡차곡 쌓이는 것입니다.
자기 나름의 효율적인 연산 방법을 찾고, 실력으로 만들어 보도록 합니다.

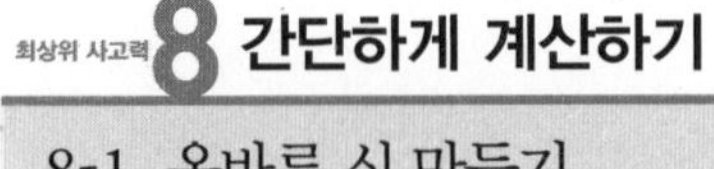

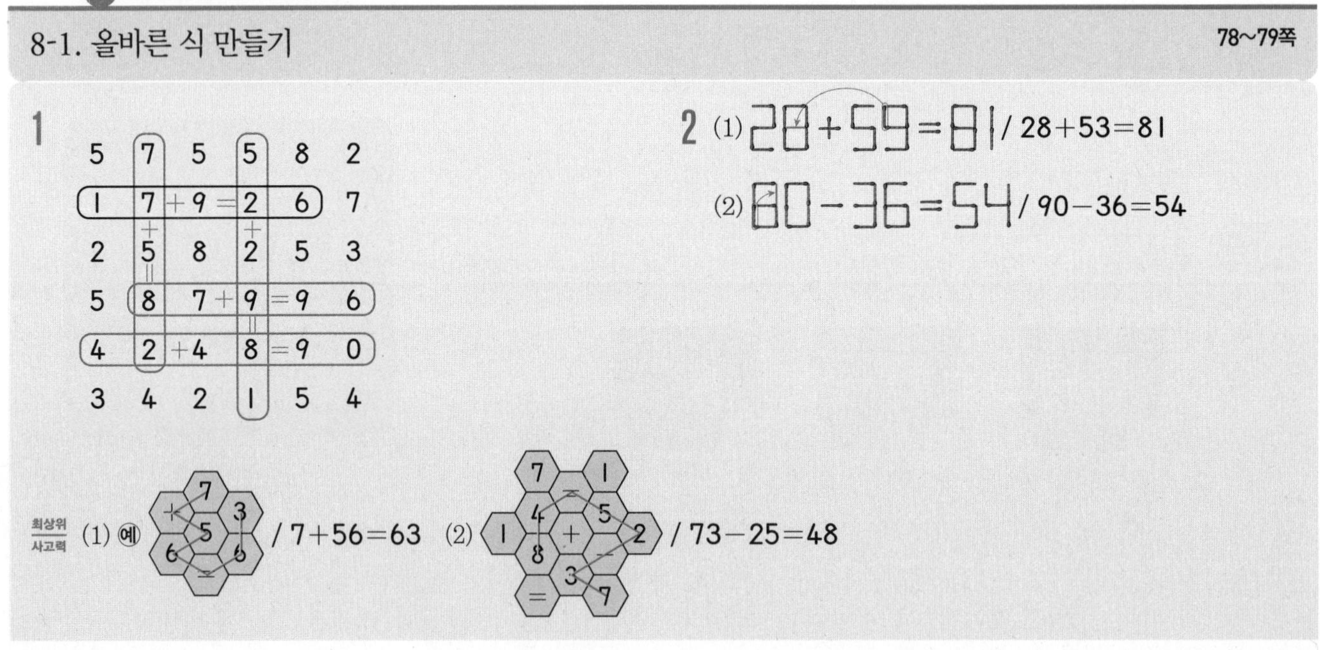

저자 톡! 이 단원에서는 교과 과정에서 학습한 (두 자리 수)±(한 자리 수), (두 자리 수)±(두 자리 수)의 계산을 얼마나 잘 알고 있는지 퍼즐 형식으로 학습합니다.

1 먼저 가로줄에 있는 식을 왼쪽에서부터 찾은 후, 세로줄에 있는 식을 위에서부터 찾아봅니다.

2 0부터 9까지의 성냥개비 수 중에서 성냥개비 1개를 더했을 때, 뺐을 때, 옮겼을 때로 나누어 수가 되는 경우를 생각해 봅니다.

보충 개념

• 성냥개비 1개를 더했을 때 수가 되는 경우

0 → 8 / 1 → 7 / 3 → 9 / 5 → 6, 9 / 6 → 8 / 9 → 8

• 성냥개비 1개를 뺐을 때 수가 되는 경우

6 → 5 / 7 → 1 / 8 → 0, 6, 9 / 9 → 3, 5

• 성냥개비 1개를 옮겼을 때 수가 되는 경우

2 → 3 / 3 → 2, 5 / 5 → 3 / 6 → 0, 9 / 9 → 0, 6

최상위 사고력 (1) 예

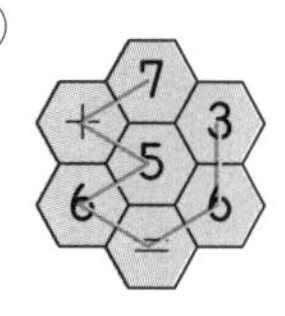

(2)

식: $7+56=63$　　식: $73-25=48$

(1)에서 $57+6=63$도 답이 될 수 있습니다.

주의
$+$ 또는 $-$ 기호보다 $=$를 먼저 지나면 안 됩니다.

8-2. 여러 가지 방법으로 계산하기

80~81쪽

1 (1) $58+34=60+32=92$ (58을 2로, 34를 2와 32로 가르기)
(2) $29+43=30+42=72$ (+1, −1)
(3) $23+68=93-2=91$ (23과 70, 68을 70과 −2로)

최상위 사고력 (1) 방법1 $57+28=55+30=85$ (57을 55와 2로)
방법2 $57+28=60+25=85$ (28을 3과 25로)

방법3 $57+28=60+25=85$ (+3, −3) 또는 $57+28=55+30=85$ (+2, −2)

(2) 방법1 예 72에서 40을 뺀 다음 1을 더 뺐으므로 다시 1을 더합니다.

$72-39=72-40+1$
$=32+1$
$=33$

방법2 예 70에서 39를 뺀 다음 2를 더합니다.

$72-39=70-39+2$
$=31+2$
$=33$

저자 톡! 두 수를 계산할 때 두 수 중 하나의 수를 몇십으로 만들어 받아올림, 받아내림을 적게 하는 방법으로 계산해 봅니다. 반복적이고 기계적인 연산을 한 학생들에게는 어려울 수 있으므로 연산을 여러 가지 방법으로 시행해 봅니다.

1 (1) 34를 2와 32로 가르기하여 계산합니다.
(2) 29에 1을 더하고 43에서 1을 빼서 계산합니다.

해결 전략
복잡한 계산을 쉽게 하기 위해 가르기와 모으기를 이용하거나 같은 수를 더하고 빼서 몇십을 만들어 봅니다.

최상위 사고력 (1) 방법1 57을 55와 2로 가르기하여 계산합니다.
방법2 28을 3과 25로 가르기하여 계산합니다.
방법3 57에 3을 더하고 28에서 3을 빼서 계산합니다.

8-3. 간단하게 계산하기

82~83쪽

1 (1) 110 (2) 210 (3) 90 (4) 6 (5) 104

최상위 사고력 (1) 50 (2) 20

저자 톡! 많은 수를 계산해야 한다거나 받아올림, 받아내림이 여러 번 있는 계산 문제는 수를 일일이 모두 다 더하여 답을 맞힐 수 있는가를 물어보는 문제가 아닙니다. 10의 보수를 이용하기, 규칙을 이용하기 등 좀더 간단하고 정확히 계산할 수 있는 방법을 찾아 계산하도록 합니다.

1 (1) 합이 20이 되는 두 수씩 짝지어 계산한 후 모두 더합니다.

해결 전략
합 또는 차가 일정하도록 두 수씩 짝지어 봅니다.

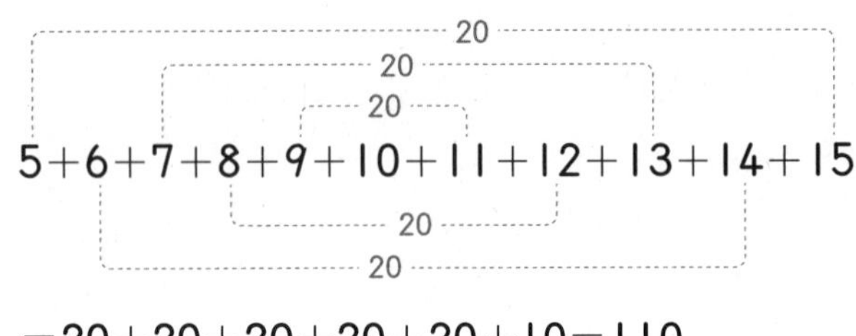

$=20+20+20+20+20+10=110$

(2) 합이 30이 되는 두 수씩 짝지어 계산한 후 모두 더합니다.

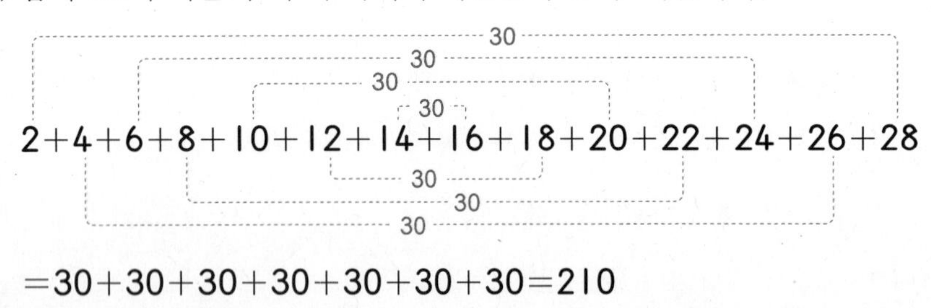

$=30+30+30+30+30+30+30=210$

(3) 합이 10이 되는 두 수씩 짝지어 계산한 후 모두 더합니다.

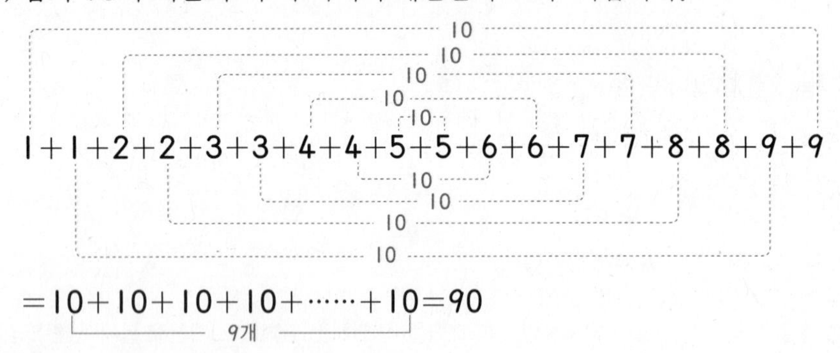

$=\underbrace{10+10+10+10+\cdots\cdots+10}_{9개}=90$

다른 풀이
주어진 식에서 덧셈의 순서를 바꾼 후 두 묶음으로 묶어 계산합니다.
$(1+2+3+\cdots\cdots+8+9)+(1+2+3+\cdots\cdots+8+9)=45+45=90$

(4) 앞에서부터 둘씩 짝지어 계산한 후 모두 더합니다.

$(50-49)+(48-47)+(46-45)+(44-43)+(42-41)+(40-39)$
$=1+1+1+1+1+1=6$

(5) 98부터 둘씩 짝지어 계산한 후 모두 더합니다.

$99+(98-97)+(96-95)+(94-93)+(92-91)+(90-89)$
$=99+1+1+1+1+1=104$

최상위 사고력

(1) 3, 1, 5, 1 네 개의 수가 반복되는 규칙입니다.
4+4+4+4+4=20이므로 네 개의 수는 20번째까지 모두 5번 나옵니다. 3+1+5+1=10이므로 20번째 수까지 모두 더하면 10+10+10+10+10=50입니다.

(2) ㉡은 1부터 홀수들을 나열한 것으로 20번째 수는 39입니다.
➡ 1, 3, 5, 7, 9, ⋯⋯ ,37, ㊴
㉢은 40부터 2씩 작아지는 짝수들을 나열한 것으로 20번째 수는 2입니다. 이 수들을 거꾸로 나열합니다.
➡ ②, 4, 6, 8, ⋯⋯ , 36, 38, 40
㉡과 ㉢의 차는 홀수와 짝수의 차와 같습니다.
따라서 홀수와 짝수를 작은 수부터 두 수씩 짝을 지어 차를 구하면
(2−1)+(4−3)+(6−5)+⋯⋯+(38−37)+(40−39)
=1+1+1+⋯⋯+1+1=20입니다.
(20개)

해결 전략
먼저 수가 나열된 규칙을 찾아봅니다.

보충 개념
1부터 2씩 커지는 규칙으로 생각할 수도 있습니다.

최상위 사고력

84~85쪽

1 6 5 − 6 3 = 2 9, 65−36=29

2

34	47	9	44	28	62
6	20	48	12	30	33
30	23	67	40	8	25
14	70	23	15	48	42
67	7	15	35	50	26

3 ㉡, ㉠, ㉢

4 17, 25, 2, 23

1 바르게 계산하면 65−63=2입니다. 카드 2장의 자리를 바꾸어 계산 결과를 한 자리 수로 만들 수는 없으므로 빼어지는 수를 크게 만들거나, 빼는 수를 작게 만드는 방법을 생각해 봅니다.

해결 전략
주어진 식을 계산하여 빼어지는 수, 빼는 수, 계산 결과 중 수 카드를 바꾸어야 할 부분을 찾습니다.

2 먼저 가로줄에 있는 세 수를 찾은 후, 세로줄에 있는 세 수를 찾아봅니다. 이때, 세 수의 일의 자리 숫자의 합이 10 또는 20이 되는 세 수를 찾아봅니다. 일의 자리 숫자의 합이 10일 때는 십의 자리 숫자의 합이 9, 일의 자리 숫자의 합이 20일 때는 십의 자리 숫자의 합이 8이어야 합니다.

해결 전략
일의 자리 숫자의 합이 10 또는 20이 되는 세 수를 찾습니다.

3 ㉠ 합이 20이 되는 두 수씩 짝지어 계산한 후 모두 더합니다.

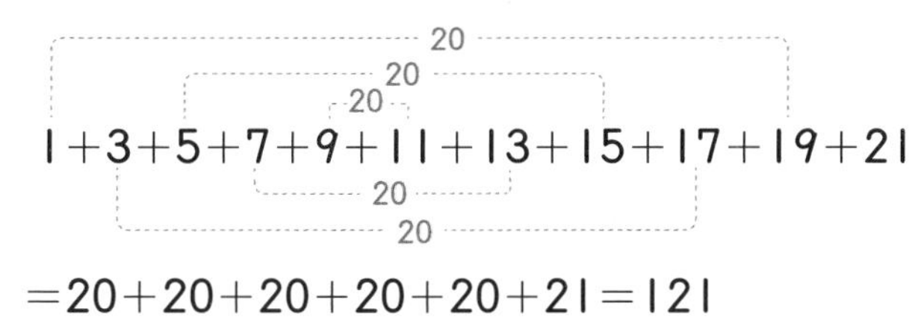

=20+20+20+20+20+21=121

㉡ 주어진 식에서 덧셈의 순서를 바꾸어 세 묶음으로 묶어 계산합니다.

$(9+8+7+\cdots\cdots+2+1)+(9+8+7+\cdots\cdots+2+1)$
$+(9+8+7+\cdots\cdots+2+1)$
$=45+45+45=135$

㉢ 앞에서부터 세 수씩 묶어서 계산한 후 모두 더합니다. 모두 9묶음이고, 0부터 3씩 늘어납니다.

$(1+2-3)+(4+5-6)+(7+8-9)+(10+11-12)+\cdots\cdots$
$+(22+23-24)+(25+26-27)$
$=0+3+6+9+12+15+18+21+24=30+30+30+3+15$
$=108$

따라서 계산 결과가 큰 것부터 차례로 쓰면 ㉡, ㉠, ㉢입니다

해결 전략
1부터 9까지의 수를 각각 ■번씩 더한 값은 1부터 9까지의 수의 합을 ■번 더한 값과 같습니다.

4 6개의 수 중에서 4개의 수를 고르는 방법은 15가지나 되므로 6개의 수의 합에서 필요 없는 2개의 수를 빼는 방법을 생각해 봅니다.
6개의 수를 모두 더하면 $17+25+18+2+23+14=99$이고, $99-67=32$입니다. 6개의 수 중에서 합이 32가 되는 두 수는 18과 14입니다.
따라서 □ 안에 들어가는 4개의 수는 18과 14를 제외한 17, 25, 2, 23이 됩니다.
➡ $17+25+2+23=67$

보충 개념
계산하기 쉬운 수끼리 묶어서 계산할 수 있습니다.
$17+25+18+2+23+14$
$=40+20+39$
$=60+39=99$

최상위 사고력 9 조건에 맞게 계산하기

9-1. 계산 결과의 최대, 최소

86~87쪽

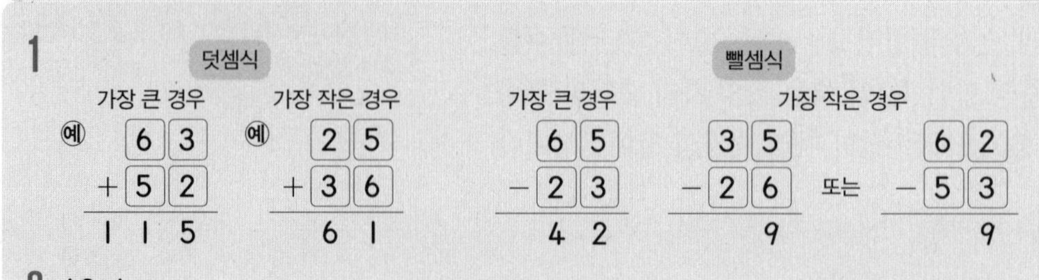

2 63, 4

최상위 사고력 49, 0

저자 톡! 두 수의 합과 차의 최대, 최소는 교과 수학에서도 빠지지 않고 나오는 주제입니다. 이 중에서도 두 수의 차를 최소로 만드는 문제는 학생들이 어려워하는 부분입니다. 두 자리 수뿐만아니라 더 높은 자리의 계산에도 반복적으로 나오는 주제이므로 그 방법을 확실히 알고 넘어가도록 합니다.

1 • 덧셈식 합이 가장 큰 경우: 십의 자리에 큰 수를 넣어야 합니다.

합이 가장 작은 경우: 십의 자리에 작은 수를 넣어야 합니다.

(십의 자리 숫자끼리, 일의 자리 숫자끼리 위치를 바꾸는 방법에 따라 답은 여러 가지입니다.)

• 뺄셈식 차가 가장 큰 경우: 빼어지는 수는 가장 크게, 빼는 수는 가장 작게 만들어야 합니다.

차가 가장 작은 경우: 십의 자리 숫자의 차는 작게, 일의 자리 숫자의 차는 크게 만들어야 합니다.

2 • 가장 큰 경우

$$\begin{array}{r} 75 \\ -\ 12 \\ \hline 63 \end{array}$$

(두 자리 수)−(두 자리 수)의 계산 결과가 가장 크려면 빼어지는 수는 크게, 빼는 수는 작게 만들어야 합니다.

• 가장 작은 경우

$$\begin{array}{r} 31 \\ -\ 27 \\ \hline 4 \end{array}$$

(두 자리 수)−(두 자리 수)의 계산 결과가 가장 작으려면 십의 자리 숫자의 차는 작게, 일의 자리 숫자의 차는 크게 만들어야 합니다.

따라서 계산 결과가 가장 클 때의 값은 63, 가장 작을 때의 값은 4입니다.

해결 전략

$1<2<3<5<7$이므로 만들 수 있는 두 자리 수 중에서 가장 큰 수는 75, 가장 작은 수는 12입니다.

최상위 사고력 □□+□−□□ (㉠: □□+□, ㉡: □□)

• 가장 큰 경우

㉠의 값과 ㉡의 수의 차가 가장 큰 경우를 생각합니다.

➡ 98+7−56=49 또는 97+8−56=49

• 가장 작은 경우

㉠의 값과 ㉡의 수의 차가 가장 작은 경우를 생각합니다.

➡ 79+6−85=0 또는 58+9−67=0

십의 자리 숫자끼리, 일의 자리 숫자끼리 위치를 바꾸는 방법에 따라 식은 여러 가지입니다.

따라서 계산 결과가 가장 클 때의 값은 49, 가장 작을 때의 값은 0입니다.

해결 전략

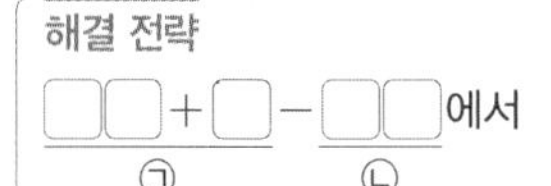

• 가장 큰 경우

➡ ㉠은 가장 크게, ㉡은 가장 작게 만듭니다.

• 가장 작은 경우

➡ ㉠과 ㉡의 차가 가장 작게 만듭니다.

9-2. 목표수 만들기

88~89쪽

1 (1) 2, 6, 7, 9 / 2, 9, 7, 6 / 7, 9, 2, 6 / 7, 6, 2, 9 (2) 5, 4, 3, 8

2 예 9, 4, 1, 6, 5 / 예 1, 6, 9, 5, 4

최상위 사고력 예

$$\begin{array}{r} 28 \\ +\ 65 \\ \hline 93 \end{array}$$

, 예

$$\begin{array}{r} 93 \\ -\ 28 \\ \hline 65 \end{array}$$

저자 톡! 이 단원에서는 수의 크기를 어림하고 계산한 결과가 맞는지 직관적으로 판단하고 수감각을 이용하여 목표수를 만듭니다. 두 자리 수의 계산이므로 십의 자리와 일의 자리에 어떻게 수를 넣어야 목표수를 만들 수 있을지 생각하며 문제를 해결해 봅니다.

1 (1) 일의 자리 숫자의 합이 5가 되는 수는 6과 9이므로 2와 7은 계산 결과에 알맞게 십의 자리에 써넣습니다.
(십의 자리 숫자끼리, 일의 자리 숫자끼리 위치를 바꾸는 방법에 따라 답은 여러 가지입니다.)

(2) 일의 자리 숫자의 차가 6이 되려면 4에서 8을 빼야 하므로 3과 5는 계산 결과에 알맞게 십의 자리에 써넣습니다.

2 • □□−□+□□=158

> 해결 전략
> 십의 자리 숫자끼리 계산하여 목표수를 만들기 위한 경우를 생각해 봅니다.

세 수의 계산에서 빼는 수는 한 자리 수이므로 두 자리 수의 십의 자리 숫자의 합이 15에 가까워야 합니다.

① 십의 자리 숫자가 9와 6인 경우

9□−□+6□=158

⬇

95−1+64=158

② 십의 자리 숫자가 9와 5인 경우

9□−□+5□=158

(불가능)

95−1+64=158, 94−1+65=158과 같이 십의 자리 숫자끼리, 일의 자리 숫자끼리 위치를 바꾸는 방법에 따라 답은 여러 가지입니다.

• □□−□+□□=61

세 수의 계산에서 빼는 수는 한 자리 수이므로 두 자리 수의 십의 자리 숫자의 합이 6에 가까워야 합니다.

① 십의 자리 숫자가 1과 4인 경우

1□−□+4□=61

(불가능)

② 십의 자리 숫자가 1과 5인 경우

1□−□+5□=61

⬇

16−9+54=61

③ 십의 자리 숫자가 1과 6인 경우

1□−□+6□=61

6□−□+1□=61

(불가능)

56−9+14=61, 14−9+56=61과 같이 십의 자리 숫자끼리, 일의 자리 숫자끼리 위치를 바꾸는 방법에 따라 답은 여러 가지입니다.

최상위 사고력 덧셈식을 만들면 덧셈식을 이용하여 뺄셈식을 만들 수 있으므로 먼저 덧셈식을 찾아봅니다.
(두 자리 수)+(두 자리 수)=(두 자리 수)이므로 두 수의 십의 자리에 들어갈 수 있는 수는 (2, 3), (2, 5), (2, 6), (3, 5), (3, 6)으로 5가지입니다.

① (2, 3)인 경우

$\begin{array}{r} 2\square \\ +\ 3\square \\ \hline 6\square \end{array}$

(불가능)

② (2, 5)인 경우

$\begin{array}{r} 2\square \\ +\ 5\square \\ \hline 8\square \end{array}$

(불가능)

③ (2, 6)인 경우

$\begin{array}{r} 28 \\ +\ 65 \\ \hline 93 \end{array}$, $\begin{array}{r} 25 \\ +\ 68 \\ \hline 93 \end{array}$

(○)

④ (3, 5)인 경우

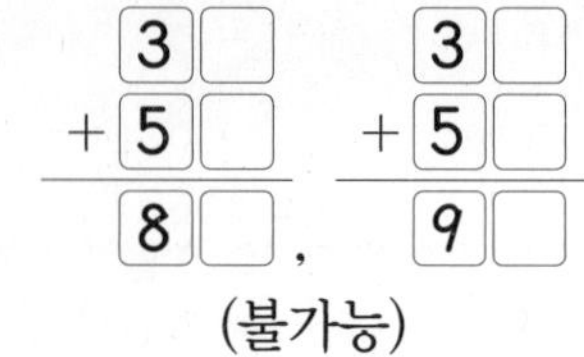

(불가능)

⑤ (3, 6)인 경우

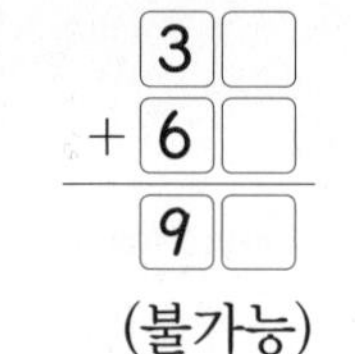

(불가능)

만든 덧셈식을 이용하여 뺄셈식을 만들어 봅니다.

$$\begin{array}{r}28\\+65\\\hline 93\end{array} \Rightarrow \begin{array}{r}93\\-28\\\hline 65\end{array} \text{ 또는 } \begin{array}{r}93\\-65\\\hline 28\end{array},\quad \begin{array}{r}25\\+68\\\hline 93\end{array} \Rightarrow \begin{array}{r}93\\-25\\\hline 68\end{array} \text{ 또는 } \begin{array}{r}93\\-68\\\hline 25\end{array}$$

└ 십의 자리 숫자끼리, 일의 자리 숫자끼리 위치를 바꾸는 방법에 따라 답은 여러 가지가 있습니다.

9-3. 연산 기호 넣기

90~91쪽

1 (1) −, +, − (2) +, −, + (3) 예 −, +, +, + (4) 예 +, −, −, + (5) 예 +, −, +, +, −

2 15+14+13+12−11−10(−)9+8=50

최상위 사고력 −, +, −, +, +, + / −, +, +, −, +, − / +, −, −, +, +, − / +, −, +, −, −, + / +, +, −, −, −, −

저자 톡! 계산 식에서 빠진 연산 기호를 넣거나 틀린 연산 기호를 바로 고쳐서 목표수를 만드는 내용입니다. 모든 경우를 생각하여 목표수를 맞히기보다 시행착오를 줄일 수 있는 방법은 없는지 생각하며 목표수를 만들도록 합니다.

1 (1) 10−4+6−3=9

(2) 14+5−4+3=18

(3) 5−4+3+2+1=7 또는 5+4−3+2−1=7

(4) 9+5−4−3+2=9 또는 9−5+4+3−2=9

(5) 10+9−8+7+6−5=19 또는 10+9+8−7−6+5=19

2 주어진 식을 계산하면 계산 결과는 32입니다.

−를 +로 바꾸면 바로 뒤에 있는 수의 2배만큼 커지고, +를 −로 바꾸면 바로 뒤에 있는 수의 2배만큼 작아집니다.

32가 50이 되려면 18만큼 커져야 하므로 9 앞에 있는 −를 +로 바꾸면 됩니다.

└ 50−32=18 └ 9+9=18

주의
−를 +로 바꾸면 바로 뒤에 있는 수만큼 커지는 것이 아니라 바로 뒤에 있는 수의 2배만큼 커집니다.

최상위 사고력 ○ 안의 기호가 모두 +라고 생각하여 계산하면 7+6+5+4+3+2+1=28입니다.

계산 결과 28을 8로 만들려면 20만큼을 빼야 합니다.

+를 −로 바꾸면 바로 뒤에 있는 수의 2배만큼 작아지므로 10만큼 빼면 됩니다.

합이 10이 되는 수들은 (6, 4), (6, 3, 1), (5, 4, 1), (5, 3, 2), (4, 3, 2, 1)로 5가지이므로 이 수들 앞에는 −를 써넣고 나머지 수들 앞에는 +를 써넣습니다.

7−6+5−4+3+2+1=8

7−6+5+4−3+2−1=8

7+6−5−4+3+2−1=8

7+6−5+4−3−2+1=8

7+6+5−4−3−2−1=8

최상위 사고력

92~93쪽

1 61
2 ⑤
3 96
4 6, 8

1 주어진 식의 계산 결과가 가장 크려면 덧셈에 사용되는 수는 커야 하고, 뺄셈에 사용되는 수는 작아야 합니다.
따라서 계산 결과가 가장 클 때의 값은 $66+6-11=61$입니다.

주의
주사위를 5번 던졌을 때 같은 수가 나올 수 있으므로 수를 중복하여 사용할 수 있습니다.

2 계산 결과가 가장 큰 식을 만들려면 뺄셈보다는 덧셈을 많이 해야 하고, 덧셈에서 일의 자리 숫자보다 십의 자리 숫자를 많이 사용해야 합니다.

3 계산 결과가 가장 작을 때: ▲$-9-5$
계산 결과가 두 번째로 작을 때: ▲$-9+5$
➡ ▲$-9+5=78$, ▲$-9=73$, ▲$=73+9$, ▲$=82$
따라서 계산 결과가 가장 클 때는 세 수를 모두 더한 ▲$+9+5$이므로 $82+9+5=96$입니다.

4 계산 결과가 한 자리 수이므로 십의 자리 숫자의 차가 1이고, 십의 자리에서 10을 받아내림한 것을 알 수 있습니다.
?$=1, 3, 5, 6, 8$인 경우로 나누어 생각해 봅니다.

① ?=1인 경우: $24-17=7$ (×)
② ?=3인 경우: $34-27=7$, $42-37=5$ (×)
③ ?=5인 경우: $52-47=5$ (×)
④ ?=6인 경우: $72-64=8$ (○)
⑤ ?=8인 경우: $82-74=8$ (○)

따라서 ?가 될 수 있는 수는 6과 8입니다.

최상위 사고력 **10** 복면산과 마방진

10-1. 도형이 나타내는 수

94~95쪽

1 (위에서부터) 35, 25, 36, 31
2 ■$=8$, ♥$=10$

최상위 사고력 다$=14$, 라$=7$

저자 톡! 숫자 대신 도형으로 나타낸 여러 개의 식에서 도형이 나타내는 수를 구하는 문제입니다. 도형을 어떤 수라고 가정하여 문제를 푸는 방법도 좋은 방법이지만 도형이 나타내는 수를 쉽게 알 수 있는 식부터 먼저 이용하여 문제를 해결하도록 합니다.

1 두 번째 세로줄에서 ●+●+●+●=40이고
10+10+10+10=40이므로 ●=10입니다.
첫 번째 가로줄에서 ●=10이므로 ▲+10+▲+10=34,
▲+▲=14, ▲=7입니다.
첫 번째 세로줄에서 ▲=7이므로 7+7+■+7=26, ■=5입니다.
네 번째 세로줄에서 ●=10, ■=5이므로 10+★+5+★=33,
★+★=18, ★=9입니다.
➡ ●=10, ▲=7, ■=5, ★=9
따라서 □ 안에 들어갈 수는
▲+●+★+★=7+10+9+9=35,
■+●+■+■=5+10+5+5=25,
▲+●+●+★=7+10+10+9=36,
▲+★+■+●=7+9+5+10=31입니다.

해결 전략
●가 나타내는 수를 가장 먼저 구합니다.

2

㉠ ●+●+●=▲
㉡ ▲+3=★
㉢ ★−▲+●=■
㉣ ■+●=♥−▲+★

㉠에서 ●=5이므로 5+5+5=▲, ▲=15입니다.
㉡에서 ▲=15이므로 15+3=★, ★=18입니다.
㉢에서 ★=18, ▲=15, ●=5이므로
18−15+5=■, 3+5=■, ■=8입니다.
㉣에서 ■=8, ●=5, ▲=15, ★=18이므로
8+5=♥−15+18, 8+5+15−18=♥, 28−18=♥, ♥=10입니다.
따라서 ■=8, ♥=10입니다.

해결 전략
▲ → ★ → ■ → ♥의 순서로 구합니다.

최상위 사고력

㉠ 다+다+가+나=38
㉡ 가+나+가+나=20
㉢ 라+라+라+라=다+다

㉡에서 가+나+가+나=20, 가+나=10입니다.
㉠에서 가+나=10이므로 다+다+10=38, 다+다=28,
다=14입니다.
㉢에서 다=14이므로 라+라+라+라=14+14=28이고
7+7+7+7=28이므로 라=7입니다.
따라서 다=14, 라=7입니다.

보충 개념
10+10=20이므로
(가+나)+(가+나)=20일 때
(가+나)=10입니다.

10-2. 복면산

96~97쪽

1 S=5, O=0, T=1

2 ●=1, ▲=9, ■=8

최상위 사고력 (1)

$$\begin{array}{r} 42 \\ +\ 22 \\ \hline 64 \end{array}$$

(2)

$$\begin{array}{r} 98 \\ -\ 89 \\ \hline 9 \end{array}$$

저자 톡! 복면산은 덧셈, 뺄셈, 곱셈, 나눗셈 등 여러 가지 연산 절차와 제시된 조건으로 수를 예상하고 확인하는 퍼즐입니다. 직관으로 해결할 수 있지만 논리적이고 효율적인 방법으로 문제를 해결해 보도록 합니다.

1 ① (두 자리 수)+(두 자리 수)=(세 자리 수)이므로 T=1입니다.

$$\begin{array}{r} SO \\ +\ SO \\ \hline 1OO \end{array}$$

② 일의 자리 계산에서 O+O=O를 만족하는 O=0뿐입니다.

$$\begin{array}{r} S0 \\ +\ S0 \\ \hline 100 \end{array}$$

③ 십의 자리 계산에서 S+S=10이므로 S=5입니다.

$$\begin{array}{r} 50 \\ +\ 50 \\ \hline 100 \end{array}$$

따라서 S=5, O=0, T=1입니다.

2 (두 자리 수)+(두 자리 수)+(두 자리 수)=(세 자리 수)이므로 백의 자리 숫자가 될 수 있는 수는 1 또는 2입니다.

① ●=1인 경우

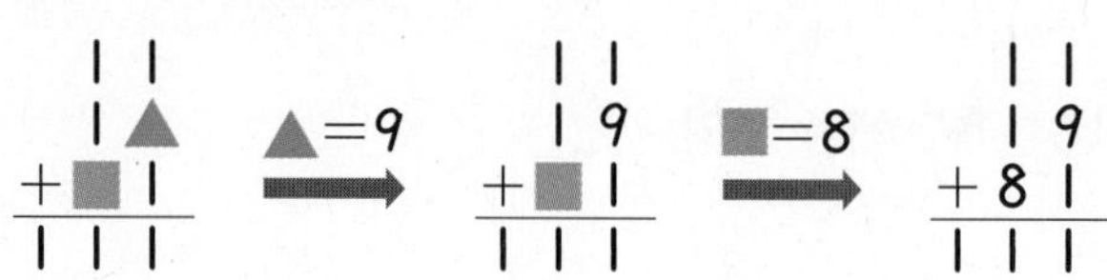

② ●=2인 경우

$$\begin{array}{r} 22 \\ 2▲ \\ +\ ■2 \\ \hline 222 \end{array} \xrightarrow{▲=8} \begin{array}{r} 22 \\ 28 \\ +\ ■2 \\ \hline 222 \end{array}$$ (불가능)

따라서 ●=1, ▲=9, ■=8입니다.

> **해결 전략**
> 두 자리 수 3개의 합이 세 자리 수가 될 때 백의 자리 숫자가 될 수 있는 수는 1과 2입니다.

최상위 사고력 (1) 십의 자리의 계산에서 A는 0이 아니므로 B=1, 2, 3, 4가 될 수 있습니다.

① B=1인 경우

$$\begin{array}{r} A1 \\ +\ 11 \\ \hline 62 \end{array} \xrightarrow{A=2}$$ (불가능)

② B=2인 경우

$$\begin{array}{r} A2 \\ +\ 22 \\ \hline 64 \end{array} \xrightarrow{A=4} \begin{array}{r} 42 \\ +\ 22 \\ \hline 64 \end{array}$$

> **주의**
> B를 두 번 더해서 1을 받아올림했을 때 A+B=5가 되어야 합니다.
> 그러나 받아올림이 되는 경우는 B=5, 6, 7, 8, 9이므로 A+B=5가 성립할 수 없습니다.

③ B=3인 경우

$$\begin{array}{r} A\,3 \\ +\,3\,3 \\ \hline 6\,6 \end{array} \xrightarrow{A=6} \text{(불가능)}$$

④ B=4인 경우

$$\begin{array}{r} A\,4 \\ +\,4\,4 \\ \hline 6\,8 \end{array} \xrightarrow{A=8} \text{(불가능)}$$

따라서 A=4, B=2이므로 $\begin{array}{r} A\,B \\ +\,B\,B \\ \hline 6\,A \end{array} \Rightarrow \begin{array}{r} 4\,2 \\ +\,2\,2 \\ \hline 6\,4 \end{array}$ 입니다.

(2) (두 자리 수)−(두 자리 수)=(한 자리 수)이므로 일의 자리 계산에서 받아내림을 생각합니다.

E는 D보다 작고, D는 E보다 1 큽니다.

E는 0이 아니므로 일의 자리 계산에서 E와 D로 가능한 경우는 다음과 같습니다.

E	1	2	3	4	5	6	7	8
D	2	3	4	5	6	7	8	9

E+10−D=D를 만족할 때는 E=8, D=9일 때입니다.

따라서 $\begin{array}{r} D\,E \\ -\,E\,D \\ \hline D \end{array} \Rightarrow \begin{array}{r} 9\,8 \\ -\,8\,9 \\ \hline 9 \end{array}$ 입니다.

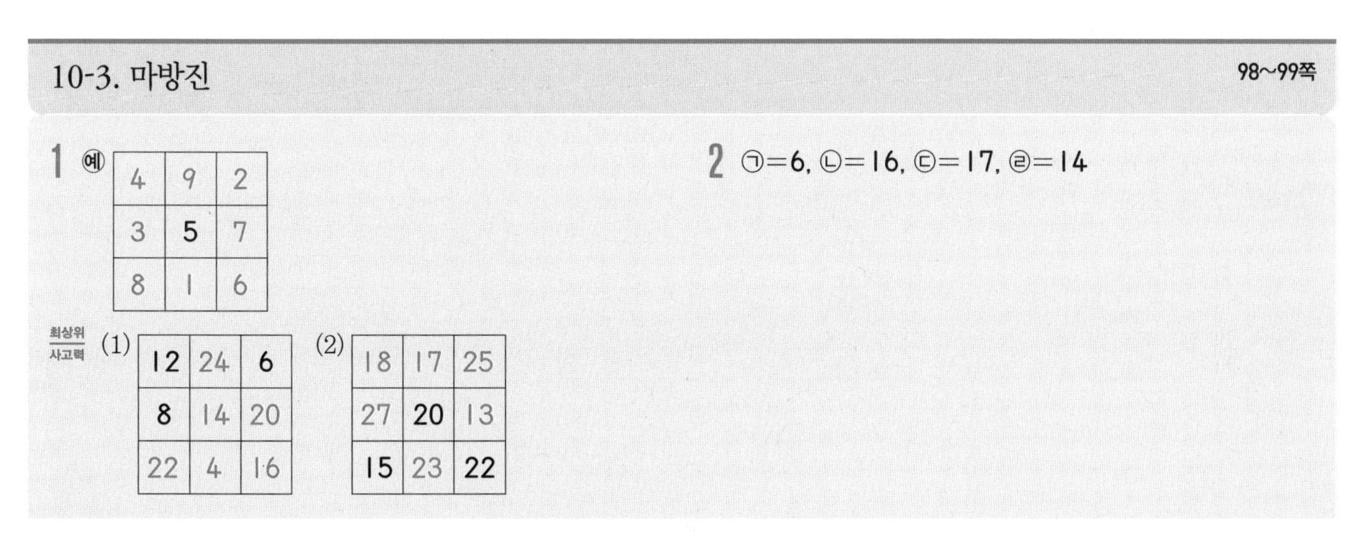

저자 톡! 마방진은 가로, 세로, 대각선에 있는 수의 합이 같도록 수를 채워 넣는 퍼즐입니다. 각 줄이 겹쳐지는 부분의 수를 손가락으로 가린 후 나머지 수의 합이 같음을 이용하여 문제를 해결해 봅니다.

1 1부터 9까지의 수 중에서 5를 가운데에 놓고 다음과 같이 짝지으면 두 수의 합을 모두 같게 만들 수 있습니다.

10 (1, 9), 10 (2, 8), 10 (3, 7), 10 (4, 6)

1 2 3 4 ⑤ 6 7 8 9

이 방법을 이용하여 사각형의 가로, 세로, 대각선에 있는 세 수의 합이 모두 15가 되도록 만들면 답은 여러 가지입니다.

4	9	2
3	5	7
8	1	6

2 겹치는 부분을 가리는 방법으로 풀어 봅니다.

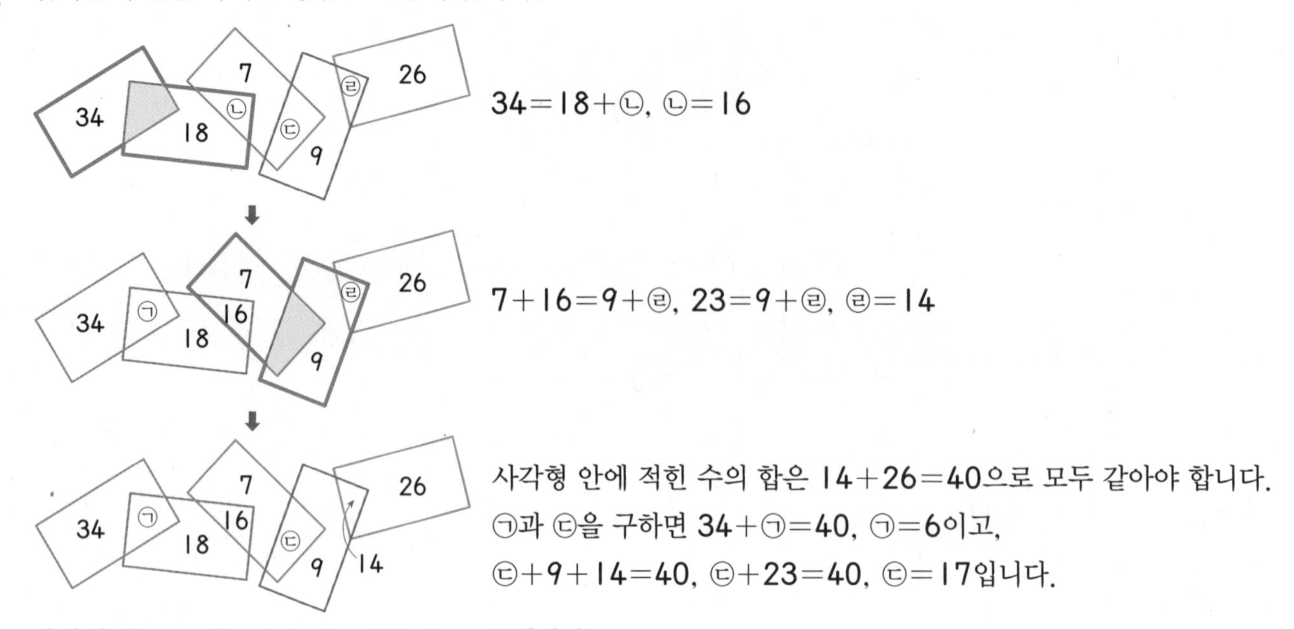

$34=18+㉡$, $㉡=16$

$7+16=9+㉣$, $23=9+㉣$, $㉣=14$

사각형 안에 적힌 수의 합은 $14+26=40$으로 모두 같아야 합니다.
㉠과 ㉢을 구하면 $34+㉠=40$, $㉠=6$이고,
$㉢+9+14=40$, $㉢+23=40$, $㉢=17$입니다.

따라서 ㉠=6, ㉡=16, ㉢=17, ㉣=14입니다.

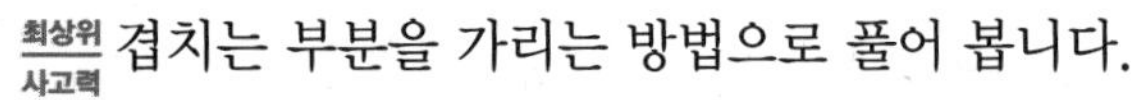
최상위 사고력 겹치는 부분을 가리는 방법으로 풀어 봅니다.

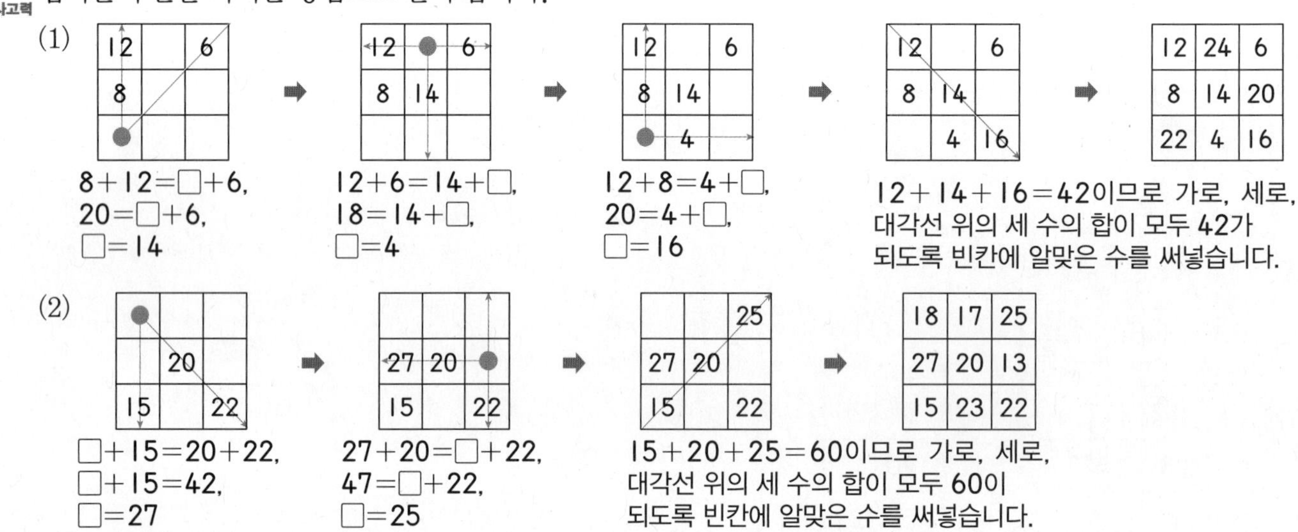

(1)

12		6
8		
●		

$8+12=□+6$,
$20=□+6$,
$□=14$

➡

12	●	6
8	14	

$12+6=14+□$,
$18=14+□$,
$□=4$

➡

12		6
8	14	
●	4	

$12+8=4+□$,
$20=4+□$,
$□=16$

➡

12		6
8	14	
	4	16

➡

12	24	6
8	14	20
22	4	16

$12+14+16=42$이므로 가로, 세로, 대각선 위의 세 수의 합이 모두 42가 되도록 빈칸에 알맞은 수를 써넣습니다.

(2)

●		
	20	
15		22

$□+15=20+22$,
$□+15=42$,
$□=27$

➡

27	20	●
15		22

$27+20=□+22$,
$47=□+22$,
$□=25$

➡

		25
27	20	
15		22

➡

18	17	25
27	20	13
15	23	22

$15+20+25=60$이므로 가로, 세로, 대각선 위의 세 수의 합이 모두 60이 되도록 빈칸에 알맞은 수를 써넣습니다.

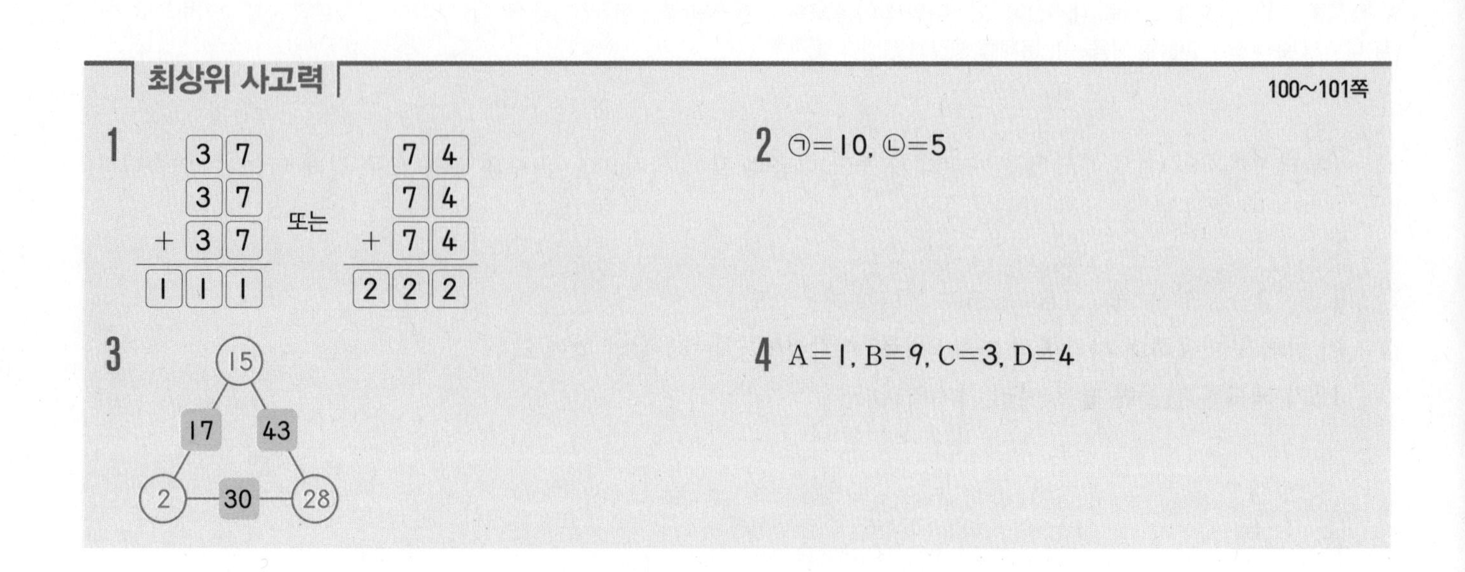

최상위 사고력

100~101쪽

1

$$\begin{array}{r} 37 \\ 37 \\ +\ 37 \\ \hline 111 \end{array} \quad 또는 \quad \begin{array}{r} 74 \\ 74 \\ +\ 74 \\ \hline 222 \end{array}$$

2 ㉠=10, ㉡=5

3

4 A=1, B=9, C=3, D=4

1 (두 자리 수)+(두 자리 수)+(두 자리 수)=(세 자리 수)이므로 고=1 또는 고=2입니다.

① 고=1인 경우

$$\begin{array}{r} 영\ 미 \\ 영\ 미 \\ +\ 영\ 미 \\ \hline 1\ 1\ 1 \end{array} \xrightarrow{미=7} \begin{array}{r} {}^{2}\quad \\ 영\ 7 \\ 영\ 7 \\ +\ 영\ 7 \\ \hline 1\ 1\ 1 \end{array} \xrightarrow{영=3} \begin{array}{r} 3\ 7 \\ 3\ 7 \\ +\ 3\ 7 \\ \hline 1\ 1\ 1 \end{array}$$

② 고=2인 경우

$$\begin{array}{r} 영\ 미 \\ 영\ 미 \\ +\ 영\ 미 \\ \hline 2\ 2\ 2 \end{array} \xrightarrow{미=4} \begin{array}{r} {}^{1}\quad \\ 영\ 4 \\ 영\ 4 \\ +\ 영\ 4 \\ \hline 2\ 2\ 2 \end{array} \xrightarrow{영=7} \begin{array}{r} 7\ 4 \\ 7\ 4 \\ +\ 7\ 4 \\ \hline 2\ 2\ 2 \end{array}$$

학부모 가이드
둘 중 한 가지 식만 완성해도 정답으로 인정합니다.

2 겹치는 부분을 가리는 방법으로 풀어 봅니다.

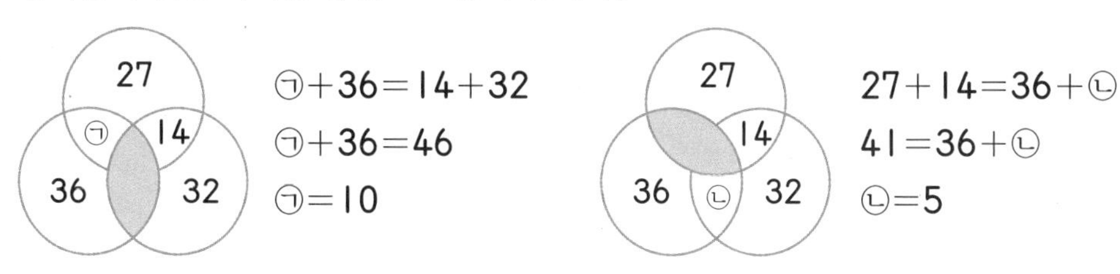

㉠+36=14+32
㉠+36=46
㉠=10

27+14=36+㉡
41=36+㉡
㉡=5

따라서 ㉠=10, ㉡=5입니다.

3

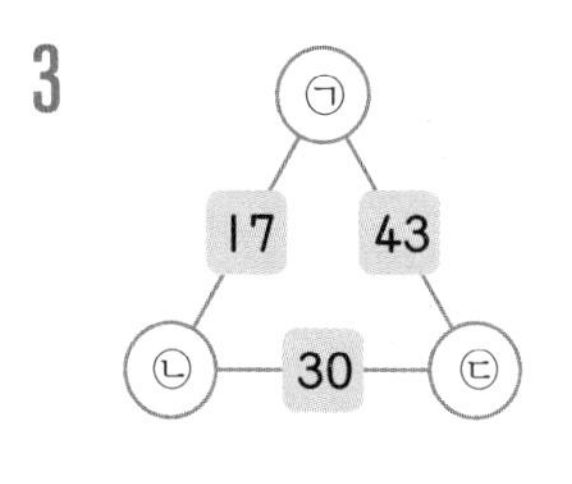

㉠+㉡=17, ㉡+㉢=30, ㉠+㉢=43입니다. 식을 모두 더하면
㉠+㉡+㉡+㉢+㉠+㉢=17+30+43=90,
(㉠+㉡+㉢)+(㉠+㉡+㉢)=90, ㉠+㉡+㉢=45입니다.
㉠+㉡+㉢=45에서 ㉠+㉡=17이므로 17+㉢=45, ㉢=28이고
㉡+㉢=30이므로 ㉠+30=45, ㉠=15이고
㉠+㉢=43이므로 43+㉡=45, ㉡=2입니다.
따라서 ㉠=15, ㉡=2, ㉢=28입니다.

다른 풀이
㉠에는 1부터 17까지의 수가 들어갈 수 있습니다.
그러나 ㉠에 1부터 12까지의 수가 들어간다면 ㉢에는 42부터 31까지의 수가 들어가므로 ㉡+㉢=30이 될 수 없습니다.
㉠=13, 14, 15, 16, 17인 경우로 나누어 각각 구해 봅니다.

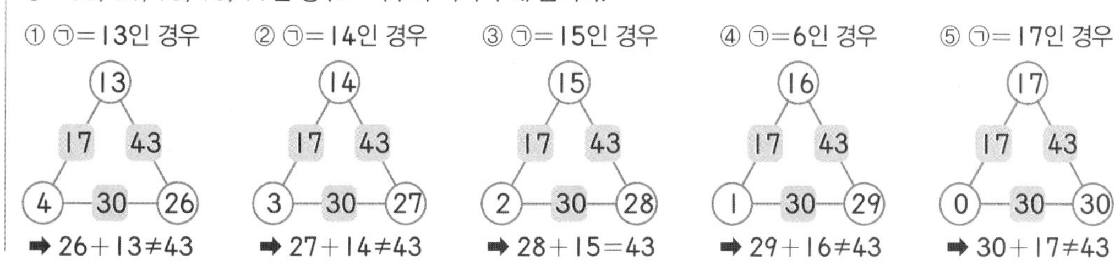

4 AB+CD=53, AB+DC=62에서 62−53=9이므로
DC=CD+9입니다. 두 자리 수에 9를 더하여 일의 자리 숫자와 십의 자리 숫자가 바뀌는 경우는 일의 자리 숫자가 십의 자리 숫자보다 1 클 때입니다.
CD=12, 23, 34, 45, 56, 67, 78, 89일 때
AB+CD=53을 만족하는 수를 구합니다.
CD=12 ➡ AB+12=53, AB=41
(B와 C가 1로 같으므로 불가능합니다.)
CD=23 ➡ AB+23=53, AB=30 (B는 0이므로 불가능합니다.)
CD=34 ➡ AB+34=53, AB=19
CD=45 ➡ AB+45=53, AB=8
(AB는 두 자리 수이어야 하므로 불가능합니다.)
따라서 A=1, B=9, C=3, D=4입니다.

보충 개념
CD=56, 67, 78, 89인 경우에는 AB를 구할 수 없으므로 생각하지 않습니다.

최상위 사고력 **11** **덧셈·뺄셈 문장제**

11-1. 한 번 더 생각하는 문장제

102~103쪽

1 53+39=92(명)　　**2** 8년 후

최상위 사고력 동호: 25개, 형: 15개

저자 톡! 문장제 문제에서 학생들이 자주 실수하는 부분 중 하나는 문제의 깊은 뜻을 생각하지 않고 단편적인 부분만 보고 문제를 푸는 경우입니다. 단어 하나하나의 의미를 생각하며 문제를 해결해 보도록 합니다.

1 진수는 여학생 수를 14명이라고 잘못 생각하여 남학생 수에 14명을 더하여 공연에 참석한 학생 수를 구하였습니다.
그러나 여학생은 남학생 53명보다 14명이 더 적은 53−14=39(명)이므로 공연에 참석한 학생은 모두 53+39=92(명)입니다.

해결 전략
- ●는 ■보다 ▲ 더 적습니다.
  ➡ ●=■−▲
- ●는 ■보다 ▲ 더 많습니다.
  ➡ ●=■+▲

2 두 사람의 나이는 매년 똑같이 1살씩 늘어나므로
두 사람의 나이의 합은 매년 2살씩 늘어납니다.
현재 민우와 아버지의 나이의 합은 9+36=45(살)이고
45+2+2+2+2+2+2+2+2=61(살)이므로
(8년)
민우와 아버지의 나이의 합이 처음으로 60살이 넘는 것은 8년 후입니다.

최상위 사고력 동호가 형보다 10개를 더 많이 가졌으므로 다음과 같이 그림을 그려 생각해 봅니다.

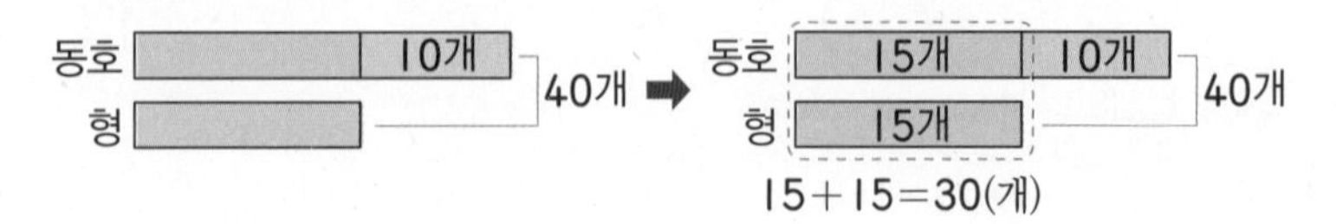

사탕 40개 중에 10개를 동호가 먼저 가져갔다고 생각하면 $40-10=30$(개)를 똑같이 나누어 가지면 됩니다.
따라서 동호가 가진 사탕은 $15+10=25$(개)이고, 형이 가진 사탕은 15개입니다.

보충 개념
$15+15=30$이므로 30은 15로 똑같이 나눌 수 있습니다.

다른 풀이
두 사람이 가진 사탕의 수를 표로 나타내어 찾아봅니다.

동호가 가진 사탕의 수(개)	20	21	22	23	24	25
형이 가진 사탕의 수(개)	20	19	18	17	16	15
개수의 차(개)	0	2	4	6	8	10

따라서 동호가 가진 사탕은 25개이고, 형이 가진 사탕은 15개입니다.

11-2. 어떤 수를 구하는 문장제

104~105쪽

1 (1) 4 (2) 9

2 10개

최상위 사고력 210

저자 톡! 어떤 수를 구하는 문제가 수식으로 주어지면 간단히 풀 수 있지만 문장으로 주어지면 복잡한 문제로 보입니다. □를 이용한 식 세우기 전략을 사용하면 어렵지 않게 문제를 해결할 수 있습니다. 기호를 사용하여 다양한 문제를 식으로 나타내는 연습을 해 보도록 합니다.

1 (1) 어떤 수를 □라 하고 식을 세워 풀어 봅니다.
40−□=32+□ ➡ □+□=8, □=4이므로 어떤 수는 4입니다.
(2) 어떤 수를 □라 하고 식을 세워 풀어 봅니다.
65+□=65−□+18 ➡ 65+□=83−□, □+□=18, □=9이므로 어떤 수는 9입니다.

해결 전략
어떤 수를 □라 하고 식을 세워 봅니다.

보충 개념
○+□=△−○
➡ ○+□+○=△−∅+∅
➡ ○+⊘+○−⊘=△−□
➡ ○+○=△−□

다른 풀이
(1) 어떤 수를 □라 하고 그림을 그려 구해 봅니다.

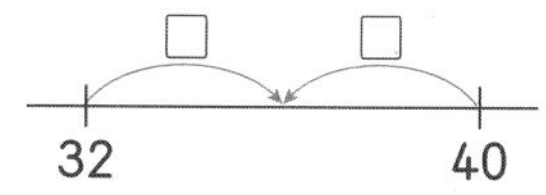

32에서 오른쪽으로 4만큼 간 수와 40에서 왼쪽으로 4만큼 간 수는 36으로 같아집니다.
따라서 어떤 수는 4입니다.

(2) 어떤 수를 □라 하고 그림을 그려 구해 봅니다.

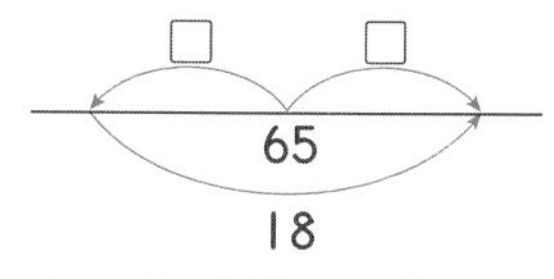

65에서 오른쪽으로 □만큼 간 수가 왼쪽으로 □만큼 간 수보다 18이 크므로 □+□=18, □=9입니다.

2 첫째 날에 넣은 동전의 수를 □개라 하고 식으로 나타내면
□+(□+2)+(□+4)+(□+6)+(□+8)+(□+10)+(□+12)=112입니다.
➡ □+□+□+□+□+□+□+(2+4+6+8+10+12)=□+□+□+□+□+□+□+42=112,
□+□+□+□+□+□+□=70, □=10
따라서 첫째 날에 넣은 동전은 10개입니다.

최상위 사고력 두 자리 연속수의 십의 자리 숫자가 모두 같으면 두 자리 연속수 3개의 십의 자리 숫자의 합이 20이 될 수 없습니다. 6+7+7=20이므로 연속한 세 수의 십의 자리 숫자는 6, 7, 7입니다.
십의 자리 숫자가 6, 7, 7인 연속수는 69, 70, 71입니다.
따라서 세 수의 합은 69+70+71=210입니다.

> 해결 전략
> 연속수의 십의 자리 숫자가 모두 같은 경우와 그렇지 않은 경우를 생각해 봅니다.

11-3. 각 자리 숫자를 구하는 문장제

106~107쪽

1 (1) $\begin{array}{r} \square 6 \\ +\ 4\square \\ \hline 7\ 2 \end{array}$ / 26, 46 (2) $\begin{array}{r} \square 8 \\ -\ 3\square \\ \hline 4\ 9 \end{array}$ / 88, 39

2 32

최상위 사고력 72

저자 톡! 숫자의 일부분이 없어진 식에서 수를 구하는 문제가 문장으로 주어지면 매우 어렵게 보일 수 있습니다. 앞에서 배웠던 어떤 수 문장제와 같이 □ 기호를 사용한 식을 세워 문제를 해결해 봅니다.

1 (1) 받아올림을 생각하여 일의 자리부터 계산합니다.

$\begin{array}{r} \square 6 \\ +\ 4\square \\ \hline 7\ 2 \end{array} \Rightarrow \begin{array}{r} {}^{1}\ \ \\ \square 6 \\ +\ 4\boxed{6} \\ \hline 7\ 2 \end{array} \Rightarrow \begin{array}{r} {}^{1}\ \ \\ \boxed{2}6 \\ +\ 4\boxed{6} \\ \hline 7\ 2 \end{array}$

따라서 두 수는 26, 46입니다.

(2) 받아내림을 생각하여 일의 자리부터 계산합니다.

$\begin{array}{r} \square 8 \\ -\ 3\square \\ \hline 4\ 9 \end{array} \Rightarrow \begin{array}{r} {}^{10} \\ \square 8 \\ -\ 3\boxed{9} \\ \hline 4\ 9 \end{array} \Rightarrow \begin{array}{r} {}^{7}\ \ \ \\ \boxed{8}8 \\ -\ 3\boxed{9} \\ \hline 4\ 9 \end{array}$

따라서 두 수는 88, 39입니다.

> 주의
> $\begin{array}{r} 3\square \\ -\ \square 8 \\ \hline 4\ 9 \end{array}$ 는 십의 자리 숫자끼리 계산할 수 없으므로 올바른 식이 아닙니다.

2 두 수를 ㉠㉡, ㉢㉣로 나타내면 $\begin{array}{r} ㉠㉡ \\ +\ ㉢㉣ \\ \hline 1\ 9\ 4 \end{array}$ 입니다.

십의 자리 숫자의 합은 19이므로 일의 자리에서 1만큼 받아올림한 것을 알 수 있습니다.
➡ ㉠+㉢=18, ㉡+㉣=14
따라서 두 수의 각 자리 숫자를 모두 더하면
㉠+㉢+㉡+㉣=18+14=32입니다.

> 해결 전략
> 십의 자리 숫자는 1부터 9까지의 수입니다. 따라서 두 수를 더해 19가 나올 수 없으므로 받아올림한 것을 알 수 있습니다.

최상위 사고력 어떤 두 자리 수를 AB라 하여 세로셈으로 나타내어 봅니다.

① $\begin{array}{r} A\ B \\ +\ B\ A \\ \hline 9\ 9 \end{array}$ ② $\begin{array}{r} A\ B \\ -\ B\ A \\ \hline 4\ 5 \end{array}$

①번 식에서 일의 자리의 계산 B+A=9에서는 받아올림이 없으므로 A, B가 될 수 있는 경우는 8가지입니다.

A	1	2	3	4	5	6	7	8
B	8	7	6	5	4	3	2	1

이 중에서 ②번 식의 일의 자리의 계산 B−A=5를 만족하는 경우는 A=2, B=7 또는 A=7, B=2입니다.
이때 십의 자리의 계산에서 A>B이므로 A=7, B=2입니다.
따라서 어떤 두 자리 수는 72입니다.

해결 전략
어떤 두 자리 수의 십의 자리 숫자를 A, 일의 자리 숫자를 B로 놓습니다.

최상위 사고력

108~109쪽

1 1, 8, 6
2 61
3 지현: 13개, 민정: 9개, 동우:18개
4 26, 16, 6

1 맞은 문제 수와 틀린 문제 수를 더하면 민정이가 푼 전체 문제 수가 됩니다.
세로셈으로 나타내면 다음과 같습니다.

$\begin{array}{r} \square\ 5 \\ +\ 4\ \square \\ \hline \square\ 3\ 1 \end{array}$ ➡ $\begin{array}{r} {}^{1}\ \\ \square\ 5 \\ +\ 4\ \boxed{6} \\ \hline \boxed{1}\ 3\ 1 \end{array}$ ➡ $\begin{array}{r} {}^{1}\ \\ \boxed{8}\ 5 \\ +\ 4\ \boxed{6} \\ \hline \boxed{1}\ 3\ 1 \end{array}$

따라서 민정이가 맞은 문제는 85문제, 틀린 문제는 46문제이므로 푼 문제는 모두 131문제입니다.

2 어떤 수를 □라 하면 □+43>100, □>57이고 (100−43=57)
□+32<100, □<68이므로 57<□<68입니다. (100−32=68)
□는 두 자리 수이므로 세로셈으로 나타내면

$\begin{array}{r} \square\ \boxed{㉠} \\ -\ 1\ 4 \\ \hline \square\ 7 \end{array}$ 이므로 ㉠에 들어갈 수 있는 수는 1뿐입니다.

따라서 일의 자리 숫자가 1이고 57<□<68을 만족하는 수는 61입니다.

해결 전략
57<□<68에서 □=58, 59, 60, ……, 67이므로 이 수 중에서 14를 뺐을 때 일의 자리 숫자가 7이 되는 수를 찾아도 됩니다.

3 지현이가 가진 사탕 수를 ●, 민정이가 가진 사탕 수를 ▲, 동우가 가진 사탕 수를 ■라 하고 놓고 식을 세워 봅니다.
●+▲=22, ▲+■=27, ■+●=31
위의 3개의 식을 모두 더하면 ●+▲+▲+■+■+●=80입니다.
➡ (●+▲+■)+(●+▲+■)=80, ●+▲+■=40
●+▲+■=40에서
●+▲=22이므로 22+■=40, ■=18이고
▲+■=27이므로 ●+27=40, ●=13이고
■+●=31이므로 31+▲=40, ▲=9입니다.
따라서 지현이가 가진 사탕은 13개, 민정이가 가진 사탕은 9개, 동우가 가진 사탕은 18개입니다.

해결 전략
모르는 수가 여러 개일 때는 서로 다른 모양으로 나타내어 봅니다.

다른 풀이
다음 3가지 조건 ①, ②, ③을 이용합니다.
① 지현이와 민정이가 가진 사탕을 합하면 22개입니다.
② 민정이와 동우가 가진 사탕을 합하면 27개입니다.
③ 동우와 지현이가 가진 사탕을 합하면 31개입니다.
①, ②에 의해 동우가 지현이보다 사탕을 5개 더 많이 가지고 있습니다.

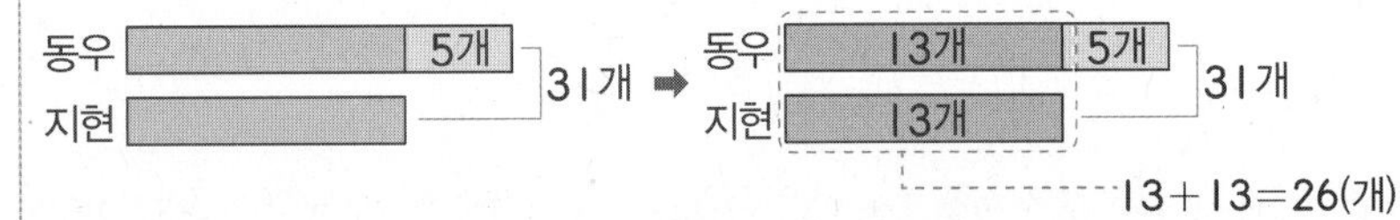

따라서 동우가 가진 사탕은 18개, 지현이가 가진 사탕은 13개이고, ②에 의해
(민정이가 가진 사탕 수)+18=27, (민정이가 가진 사탕 수)=27−18=9(개)입니다.

4 두 번째 조건에 의해 가장 큰 수부터 순서대로 두 수씩 비교하면 이웃하는 두 수의 차는 모두 □로 같습니다.
세 번째 조건에 의해 가장 큰 수는 가장 작은 수보다 20만큼 더 크므로 가장 큰 수부터 두 수씩 비교하면 이웃하는 두 수의 차는 모두 10이 됩니다.

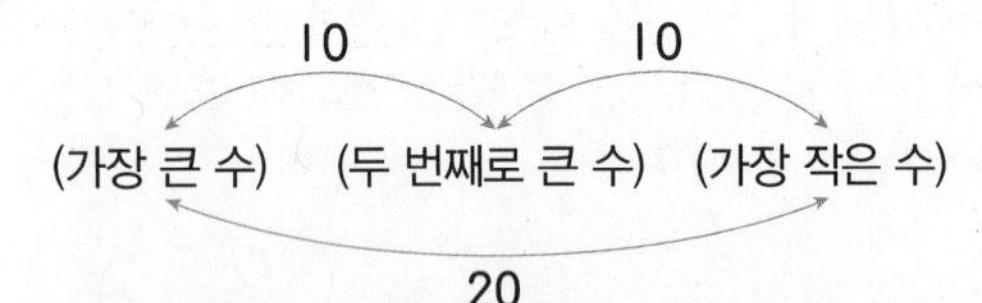

즉, 가장 큰 수는 두 번째로 큰 수보다 10만큼 더 크고, 두 번째로 큰 수는 가장 작은 수보다 10만큼 더 큽니다.
두 번째로 큰 수를 ●라 하면 가장 큰 수는 ●+10,
가장 작은 수는 ●−10입니다.
첫 번째 조건에서 세 수의 합은 48이므로
●−10+●+●+10=48, ●+●+●=48, ●=16입니다.
따라서 가장 큰 수는 16+10=26, 두 번째로 큰 수는 16,
가장 작은 수는 16−10=6입니다.

주의
어떤 수를 ●로 놓는지에 따라 식이 달라질 수 있습니다.

1 3+4+6+2✳1+5=39 **2** 48, 37 **3** 8

4 3년 후

5

14	19	12
13	15	17
18	11	16

6 가장 큰 경우: 76−13=63 / 가장 작은 경우: 41−37=4

7 (1) 62+9=17 / 62+9=71 (2) 94−28=74 / 94−20=74

8 ●=8, ▲=12

1 3+4+6+2+1+5=39 (+ 기호 순서대로 ①, ②, ③, ④, ⑤)

①, ②, ③ 중에 하나를 누르지 않으면 계산 결과가 39보다 커지므로 누르지 않은 기호는 ④, ⑤ 중에 있습니다.

〈④를 누르지 않은 경우〉 3+4+6+21+5=39

〈⑤를 누르지 않은 경우〉 3+4+6+2+15=30

따라서 누르지 않은 + 기호는 ④입니다.

> 해결 전략
> + 기호를 누르지 않아 만들어지는 두 자리 수는 39보다 작아야 합니다.

2 받아올림을 생각하여 일의 자리부터 계산합니다.

$\square 8 + 3\square = 85$ ➡ $\square 8 + 3\boxed{7} = 85$ (받아올림 1) ➡ $\boxed{4}8 + 3\boxed{7} = 85$

따라서 일의 자리 숫자가 8인 두 자리 수는 48이고, 십의 자리 숫자가 3인 두 자리 수는 37입니다.

3 어떤 수를 □라 하고 식을 세워 풀어 봅니다.

46+□=46−□+16 ➡ 46+□=62−□, □+□=16, □=8이므로 어떤 수는 8입니다.

4 (승우의 나이)+(동생의 나이)+(누나의 나이)=9+7+11=27(살)

승우, 동생, 누나 세 사람의 나이의 합은 매년 3살씩 늘어납니다.

27+3+3+3=36(살)이므로 세 사람의 나이의 합이 처음으로 35살을 넘는 것은 3년 후입니다. (3+3+3: 3년)

> 해결 전략
> 세 사람의 나이는 매년 똑같이 1살씩 늘어나므로 세 사람의 나이의 합은 매년 3살씩 늘어납니다.

5 겹치는 부분을 가리는 방법으로 풀어 봅니다.

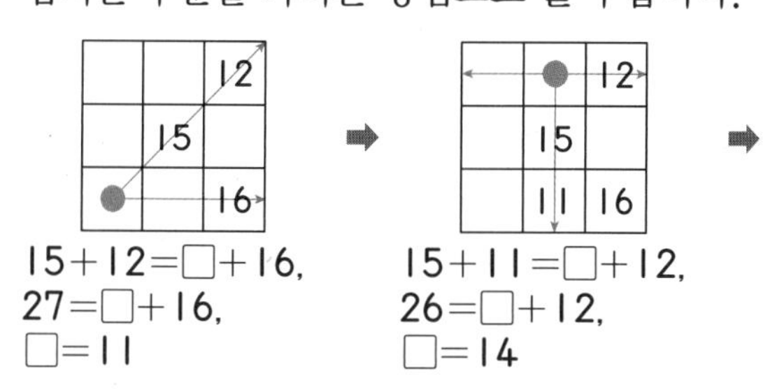

15+12=□+16, 27=□+16, □=11

15+11=□+12, 26=□+12, □=14

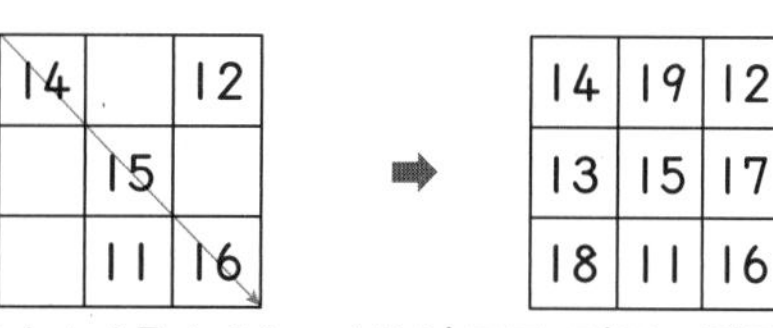

14	19	12
13	15	17
18	11	16

14+15+16=45이므로 가로, 세로, 대각선 위의 세 수의 합이 45가 되도록 빈칸에 알맞은 수를 써넣습니다.

6 • 가장 큰 경우: 두 자리 수의 뺄셈이 가장 크게 되려면 빼어지는 수는 가장 크게, 빼는 수는 가장 작게 만들어야 합니다.

$$\begin{array}{r} 76 \\ -\,13 \\ \hline 63 \end{array}$$

만들 수 있는 가장 큰 수는 76, 가장 작은 수는 13이므로 뺄셈식은 다음과 같습니다.

• 가장 작은 경우: 두 자리 수의 뺄셈이 가장 작으려면 두 수의 십의 자리 숫자의 차는 작게, 일의 자리 숫자의 차는 크게 만들어야 합니다.

$$\begin{array}{r} 41 \\ -\,37 \\ \hline 4 \end{array} \qquad \begin{array}{r} 71 \\ -\,64 \\ \hline 7 \end{array}$$

십의 자리 숫자의 차가 가장 작은 경우는 4−3=1과 7−6=1로 2가지가 있습니다.

이 중에서 십의 자리의 숫자가 4와 3인 경우의 두 자리 수의 차가 가장 작습니다.

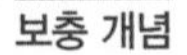
보충 개념

두 수의 차가 작으려면 두 수는 가까이 있어야 하고, 차가 크려면 두 수는 멀리 떨어져 있어야 합니다.

• 차가 작을 때

• 차가 클 때

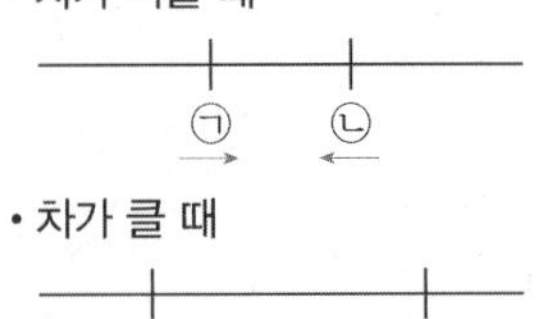

7 (1) 62+9=71이므로 17을 71로 바꿀 수 있는지 생각해 봅니다.

(2) 34−28=6이므로 계산 결과 74와 차가 큽니다. 따라서 차가 커지도록 34의 십의 자리 숫자 3을 큰 수로 바꿀 수 있는지 생각해 봅니다.

8 첫 번째 식에서 ●+●+▲+▲=40 ➡ (●+▲)+(●+▲)=40, ●+▲=20입니다.

●+▲=20이므로 두 번째 식에 넣으면

▲+▲+●+▲+▲=56 ➡ ▲+▲+20+▲=56, ▲+▲+▲=36, ▲=12입니다.

●+▲=20에서 ▲=12이므로 ●+12=20, ●=8입니다.

따라서 ●=8, ▲=12입니다.

사고력이 톡톡

114쪽

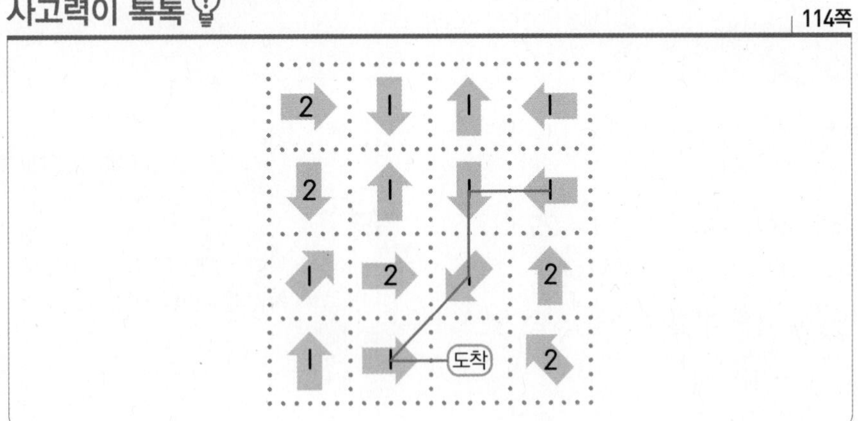

Ⅳ 측정

이번 단원에서는 단위길이와 길이 재기에 대한 이해를 깊게 하는 2가지 주제를 다룹니다.
첫째, 단위길이를 이용한 주제에서는 단위길이가 한 가지만 있을 때와 여러 가지가 있을 때 길이를 비교하는 상황을 접하게 됩니다. 이때 단위길이에 대한 개념을 적용해야 하며 어떻게 하면 길이를 좀 더 효율적으로 비교할 수 있을지 생각하며 문제를 풀어 보도록 합니다.
둘째, 자를 이용하여 길이를 재는 주제에서는 자의 일부분의 눈금이 지워지거나 부러져서 길이만 알 수 있을 경우의 길이 재기, 종이테이프와 벽지와 같이 단위길이가 여러 개 겹쳐져 있는 경우의 길이 재기를 배우게 됩니다.
생활 속에서 충분히 일어날 수 있는 상황으로써 학생들이 문제를 풀기에 앞서 이 상황을 충분히 공감하여 스스로 문제를 풀어 볼 수 있는 동기를 유발하며, 자신의 논리를 세워 문제를 해결하도록 합니다.

최상위 사고력 12 **단위로 길이 재기**

12-1. 길의 길이 재기 116~117쪽

1 ㉡

2 ㉢, ㉠, ㉡

최상위 사고력 예

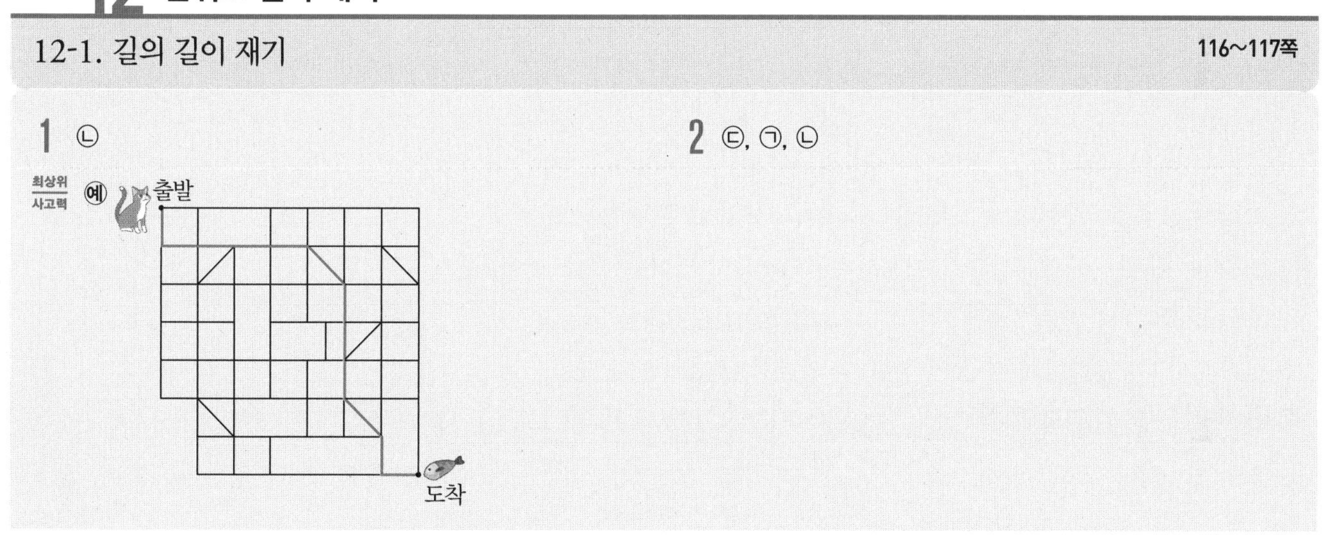

저자 톡! 한 가지 단위로만 되어 있는 길이를 비교할 때는 단위가 몇 번인지 직접 세어 보거나 같은 길이만큼 지우고 남은 부분의 수를 세어 볼 수도 있습니다. 출발점에서 도착점까지 길의 길이 재기 과정에서 문제의 의미를 이해하고 전략을 세우는 능력을 기를 수 있습니다.

1 위쪽으로는 움직이지 않고 아래쪽으로만 움직여야 가는 길이 짧아집니다.

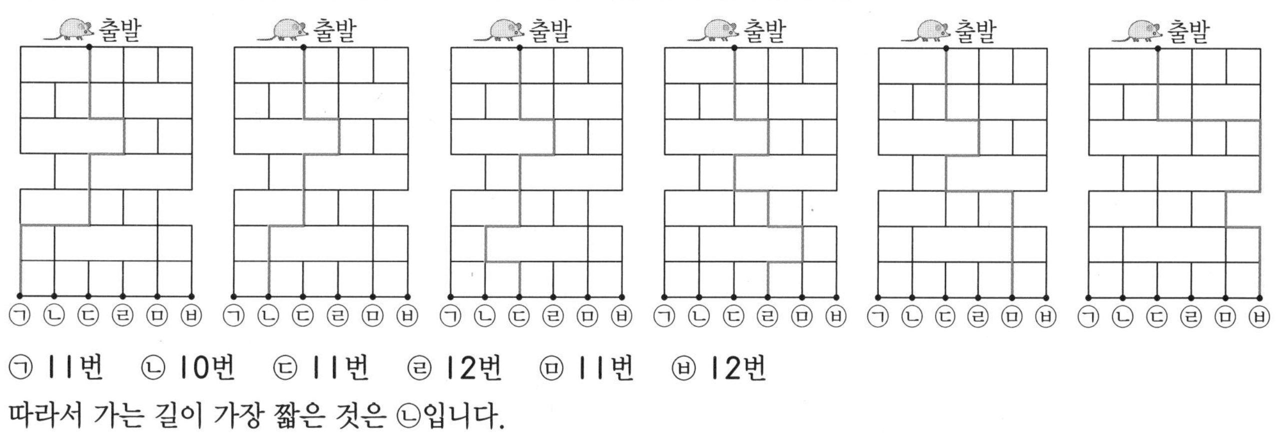

㉠ 11번 ㉡ 10번 ㉢ 11번 ㉣ 12번 ㉤ 11번 ㉥ 12번
따라서 가는 길이 가장 짧은 것은 ㉡입니다.

2

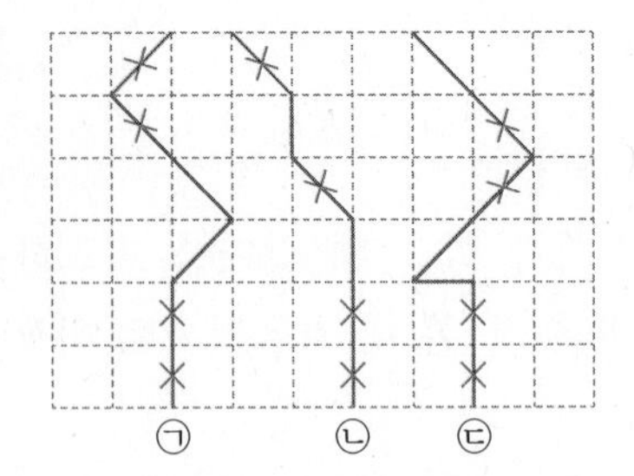

> 주의
> ╱의 길이는 ⬚의 길이보다 더 깁니다.

같은 길이만큼 지우고 남은 ╱과 ⬚의 수를 세어 길이를 비교합니다.

길	㉠	㉡	㉢
╱	2	0	2
⬚	0	2	1

따라서 길이가 긴 것부터 차례로 쓰면 ㉢, ㉠, ㉡입니다.

최상위 사고력

출발 A B C D 도착

> 해결 전략
> 가장 짧은 길로 가기 위해 반드시 지나야 하는 길을 먼저 찾습니다.

가장 짧은 길로 가려면 오른쪽이나 아래쪽으로만 움직여야 합니다. 또한 ⬚보다 ╱이 더 짧기 때문에 ╱을 많이 지나는 길을 찾아야 합니다. 따라서 점 A, 점 B, 점 C, 점 D를 반드시 지나가는 길을 찾습니다. (단, 출발점에서 점 A까지 갈 수 있는 길은 4가지가 있으므로 4가지 경우 모두 정답입니다.)

12-2. 여러 가지 단위로 길이 재기

118~119쪽

1 6 cm, 8 cm, 3 cm

최상위 사고력 A 16자루

최상위 사고력 B 22 cm

저자 톡! 여러 가지 단위가 섞여 있는 길이 비교는 복잡하고 어렵게 느껴질 수 있습니다. 이런 경우에도 같은 길이만큼 지우고 남은 부분의 길이를 비교하는 방법이 유용합니다. 더 나아가 단위의 순서를 바꾸거나 단위의 길이를 다른 단위의 길이로 바꾸어 보는 시도를 해 봅니다.

1 • 다음과 같이 셋째 줄의 연필과 지우개의 순서를 바꿔 둘째 줄과 길이를 비교해 봅니다.

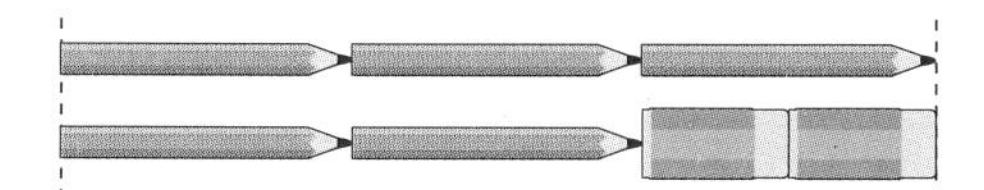

연필 1자루는 지우개 2개의 길이와 같으므로 연필 1자루의 길이는 $4+4=8$(cm)입니다.

• 첫째 줄과 둘째 줄을 비교해 봅니다.

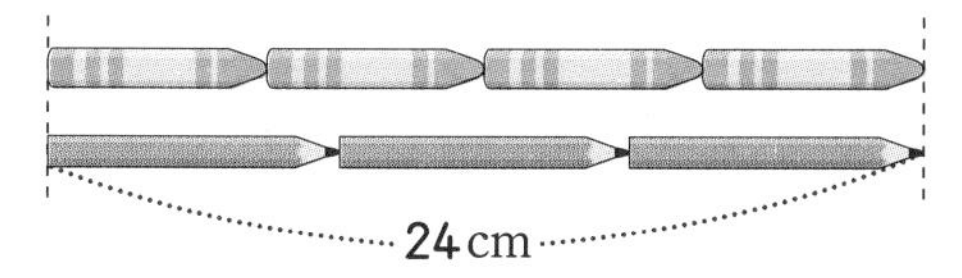

연필 3자루의 길이는 $8+8+8=24$(cm)이므로 크레파스 4자루의 길이는 24 cm입니다. $6+6+6+6=24$(cm)이므로 크레파스 1자루의 길이는 6 cm입니다.

• 첫째 줄과 넷째 줄을 비교해 봅니다.

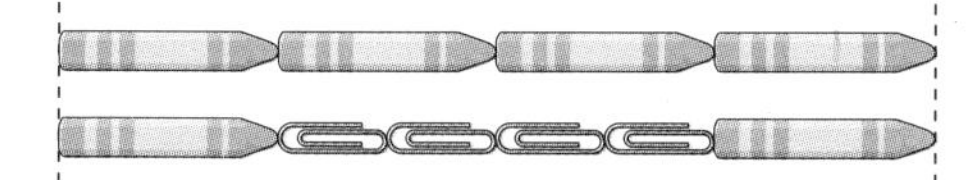

(클립 2개의 길이)=(크레파스 1자루의 길이)=6 cm이므로 클립 1개의 길이는 3 cm입니다.

따라서 크레파스의 길이는 6 cm, 연필의 길이는 8 cm, 클립의 길이는 3 cm입니다.

해결 전략
지우개의 길이를 이용하여 크레파스, 연필, 클립의 길이를 차례로 구합니다.

최상위 사고력 A 긴 연필 3자루, 짧은 연필 6자루의 길이의 합은 긴 연필 6자루, 짧은 연필 2자루의 길이의 합과 같습니다.

긴	긴	긴	짧	짧	짧	짧	짧	짧

긴	긴	긴	긴	긴	긴	짧	짧

그림에서 같은 길이만큼 지우고 나머지 길이를 비교하면
(긴 연필 3자루의 길이)=(짧은 연필 4자루의 길이)입니다.
따라서 (긴 연필 12자루의 길이)=(짧은 연필 16자루의 길이)입니다.

해결 전략
책상의 가로를 이용하여 긴 연필과 짧은 연필 길이의 관계를 찾습니다.

최상위 사고력 B 보라색 테이프 1개를 옆으로 더 붙여 생각합니다.

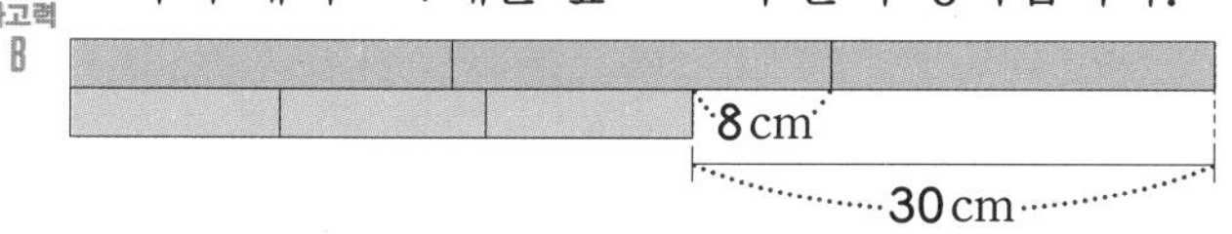

보라색 테이프 1개의 길이는 하늘색 테이프 1개의 길이보다 10 cm가 더 길므로
보라색 테이프 3개의 길이는 하늘색 테이프 3개의 길이보다 $10+10+10=30$(cm) 더 깁니다.
따라서 길이의 차를 이용하면 (보라색 테이프 1개의 길이)$=30-8=22$(cm)입니다.

12-3. 꺾인 끈의 길이 재기

120~121쪽

1 나, 20 cm **2** 14 cm

최상위 사고력 ㉣, ㉡, ㉠, ㉢

저자 톡! 앞에서는 평면에서 길이를 비교했다면 이번에는 공간에서 길이를 비교합니다. 상자와 같은 입체도형에 묶인 끈이 꺾여 있는 경우나 끈이 상자의 뒤쪽에 있어 보이지 않는 경우에는 끈의 길이를 비교하기 어렵습니다. 이때는 끈이 묶여 있는 모습을 상상해 보고 어렵다면 직접 구체물을 사용하여 머릿속에 나름의 공간지도를 만들어 보도록 합니다.

1 리본 모양을 만드는 데 사용된 끈의 길이가 같으므로 리본을 제외한 끈의 길이를 비교합니다.
끈의 길이를 보이지 않는 부분까지 생각하며 상자의 가로, 세로, 높이에 사용된 끈의 횟수를 구합니다.

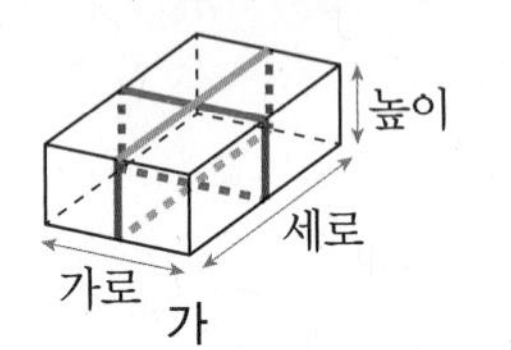

가

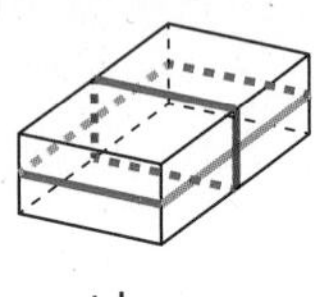
나

상자	가로(20 cm)	세로(30 cm)	높이(10 cm)
가	2번	2번	4번
나	4번	2번	2번

가는 끈이 가로 2번, 세로 2번, 높이 4번 사용되었으므로
(가에 사용된 끈의 길이) $=20+20+30+30+10+10+10+10=140$(cm)이고,
나는 끈이 가로 4번, 세로 2번, 높이 2번 사용되었으므로
(나에 사용된 끈의 길이) $=20+20+20+20+30+30+10+10=160$(cm)입니다.
따라서 $140<160$이므로 나 상자를 묶는데 끈을 $160-140=20$(cm)만큼 더 사용했습니다.

다른 풀이
세로에 사용된 끈의 횟수가 같으므로 가로와 높이만 비교합니다.
가로는 나 상자가 2번 더 사용하였으므로 나 상자가 $20+20=40$(cm)만큼 더 길고,
높이는 가 상자가 2번 더 사용하였으므로 가 상자가 $10+10=20$(cm)만큼 더 깁니다.
따라서 나 상자를 묶는데 끈을 $40-20=20$(cm) 더 사용하였습니다.

2 색 테이프의 양쪽 끝부분부터 접힌 부분을 차례로 펴서 생각합니다.

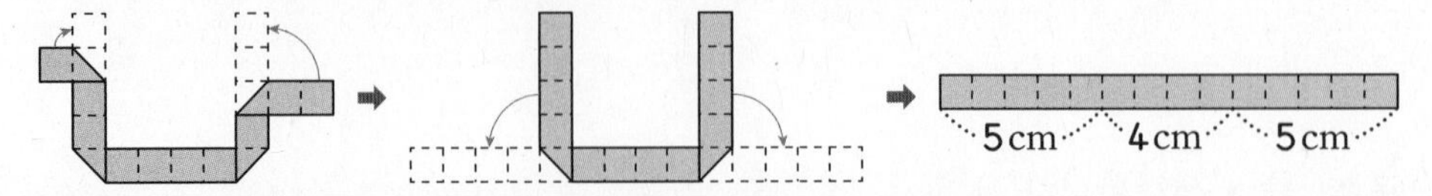

따라서 색 테이프의 길이는 $5+4+5=14$(cm)입니다.

다른 풀이
접힌 부분의 길이도 1 cm라는 것을 이용하여 색 테이프의 길이를 구합니다.

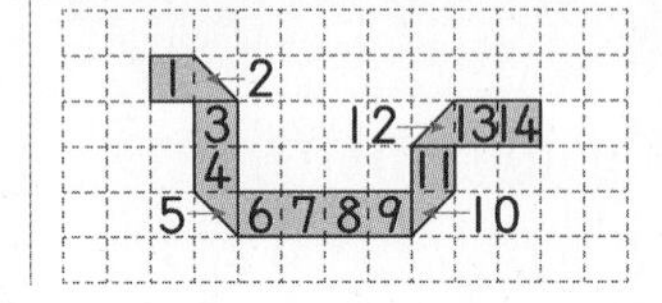

최상위 사고력 상자의 가로, 세로, 높이에 사용된 끈의 횟수를 구합니다.

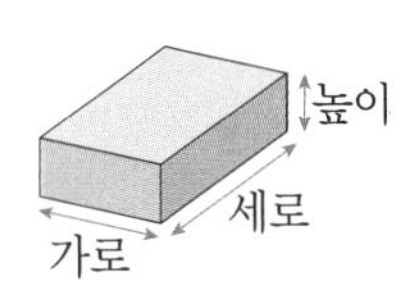

상자	㉠	㉡	㉢	㉣
가로	2번	4번	4번	2번
세로	2번	2번	0번	4번
높이	4번	2번	4번	2번

상자의 가로, 세로, 높이를 비교해 보면 세로>가로>높이입니다.

사용된 끈의 길이가 가장 긴 것부터 차례로 기호를 쓰면 ㉣, ㉡, ㉠, ㉢입니다.

최상위 사고력

122~123쪽

1 9 cm, 6 cm **2** 17 cm **3** 15개

1 • 첫째 줄에 있는 막대의 순서를 바꿔 셋째 줄과 비교해 봅니다.

다	다	나	다	나

⬇

다	다	다	~~나~~	~~나~~
나			~~나~~	~~나~~

같은 길이만큼 지우고 나머지 부분의 길이를 비교해 보면

(나 막대의 길이)=(다 막대의 길이)+(다 막대의 길이)+(다 막대의 길이)=2+2+2=6(cm)입니다.

• 둘째 줄과 셋째 줄을 비교해 봅니다.

(가 막대 2개의 길이)=(나 막대 3개의 길이)=6+6+6=18(cm)이므로

(가 막대의 길이)=9 cm입니다. (9+9=18)

따라서 가 막대의 길이는 9 cm, 나 막대의 길이는 6 cm입니다.

2

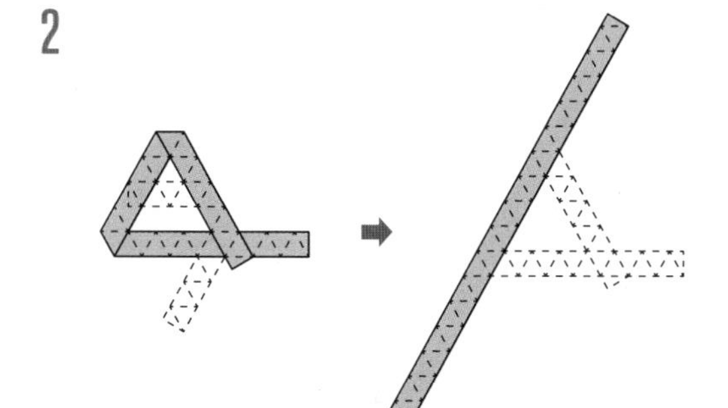

해결 전략
색 테이프의 양쪽 끝부분부터 접힌 부분을 차례로 펴서 생각합니다.

따라서 색 테이프의 길이는 17 cm입니다.

3 점 ㉠에서 6 cm를 움직여야 하므로 출발하여 가로와 세로 방향으로 움직일 수 있는 칸 수가 모두 6칸입니다.

아래와 같은 순서로 도착할 수 있는 점을 모두 찾아봅니다.

주의
움직일 수 있는 방향은 위쪽과 오른쪽 외에도 아래쪽과 왼쪽도 가능합니다.

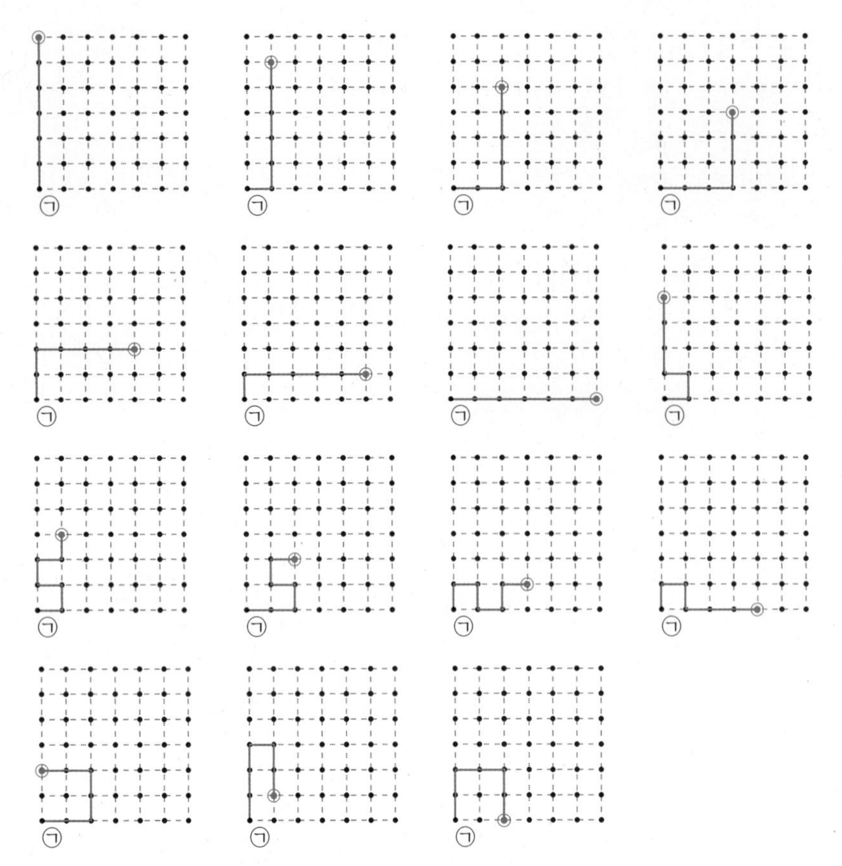

따라서 6 cm를 움직여서 도착할 수 있는 점은 모두 15개입니다.

최상위 사고력 13 잴 수 있는 길이

13-1. 눈금이 지워진 자

124~125쪽

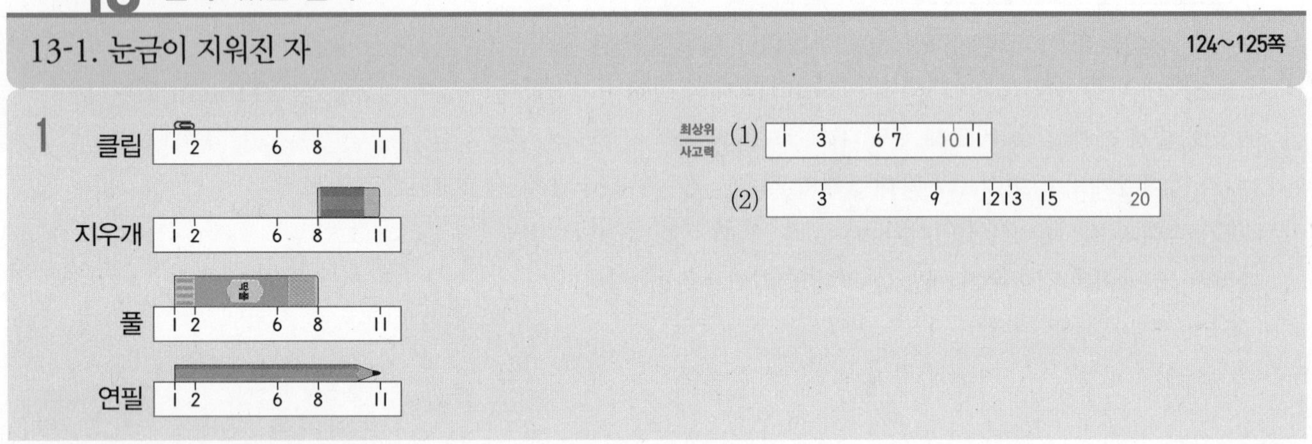

저자 톡! 보통 자로 길이를 잴 때는 한쪽 끝을 눈금 0에 맞추어 잽니다. 이 단원에서는 눈금의 일부분만 보이는 자를 이용하여 눈금 0이 아닌 다른 눈금에 맞추어 길이를 재어 보도록 합니다.

1 건전지 : 6−2=4(cm), 클립 : 2−1=1(cm), 지우개 : 11−8=3(cm), 풀 : 8−1=7(cm), 연필 : 11−1=10(cm)

최상위 사고력 (1)

길이(cm)	식	길이(cm)	식
1	7−6=1	6	7−1=6
2	3−1=2	7	×
3	6−3=3	8	11−3=8
4	7−3=4	9	×
5	11−6=5	10	11−1=10

보충 개념
2 cm 눈금 하나를 그으면 11−2=9(cm)를 잴 수 있지만 7 cm를 잴 수 없습니다.

잴 수 없는 길이는 7 cm, 9 cm입니다.
이 두 길이를 모두 잴 수 있는 경우는 $10-1=9$(cm), $10-3=7$(cm)이므로
10 cm 눈금 하나를 더 그립니다.

(2)

길이(cm)	식	길이(cm)	식
1	$13-12=1$	6	$9-3=6$
2	$15-13=2$	7	×
3	$12-9=3$	8	×
4	$13-9=4$	9	$12-3=9$
5	×	10	$13-3=10$

잴 수 없는 길이는 5 cm, 7 cm, 8 cm입니다.
이 세 길이를 모두 잴 수 있는 경우는 $20-15=5$(cm), $20-13=7$(cm), $20-12=8$(cm)이므로
20 cm 눈금 하나를 더 그립니다.

13-2. 겹쳐진 부분의 길이

126~127쪽

1 2, ×, ×, 3　　2 25 cm　　최상위 사고력 9개

저자 톡! 벽에 일정하게 겹쳐져 있는 벽지의 길이는 벽지 한 칸의 길이와 일정하게 겹쳐진 한 부분의 길이만 재면 전체 길이를 간단한 연산으로 알아낼 수 있습니다. 반복되는 규칙을 찾아 겹쳐진 부분의 길이를 정확하고 효율적으로 재는 경험을 해 봅니다.

1 전체의 길이가 10 cm이므로
(ㄱㄴ의 길이)=(ㄱㅁ의 길이)−(ㄴㅁ의 길이)=$10-8=2$(cm),
(ㄹㅁ의 길이)=(ㄱㅁ의 길이)−(ㄱㄹ의 길이)=$10-7=3$(cm)입니다.
ㄱㄴ의 길이가 2 cm, ㄱㄹ의 길이가 7 cm이므로
(ㄴㄹ의 길이)=(ㄱㄹ의 길이)−(ㄱㄴ의 길이)=$7-2=5$(cm)입니다.

주의
ㄴㄷ의 길이와 ㄷㄹ의 길이는 알 수 없습니다.

2 (색 테이프 6장의 길이의 합)=$5+5+5+5+5+5=30$(cm)
색 테이프 6장을 이어 붙일 때 겹쳐진 부분은 $6-1=5$(부분)입니다.
(겹쳐진 부분의 길이의 합)=$1+1+1+1+1=5$(cm)
따라서 이어 붙인 색 테이프의 전체 길이는 $30-5=25$(cm)입니다.

다른 풀이
두 번째부터 이어 붙인 색 테이프는 4 cm씩 붙인 셈이므로 이어 붙인 색 테이프의 전체 길이는 $5+\underbrace{4+4+4+4+4}_{5장}=25$(cm)입니다.

해결 전략
색 테이프를 겹쳐서 이어 붙이면 겹쳐진 부분만큼 전체 길이가 줄어듭니다.

최상위 사고력

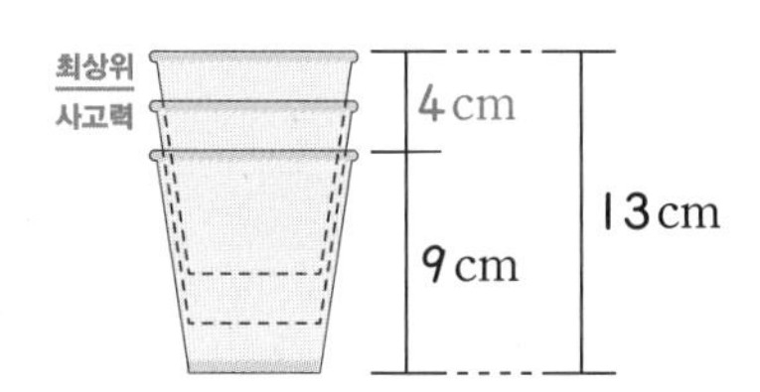

종이컵 2개를 더 쌓아 올렸을 때 $13-9=4$(cm)만큼 높아졌으므로 종이컵 1개를 쌓아 올릴 때마다 2 cm만큼 높아집니다. 현재 종이컵 3개를 쌓은 높이가 13 cm이고 $13+\underbrace{2+2+2+2+2+2+2+2+2}_{9개}=31$(cm)이므로
쌓인 종이컵의 높이가 30 cm를 넘게 하려면 종이컵은 최소 9개를 더 쌓아 올려야 합니다.

해결 전략
종이컵 1개를 쌓아 올릴 때마다 높이가 몇 cm씩 높아지는지 알아봅니다.

13-3. 길이가 주어진 막대

128~129쪽

1

길이	식
1	1
2	3−1=2
3	3
4	4
5	×
6	11−1−4=6
7	11−4=7
8	11−3=8 또는 11+1−4=8
9	×

길이	식
10	11−1=10 또는 11+3−4=10
11	11
12	11+1=12
13	×
14	11+3=14 또는 11+4−1=14
15	11+4=15
16	11+4+1=16
17	×
18	11+3+4=18

2 11가지

최상위 사고력 1 cm, 3 cm, 9 cm

저자 톡! 앞에서는 하나로 이어진 자를 이용하여 길이를 재어 봤다면 이번에는 구부러진 자 또는 막대를 이용하여 여러 가지 길이를 재어 봅니다. 사용하는 막대의 개수, 막대를 붙이는 방법에 따라 잴 수 있는 길이가 다양해집니다. 잴 수 있는 길이를 빠짐없이 모두 찾을 수 있도록 자기 나름의 방법을 찾아보도록 합니다.

1 막대를 길게 펴거나 겹쳐서 잴 수 있는 길이를 모두 찾아봅니다.
막대를 길게 펴서 잰 경우는 덧셈식으로 나타내고, 겹쳐서 잰 경우는 뺄셈식으로 나타냅니다.
(단, 잴 수 있는 길이를 구하는 식은 여러 가지입니다.)

주의
막대를 돌려서 움직일 수는 있지만 막대를 떼어 움직일 수는 없습니다.

2 막대로 가장 길게 잴 수 있는 길이는 세 막대를 모두 옆으로 붙였을 때인 12 cm입니다. 1 cm부터 12 cm까지의 길이 중 잴 수 있는 길이를 모두 찾아봅니다.

주의
막대를 위, 아래로 붙일 수도 있지만 막대의 세로 길이가 정해지지 않았을 때는 세로의 길이를 이용하여 잴 수는 없습니다.

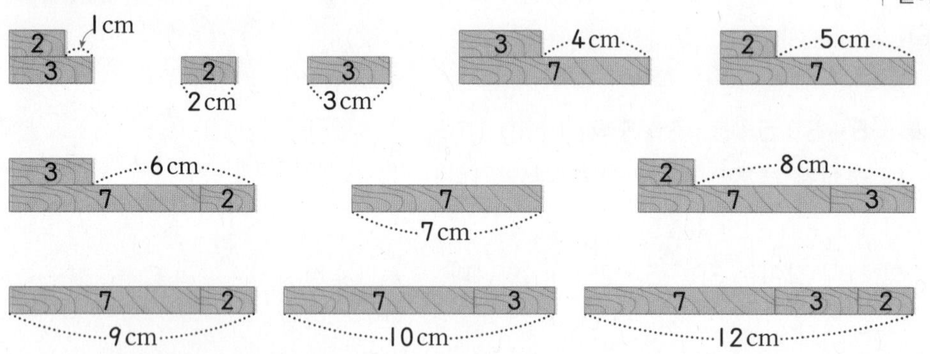

➡ 11 cm를 제외한 11가지의 길이를 잴 수 있습니다.

최상위 사고력 막대를 3개만 사용하면서
1 cm부터 13 cm까지 1 cm 간격의 길이를 모두 잴 수 있도록 막대를 고릅니다.

잴 수 있는 길이	고른 막대	고른 이유
1 cm	1	가장 짧은 길이 1 cm가 필요합니다.
1 cm~4 cm	1, 3	2를 선택하면 필요없는 1 cm를 재게 되고, 4를 선택하면 2 cm를 잴 수 없습니다.
1 cm~13 cm	1, 3, 9	5, 6, 7, 8을 선택하면 필요없는 1 cm, 2 cm, 3 cm, 4 cm를 재게 되고, 10을 고르면 5 cm를 잴 수 없습니다.

따라서 골라야 하는 막대는 1 cm, 3 cm, 9 cm입니다.

최상위 사고력

130~131쪽

1 8가지 **2** 9 cm

3 8 cm, 9 cm, 10 cm, 11 cm, 12 cm, 13 cm **4** 6, 12

1 두 삼각자로 잴 수 있는 가장 짧은 길이는 4−3=1(cm)이고, 잴 수 있는 가장 긴 길이는 5+3=8(cm)입니다.

> 해결 전략
> 두 삼각자로 잴 수 있는 가장 짧은 길이와 가장 긴 길이를 먼저 찾습니다.

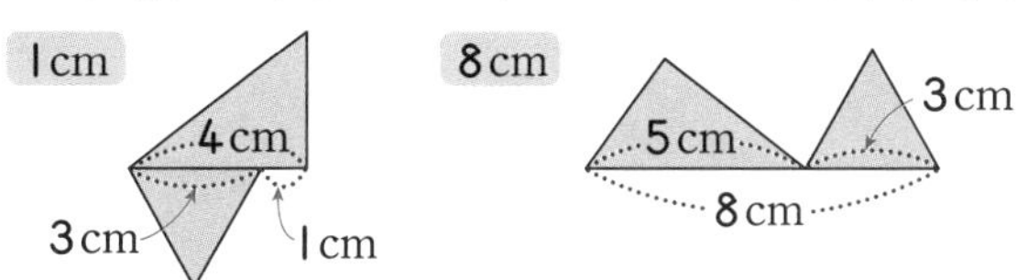

1 cm보다 길고 8 cm보다 짧은 길이도 잴 수 있는지 찾아봅니다.

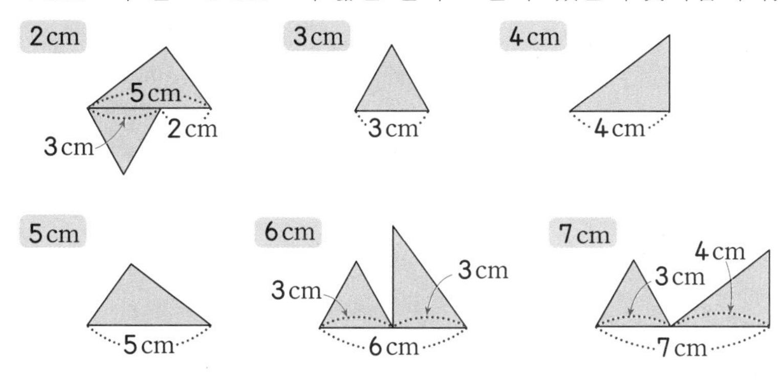

따라서 두 삼각자로 잴 수 있는 길이는 1 cm, 2 cm, 3 cm, 4 cm, 5 cm, 6 cm, 7 cm, 8 cm로 모두 8가지입니다.

2 색 테이프 5장의 겹쳐진 부분은 5−1=4(부분)입니다.
겹쳐진 부분의 길이의 합은 3+3+3+3=12(cm)이므로
색 테이프 5장의 길이의 합은 33+12=45(cm)입니다.
9+9+9+9+9=45이므로 색 테이프 1장의 길이는 9 cm입니다.

> 다른 풀이
> 색 테이프 1장의 길이를 □cm라 하면
> □+(□−3)+(□−3)+(□−3)+(□−3)=33(cm),
> □+□+□+□+□−12=33(cm), □+□+□+□+□=45(cm)이고,
> 9+9+9+9+9=45이므로 □=9 cm입니다.

3 상자 3개를 모두 쌓아 구할 수 있는 가장 짧은 길이는 3+3+2=8(cm), 가장 긴 길이는 4+4+5=13(cm)입니다.
8 cm보다 길고 13 cm보다 짧은 길이도 구할 수 있는지 찾아봅니다.

> 해결 전략
> 상자를 모두 쌓아 구할 수 있는 가장 짧은 길이와 가장 긴 길이를 먼저 구합니다.

길이(cm)	식	길이(cm)	식
9	3+3+3=9	11	4+4+3=11
10	4+3+3=10	12	3+4+5=12

따라서 상자 3개를 모두 쌓아 구할 수 있는 높이는 8 cm, 9 cm, 10 cm, 11 cm, 12 cm, 13 cm입니다.

4 점 ㄹ은 점 ㄷ과 점 ㅁ의 한가운데에 있으므로 점 ㄷ과 점 ㄹ 사이의 길이는 점 ㄹ과 점 ㅁ 사이의 길이와 같습니다.

점 ㄹ과 점 ㅁ 사이의 길이를 □cm라 하면 다음과 같습니다.

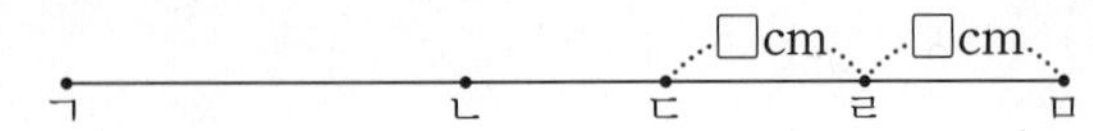

점 ㄷ은 점 ㄴ과 점 ㄹ의 한가운데에 있으므로 점 ㄴ과 점 ㄷ 사이의 길이는 점 ㄷ과 점 ㄹ 사이의 길이와 같습니다.

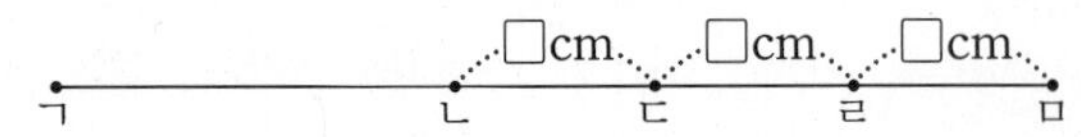

점 ㄴ은 점 ㄱ과 점 ㄹ의 한가운데에 있으므로 점 ㄱ과 점 ㄴ 사이의 길이는 점 ㄴ과 점 ㄹ 사이의 길이와 같습니다.

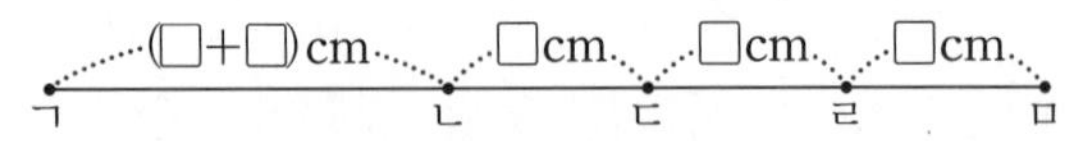

점 ㄱ과 점 ㅁ 사이의 길이가 30 cm이므로

□+□+□+□+□=30(cm), □=6 cm입니다. (6+6+6+6+6=30)

따라서 ㄹㅁ의 길이는 □=6 cm이고

ㄱㄴ의 길이는 □+□=6+6=12(cm)입니다.

Review Ⅳ 측정

132~134쪽

1 ㉡	**2** 10가지	**3** 52 cm
4 14 cm	**5** 16 cm, 17 cm, 20 cm	**6** 14 cm

1 같은 길이만큼 지우고 남은 길의 길이를 비교합니다.

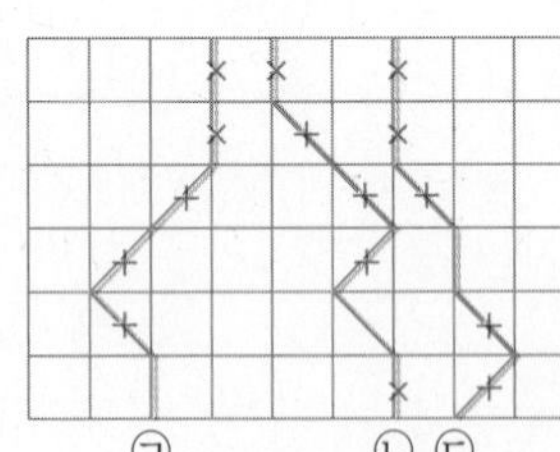

㉠: □ 1개, ▱ 0개

㉡: □ 0개, ▱ 1개

㉢: □ 1개, ▱ 0개

▱의 길이는 □의 길이보다 더 길므로 길이가 가장 긴 것은 ㉡입니다.

2

길이(cm)	식
1	3−2=1
2	2
3	3
4	9−5=4
5	5

길이(cm)	식
6	9−3=6
7	5+2=7
8	×
9	9
10	×

길이(cm)	식
11	×
12	9+3=12
13	×
14	9+5=14

따라서 두 종이로 잴 수 있는 길이는 10가지입니다.

해결 전략

두 종이를 나란히 옆으로 붙여서 길이를 재는 경우와 위, 아래로 붙여서 재는 경우를 모두 생각합니다.

3 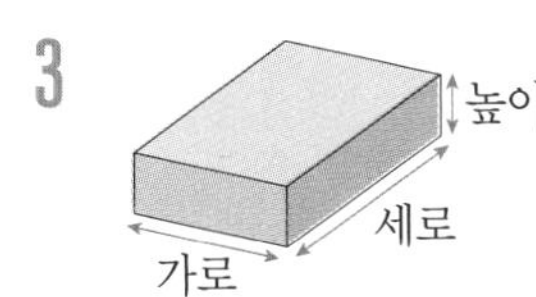

가로: 4번, 세로: 2번, 높이: 6번

따라서 상자를 묶는데 사용된 끈의 길이는

$(6+6+6+6)+(8+8)+(2+2+2+2+2+2)$

(가로의 합) (세로의 합) (높이의 합)

$=52$(cm)입니다.

해결 전략
상자의 가로, 세로, 높이에 사용된 끈의 횟수를 구합니다.

4 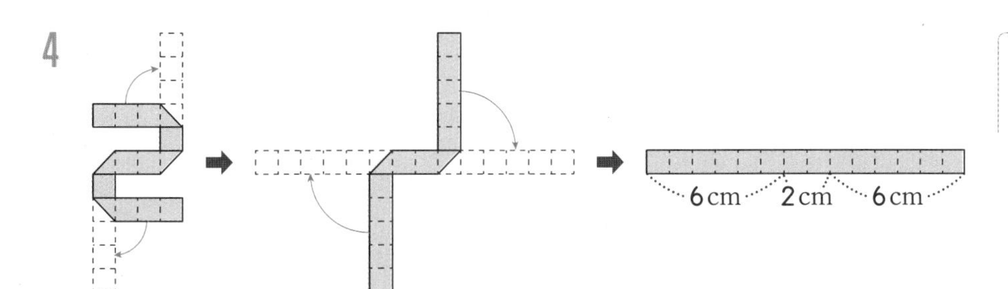

따라서 색 테이프의 길이는 $6+2+6=14$(cm)입니다.

다른 풀이
접힌 부분의 길이도 1 cm라는 것을 이용하여 색 테이프의 길이를 구합니다.

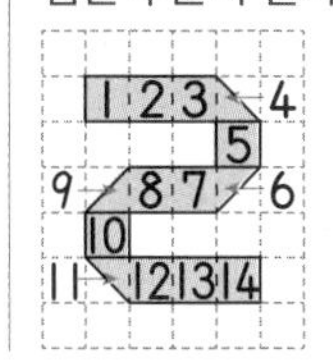

해결 전략
색 테이프의 양쪽 끝부분부터 접힌 부분을 차례로 펴서 생각합니다.

5

길이(cm)	식
1	$4-3=1$
2	$10-3-5=2$
3	3
4	4
5	5
6	$10-4=6$
7	$3+4=7$
8	$10-5+3=8$
9	$10-5+4=9$
10	10

길이(cm)	식
11	$10-4+5=11$
12	$10-3+5=12$
13	$10+3=13$
14	$10+4=14$
15	$10+5=15$
16	×
17	×
18	$10+3+5=18$
19	$10+4+5=19$
20	×

따라서 이 막대로 잴 수 없는 길이는 16 cm, 17 cm, 20 cm입니다.
잴 수 있는 길이를 구하는 식은 여러 가지입니다.

해결 전략
막대를 길게 펴서 잰 경우는 덧셈식으로 나타내고, 겹쳐서 잰 경우는 뺄셈식으로 나타냅니다.

6 그림으로 나타내면 다음과 같습니다.

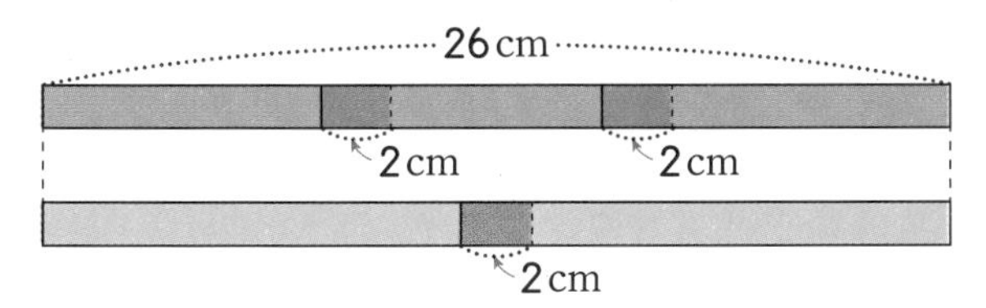

(파란색 테이프의 전체 길이)$=10+10+10-2-2=26$(cm)

노란색 테이프 1장의 길이를 □cm라 하면

□+□$-2=26$(cm), □+□$=28$(cm), □$=14$ cm입니다.

따라서 노란색 테이프 1장의 길이는 14 cm입니다.

V 확률과 통계

과거에 사람들은 정보를 얻기 위해서 수많은 책을 찾아보거나 사람을 직접 찾아가 물어보아야 했습니다. 요즘은 스마트폰, 컴퓨터만 있으면 언제든지 인터넷을 통해 수많은 정보를 얻을 수 있습니다. 하지만 그 정보가 진실인지 거짓인지, 또 나에게 유용한지를 판단하는 것이 현재 사람들에게 주어진 과제입니다. '분류하기'는 이렇게 수많은 정보를 의미 있는 자료로 만들어 주는 가장 기초적이며 중요한 능력이라고 할 수 있습니다.

이번 단원의 첫 번째 주제로는 정해진 기준에 따라 사물들을 분류하고, 분류하기를 좀 더 효율적으로 하기 위해 다양한 그림, 표와 같은 도구를 활용하게 됩니다.

두 번째 주제로는 도형이나 사물이 분류된 기준을 나름의 논리를 세워 찾고, 그 기준에 맞추어 사물들을 분류하고 잘못 분류된 것을 집어내는 활동을 하게 됩니다.

이 단원에서 배우게 될 내용은 다른 영역에서 배우는 내용보다 우리 실생활과 더 연관성이 높습니다. 지금까지 가지고 있던 배경지식을 토대로 다양하게 생각하고 재미있게 문제를 풀어 보며 우리 주변에서도 활용해 봅니다.

최상위 사고력 14 분류와 기준

14-1. 기준에 따라 분류하기

136~137쪽

1

곧은 선이 있습니다.	곧은 선이 없습니다.
A, D, E, F, L, M, N, P, R, T, V, Z	C, O, S

선으로 완전히 둘러싸인 곳이 있습니다.	선으로 완전히 둘러싸인 곳이 없습니다.
R, A, D, O, P	C, E, F, L, M, N, S, T, V, Z

반으로 접었을 때 완전히 겹쳐집니다.	반으로 접었을 때 완전히 겹쳐지지 않습니다.
C, A, D, E, M, O, T, V	F, L, N, P, R, S, Z

최상위 사고력 (1) ㉠, ㉢, ㉣, ㉤ (2) ㉠, ㉢, ㉤

저자 톡! 사물, 글자, 그림 등 우리 주변에는 분류할 수 있는 대상이 무수히 많습니다. 이 단원에서는 다양한 대상을 한 가지 기준에 따라 분류하기를 배워봅니다. 이외에도 주변의 여러 가지 대상을 나름의 기준으로 분류해 보는 것도 좋습니다.

1 • 굽은 선만 있는 알파벳은 **C, O, S**입니다.
• 선으로 완전히 둘러싸인 곳이 있는 알파벳은 **R, A, D, O, P**입니다.
• **C, A, D, E, M, O, T, V**는 다음과 같이 점선을 기준으로 접으면 완전히 겹쳐집니다.

C A D E M O T V

지도 가이드
초등수학 교육과정에 따라 직선이나 선분은 곧은 선으로, 곡선은 굽은 선으로 표현하였습니다. 그리고 대칭은 반으로 접었을 때 완전히 겹쳐지는 모양으로 표현하였습니다.

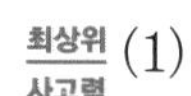
(1)
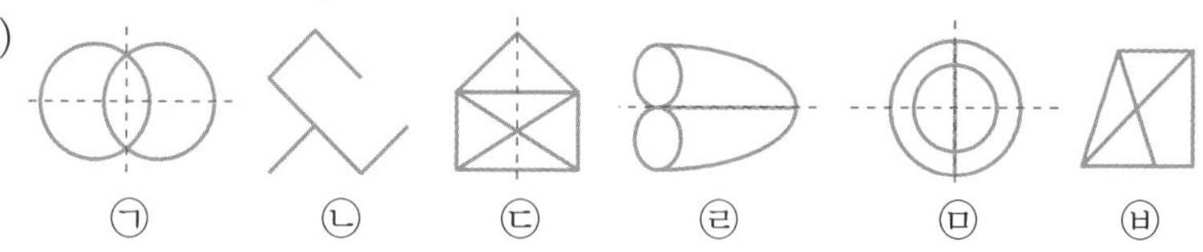

따라서 반으로 접을 때 완전히 겹쳐지는 모양은 ㉠, ㉢, ㉣, ㉤입니다.

> **보충 개념**
> 도형의 한 점에서 시작하여 연필을 종이에서 떼지 않고 중복되지 않게 도형의 모든 선을 그리는 것을 '한붓그리기'라고 합니다.

(2)
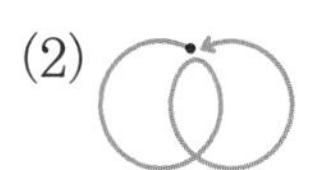

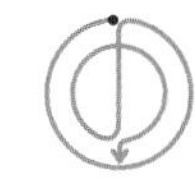

이외에도 여러 가지 방법으로 그릴 수 있습니다.
따라서 연필을 종이에서 떼지 않고 모든 선을 한 번씩만 지나도록 그릴 수 있는 모양은 ㉠, ㉢, ㉤입니다.

> **지도 가이드**
> 반으로 접을 때 완전히 겹쳐지는 모양을 대칭이라고 합니다. 대칭의 개념을 어려워할 경우 색종이를 반으로 접어 보거나, 종이에 물감을 묻혀 반으로 접었다 펴는 활동을 통해 이해를 돕도록 합니다.

14-2. 여러 가지 기준으로 분류하기

138~139쪽

1

얼굴 모양 \ 뿔의 개수	1개	2개	3개
○			
□			
▽			

최상위 사고력 (1) 95, 705 (2) 705

2 (위에서부터) 133, 282, 55, 666 / 342, 96, 208, 73, 760, 519 / 133, 55 / 282, 666 / 73, 519 / 342, 96, 208, 760

저자 톡! 앞에서는 사물을 한 가지 기준으로 분류하였다면 이번에는 사물을 여러 가지 기준으로 분류합니다.
사물을 분류할 때는 주로 표, 나뭇가지 그림, 벤 다이어그램을 사용하며 각각의 방법을 사용할 때의 편리한 점을 생각해 봅니다.

1 각 가로줄과 각 세로줄에서 공통점을 찾아봅니다.
같은 가로줄에는 얼굴 모양이 같고, 같은 세로줄에는 뿔의 개수가 같습니다.

2 짝수는 둘씩 짝지을 수 있는 수이고, 홀수는 둘씩 짝지었을 때 남는 것이 있는 수입니다.
일의 자리 숫자에 따라 짝수와 홀수를 구분할 수 있습니다. 짝수는 일의 자리 숫자가 0, 2, 4, 6, 8인 수이고, 홀수는 일의 자리 숫자가 1, 3, 5, 7, 9인 수입니다.

> **보충 개념**
> 수와 숫자: 수는 많고 적음을 셀 수 있는 크기의 양, 범위, 순서 등을 나타내는 것이고, 숫자는 수를 표시하기 위한 기호입니다.
> 예를 들어 사과 세 개, 연필 세 자루를 모두 셋이라고 말할 때 셋은 수이고, 이것을 3이라는 숫자로 표현합니다.
> 숫자는 0, 1, 2, 3, 4, 5, 6, 7, 8, 9로 열 개뿐입니다.

최상위 사고력 색칠한 부분은 주어진 분류 기준에 공통으로 해당되는 수를 나타냅니다.

(1) 숫자 5가 있는 수 / 각 자리 숫자의 합이 10보다 큰 수

153, 115, 531 / 95, 705 / 83, 247, 76

(2)

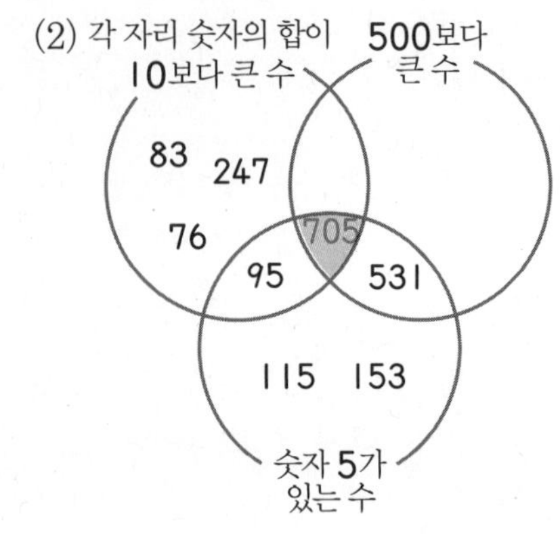

14-3. 분류 기준 찾기

140~141쪽

1 아니요

2 예 싱싱은 그림이 나타내는 단어에 '사'가 들어간 것입니다.

최상위 사고력 (위에서부터) (×) (○) (○) (×)

저자 톡! 수수께끼와 같은 재미있는 질문과 대답 형식을 통해 '어떤 단어'가 무엇을 의미하는지를 찾는 단원입니다. '어떤 단어'는 사물의 모양, 색깔 등 다양한 공통점 또는 차이점을 가지고 있습니다. 앞에서는 주어진 기준에 따라 사물을 분류하였다면 이번에는 스스로 기준을 찾아 사물을 분류해 봅니다.

1

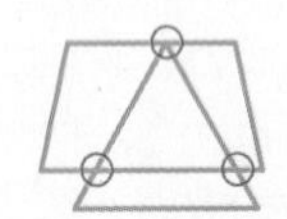

세 점에서 만납니다.

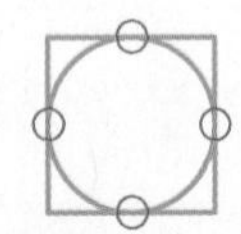

네 점에서 만납니다.

여섯 점에서 만납니다.

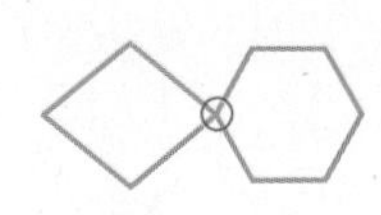

한 점에서 만납니다.

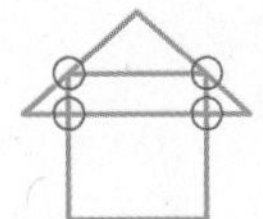

네 점에서 만납니다.

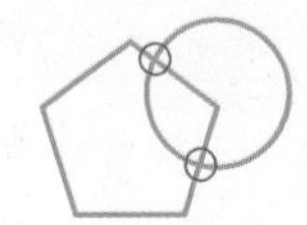

두 점에서 만납니다.

미미인 것과 미미가 아닌 것을 비교하여 공통점과 차이점을 찾아보면 미미는 두 도형이 4개의 점에서 만나는 것이고, 미미가 아닌 것은 두 도형이 4개의 점에서 만나지 않습니다.

해결 전략

미미인 것과 미미가 아닌 것을 비교하여 공통점과 차이점을 찾아봅니다.

도형의 모양, 겹치는 부분, 만나는 점, 곡선과 직선의 수 등 다양한 조건을 따져 봅니다.

다른 풀이

미미는 두 도형이 겹쳐져서 생기는 영역의 수가 5군데이고, 미미가 아닌 것은 두 도형이 겹쳐져서 생기는 영역의 수가 5군데가 아닙니다.

• 미미인 것

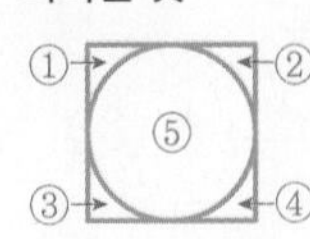
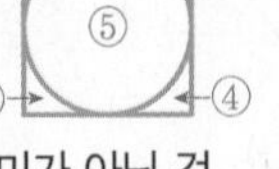
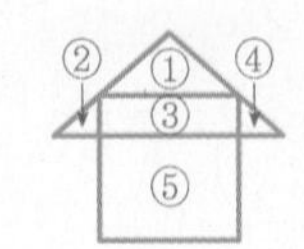

• 미미가 아닌 것

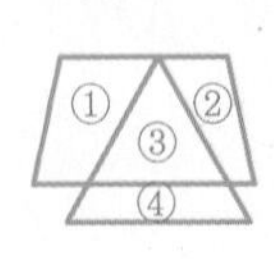
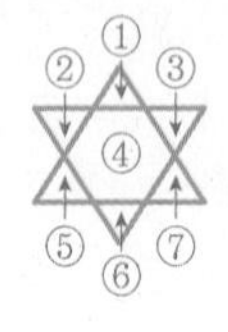
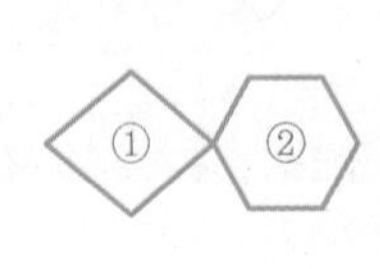
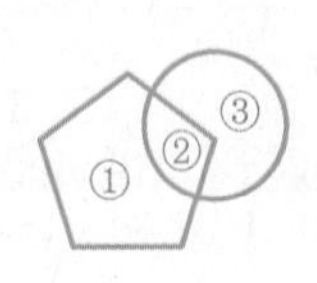

2 그림이 나타내는 단어를 차례로 적어 보면 사자, 개미, 사슴, 코끼리, 주사기, 자동차입니다. 이 중에서 싱싱인 것의 공통점은 그림이 나타내는 단어에 '사'가 들어간 것입니다.

최상위 사고력 루루는 곧은 선과 굽은 선이 모두 있는 모양입니다.

따라서 와 가 루루입니다.

> 해결 전략
> 루루인 것과 루루가 아닌 것을 비교하여 공통점과 차이점을 찾아봅니다.

최상위 사고력

142~143쪽

1 ⑩ 초록색이 있는 것, 초록색이 없는 것 / ⑩ 삼각형이 없는 것, 삼각형이 있는 것

2 (×) / (○)

3 ㉠: ③, ⑤, ㉡: ④, ⑥, ㉢: ②, ⑧

4 ㉢, ㉡, ㉠

1 방법2 를 사각형으로만 되어 있는 것, 사각형으로만 되어 있지 않은 것 등으로 분류할 수도 있습니다.

2 호호는 글자 중에 ㅁ이 들어간 것입니다. 글자 **병**에는 ㅁ이 들어가 있지 않으므로 호호가 아니고, 글자 **문**에는 ㅁ이 들어가 있으므로 호호입니다.

> 해결 전략
> 호호인 것과 호호가 아닌 것을 비교하여 호호인 것의 특징을 찾습니다.

3

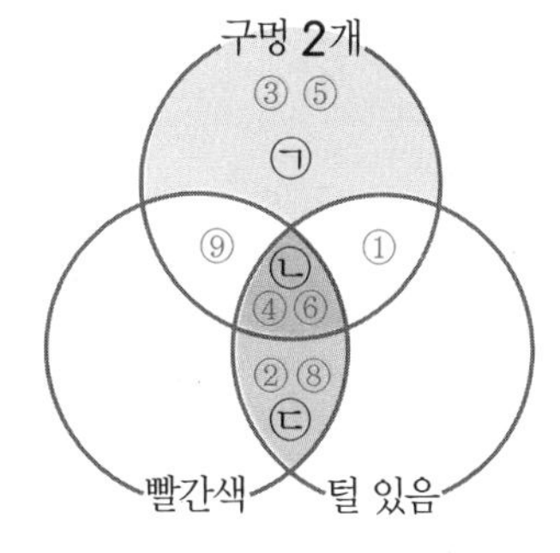

㉠: 구멍이 2개이고, 빨간색이 아니며 털이 없습니다. ➡ ③, ⑤

㉡: 구멍이 2개이고, 빨간색이며 털이 있습니다. ➡ ④, ⑥

㉢: 구멍이 2개가 아니고, 빨간색이며 털이 있습니다. ➡ ②, ⑧

> 주의
> ⑦은 구멍이 2개가 아니고, 빨간색이 아니며 털이 없으므로 그림 안에 넣을 수 없습니다.

4 기준 ①에서 ㉠, ㉢과 ㉡, ㉣로 분류한 기준을 각 자리 숫자의 크기로 살펴봅니다.
기준 ②에서 ㉠, ㉡과 ㉢, ㉣로 분류한 기준을 일의 자리 숫자로 살펴봅니다.
따라서 13은 ㉢에, 842는 ㉡에, 578은 ㉠에 들어갑니다.

> 다른 풀이
> ㉠은 각 자리 숫자가 낮은 자리로 갈수록 점점 커지면서 짝수인 수입니다.
> ㉡은 각 자리 숫자가 낮은 자리로 갈수록 점점 작아지면서 짝수인 수입니다.
> ㉢은 각 자리 숫자가 낮은 자리로 갈수록 점점 커지면서 홀수인 수입니다.
> ㉣은 각 자리 숫자가 낮은 자리로 갈수록 점점 작아지면서 홀수인 수입니다.
> 13은 각 자리 숫자가 낮은 자리로 갈수록 점점 커지면서 홀수이므로 ㉢입니다.
> 842는 각 자리 숫자가 낮은 자리로 갈수록 점점 작아지면서 짝수이므로 ㉡입니다.
> 578은 각 자리 숫자가 낮은 자리로 갈수록 점점 커지면서 짝수이므로 ㉠입니다.

15-1. 공통점과 차이점

144~145쪽

1 (1) ㉮ 왼쪽 도형은 삼각형이고, 오른쪽 도형은 사각형입니다. (2) ㉮ 왼쪽 도형은 선을 안쪽부터 그릴 때 시계 방향으로 그린 것이고, 오른쪽 도형은 선을 안쪽부터 그릴 때 시계 반대 방향으로 그린 것입니다. (3) ㉮ 왼쪽 도형은 ＼ 방향으로 반으로 접었을 때 완전히 겹쳐지고, 오른쪽 도형은 ＼ 방향으로 반으로 접었을 때 완전히 겹쳐지지 않습니다.

최상위 사고력 A (1) (2)

최상위 사고력 B

저자 톡! 여러 가지 속성이 있는 도형들이 어떠한 공통점과 차이점을 기준으로 분류되어 있는지 찾는 내용입니다. 색깔, 개수, 모양, 위치 등 다양한 속성을 분류 기준으로 정하고, 대상 하나하나에 적용해 보며, 분류한 이유를 바르게 설명할 수 있어야 합니다.

1 (3)

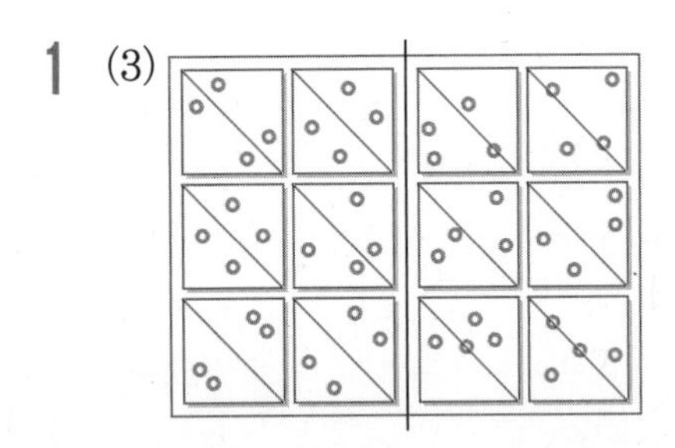

최상위 사고력 A (1) 왼쪽 도형은 선끼리 만나는 부분이 있고, 오른쪽 도형은 선끼리 만나는 부분이 없습니다.
(2) 왼쪽 도형은 삼각형이 원보다 크고, 오른쪽 도형은 삼각형이 원보다 작습니다.

해결 전략
놓인 도형들의 공통점을 찾고 잘못 놓인 도형을 찾아봅니다.

최상위 사고력 B 주어진 2장의 카드의 모양과 색깔, 무늬, 개수가 모두 다르므로 나머지 1장의 카드는 주어진 2장의 카드와 모양과 색깔, 무늬, 개수가 모두 달라야 세트가 됩니다.
따라서 빈 곳에 알맞은 그림은 ◇입니다.

해결 전략
주어진 2장의 카드의 모양, 개수, 색깔, 무늬를 비교하여 나머지 한 장의 카드를 결정합니다.

15-2. 유비추론

146~147쪽

1 (1) 장갑 (2) (3) (4)

2 ④, ②

최상위 사고력 (1) (2)

저자 톡! 주어진 단어 또는 그림 사이의 관계를 파악하여 빈 곳에 들어갈 것을 추론하는 내용입니다. 모양, 개수, 크기, 무늬 등 여러 가지 기준으로 공통점과 차이점을 살펴보며 문제를 해결해 나가며 추론 능력, 관찰력, 집중력 등 복합적인 능력을 길러 봅니다.

1 (1) 신체 부위와 그 신체에 신거나 낄 수 있는 사물의 관계입니다.
(2) 색칠된 부분은 색칠하지 않고, 색칠되지 않은 부분은 색칠합니다.
(3) 도형을 시계 방향 또는 시계 반대 방향으로 반의 반바퀴 돌립니다.
(4) 안쪽 도형은 그대로 두고 바깥쪽 도형의 크기를 줄여 안쪽 도형에 맞닿게 그립니다.

해결 전략
A : B=C : D일 때 A와 B의 관계를 먼저 찾고 이 관계를 C와 D에 그대로 적용합니다.

보충 개념
주어진 단어 또는 그림의 관계를 찾아내어 예측하는 것을 '유비추론'이라고 합니다.

2 둘러싸인 곧은 선의 개수를 1개씩 늘리는 관계로 나타낼 수 있습니다.

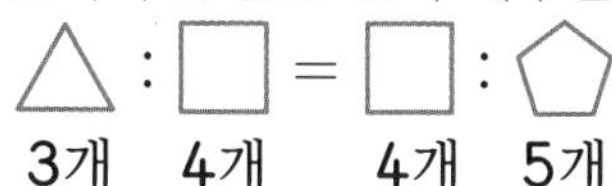

최상위 사고력 (1) 화살표 방향으로 규칙을 찾아봅니다.

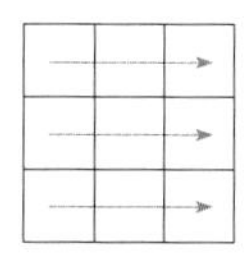

앞에서부터 차례로 반시계 방향으로 회전하는 규칙입니다.

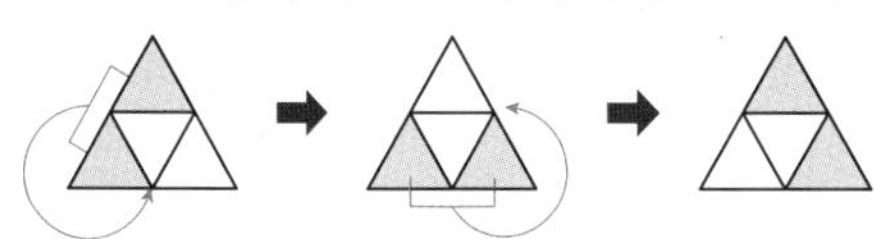

다른 풀이
오른쪽과 같은 방향으로 규칙을 찾을 수도 있습니다.
위에서부터 시계 방향으로 회전하는 규칙입니다.

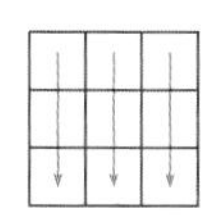

(2) 가로 방향으로 세 번째 그림은 첫 번째 그림과 두 번째 그림을 합쳐서 나타냅니다. 이때 두 그림이 겹치는 부분은 색칠하지 않습니다.

해결 전략
그림이 변화하는 특징을 가로 방향과 세로 방향으로 나누어 살펴봅니다.

15-3. 속성 카드 잇기

148~149쪽

1 ㉡　　2 ⑤, ⑦, ⑥　　최상위 사고력 ③, ②

저자 톡! 앞에서는 공통점이 한 가지인 것들을 두 부분으로 분류하는 내용이었다면 이번에는 공통점의 수에 따라 도형을 분류합니다. 공통점을 찾을 때는 모양, 색깔, 개수 등의 도형의 속성을 먼저 찾을 수 있어야 합니다.

1 왼쪽 도형은 원에 무늬가 있고 크기가 큰 도형입니다.
㉠ 왼쪽 도형과 크기가 같습니다.(큰 것)
㉢ 왼쪽 도형과 무늬가 같습니다.
㉣ 왼쪽 도형과 모양이 같습니다.
따라서 왼쪽 도형과 속성이 모두 다른 도형은 ㉡입니다.

2 도형 카드에 있는 속성은 모양(△, ⬡, □, ○), 색깔(빨강, 파랑, 노랑), 크기(큰 것, 작은 것) 3가지가 있습니다.

> 해결 전략
> 도형 카드에 몇 가지 속성이 있는지 알아보고, 이웃한 카드 사이의 관계를 알아봅니다.

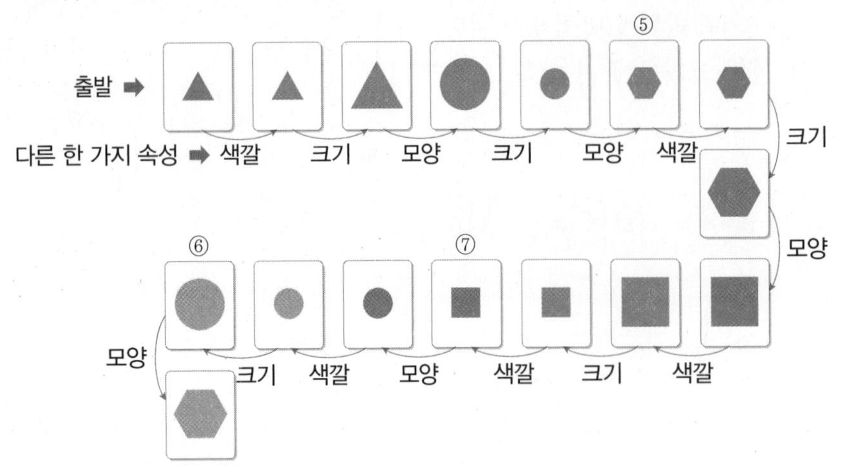

도형 카드를 놓은 규칙은 한 가지 속성만 다르고 나머지 속성은 모두 같은 것입니다.

최상위 사고력 우즐 카드에 있는 속성은 모양(⬠, 8), 색깔(빨강, 파랑), 구멍의 수(1개, 2개), 털(있음, 없음)
4가지가 있습니다.

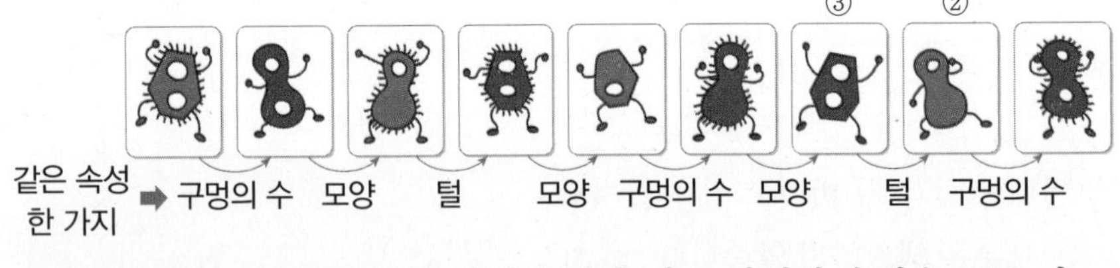

우즐 카드를 놓은 규칙은 한 가지 속성만 같고 나머지 속성은 모두 다른 것입니다.

최상위 사고력

150~151쪽

1 ㉢ **2** 나, 가 **3** (그림) **4** ㉣

1 ㉠, ㉡, ㉣, ㉤은 돌려서 서로 같은 모양이 되지만 ㉢은 아무리 돌려도 같은 모양이 될 수 없습니다.

2 가 도형의 공통점은 안쪽 도형의 변의 수가 바깥쪽 도형의 변의 수보다 적다는 것입니다.
나 도형의 공통점은 안쪽 도형의 변의 수가 바깥쪽 도형의 변의 수보다 많다는 것입니다.
따라서 (그림) 은 변의 수가 안쪽 도형이 바깥쪽 도형보다 많으므로 나 에 포함되고,
(그림) 은 변의 수가 안쪽 도형이 바깥쪽 도형보다 적으므로 가 에 포함됩니다.

3 오른쪽 그림 3개는 어떤 그림에서 한 가지씩만 다르게 그렸으므로 2개의 그림에서 찾을 수 있는 공통점은 원래의 어떤 도형에도 있게 됩니다.

① 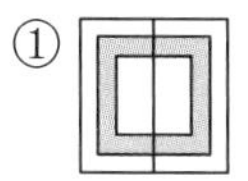 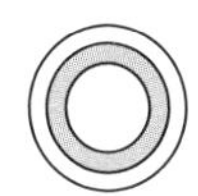
- 같은 모양의 도형 3개가 크기별로 같은 간격으로 있습니다.
- 안쪽에서부터 두 번째 영역이 색칠되어 있습니다.

② 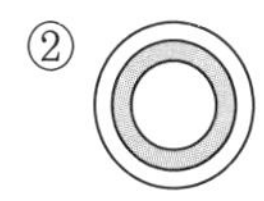 
- 원 3개가 크기별로 같은 간격으로 있습니다.

③ 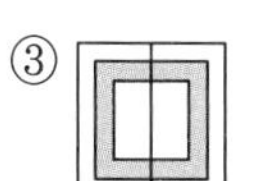 
- 같은 모양의 도형 3개가 크기별로 같은 간격으로 있습니다.
- 도형 3개를 반으로 가르는 공통된 세로 선이 있습니다.

따라서 ②, ①, ③의 단서를 순서대로 이용하여 □ 안의 그림을 찾습니다.

  ➡ ①에 의해  ➡ ③에 의해 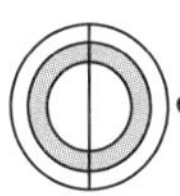이 됩니다.

> **해결 전략**
> 먼저 그림 3개의 공통점과 차이점을 통해 어떤 속성이 있는지 찾아봅니다. 그림에 있는 속성은 모양, 세로 선, 색칠된 영역이 있습니다.

4 네 도형의 공통점은 같은 도형 3개를 가로로 일렬로 겹쳤을 때 가운데 도형만 그린 것입니다.

  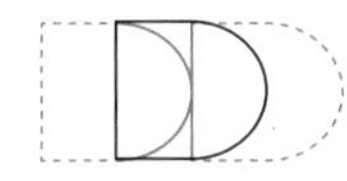 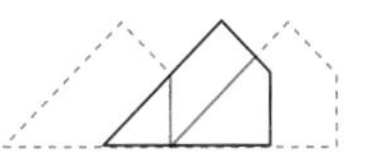

다른 도형이 주어진 도형과 공통점이 있으려면 다음과 같아야 합니다.

㉠   ㉡  ㉢  ㉣ 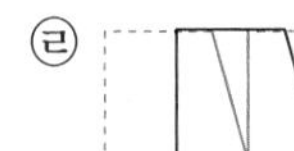 ㉤  

따라서 주어진 도형과 공통점이 있는 도형은 ㉣입니다.

Review V 확률과 통계

152~154쪽

1 (1) △△ (2) 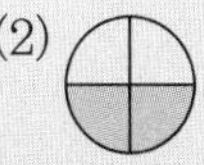

2 ㉣

3 예

4 ㄱ ㄴ ㄷ ㄹ ㅁ ㅂ ㅅ ㅇ ㅈ ㅊ ㅋ ㅌ ㅍ ㅎ (ㅂ, ㅈ, ㅊ, ㅌ, ㅍ에 동그라미)

5 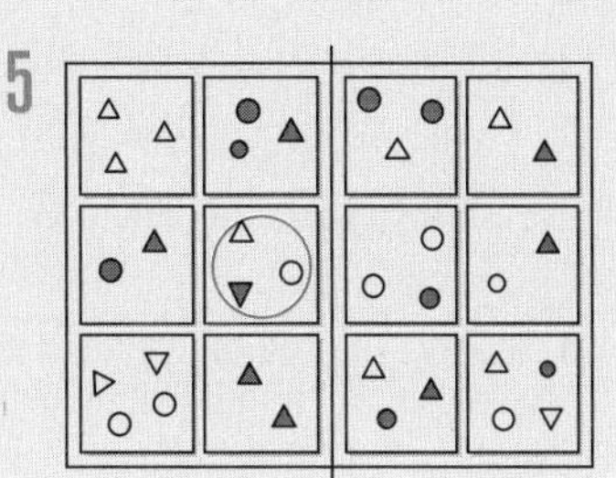

6 ⑤, ②

1 (1) 주어진 도형의 개수가 1개씩 늘어나는 관계입니다.
(2) 주어진 도형을 시계 (반대) 방향으로 반바퀴 돌리는 관계입니다.
(위(아래)로 뒤집는 관계도 됩니다.)

> **주의**
> 삼각형이 색칠되어 있지 않으므로 ▲▲ 라고 답하면 안 됩니다.

2 먼저 원 안의 도형들과 ㉠~㉤의 도형들을 살펴보면 모양, 크기, 색깔 3가지 속성을 찾을 수 있습니다. 왼쪽 원 안에만 있는 도형의 공통점은 색깔(파란색)이고, 오른쪽 원 안에 있는 도형의 공통점은 모양(⬡)입니다. 따라서 색칠한 부분에 들어갈 도형은 색깔이 파란색이고 모양이 ⬡인 도형 ⬢입니다.

3 그림의 속성은 모양, 색깔, 구멍의 수, 털의 유무 4가지입니다. 먼저 주주인 것과 주주가 아닌 것끼리 분류한 후, 공통점과 차이점을 찾아 주주가 무엇인지 알아봅니다.

해결 전략
그림의 속성에는 어떤 것이 있는지 알아봅니다.

<주주인 것>　　<주주가 아닌 것>

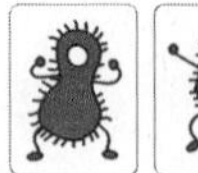
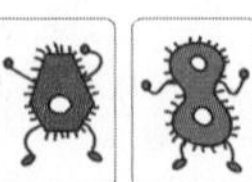
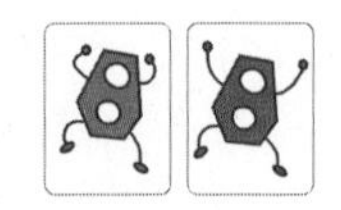

주주인 것의 공통점은 모두 털이 있는 것이므로 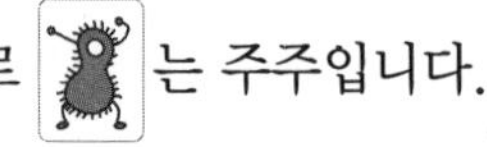 는 주주입니다.

4 굽은 선이 없는 자음은 ㅇ과 ㅎ을 제외한 12개입니다.

➡ ㄱ ㄴ ㄷ ㄹ ㅁ ㅂ ㅅ ㅈ ㅊ ㅋ ㅌ ㅍ

이 중에서 연필을 종이에서 떼지 않고 한 번에 그릴 수 없는 자음은 6개입니다.

➡ ㅂ ㅈ ㅊ ㅋ ㅌ ㅍ

이 중에서 반으로 접으면 완전히 겹쳐지는 자음은 5개입니다.

➡ ㅂ ㅈ ㅊ ㅌ ㅍ

다른 풀이
조건의 순서를 바꾸어 찾을 수도 있습니다.
조건 ②: ㅂ ㅈ ㅊ ㅋ ㅌ ㅍ ㅎ ➡ 조건 ③: ㅂ ㅈ ㅊ ㅌ ㅍ ㅎ ➡ 조건 ①: ㅂ ㅈ ㅊ ㅌ ㅍ

5 선을 기준으로 왼쪽은 한 칸에 모두 칠해졌거나 모두 칠해지지 않은 도형들이 모여 있는 것이고, 오른쪽은 한 칸에 칠해진 도형과 칠해지지 않은 도형이 있는 것입니다.

6 ■ ■ ▪ ▲ ㉠ ㉡ ●

해결 전략
도형 카드에 있는 속성은 모양(□, ○, △) 색깔(빨강, 파랑, 노랑), 크기(큰 것, 작은 것) 3가지가 있습니다.

도형 카드를 놓는 규칙은 두 가지 속성은 같고, 한 가지 속성만 다른 것입니다. ㉡에 놓을 수 있는 도형 카드부터 찾으면 ●와 한 가지 속성만 다른 ② ●입니다.

②

㉠에 놓을 수 있는 도형은 ●와 한 가지 속성만 다른 ⑤ ●입니다.
또 ●은 왼쪽의 ▲과 한 가지 속성만 다르므로 규칙에 맞습니다.

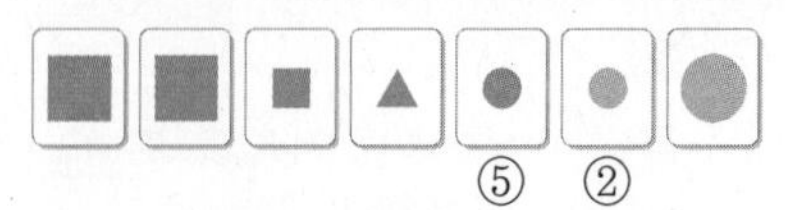
⑤ ②

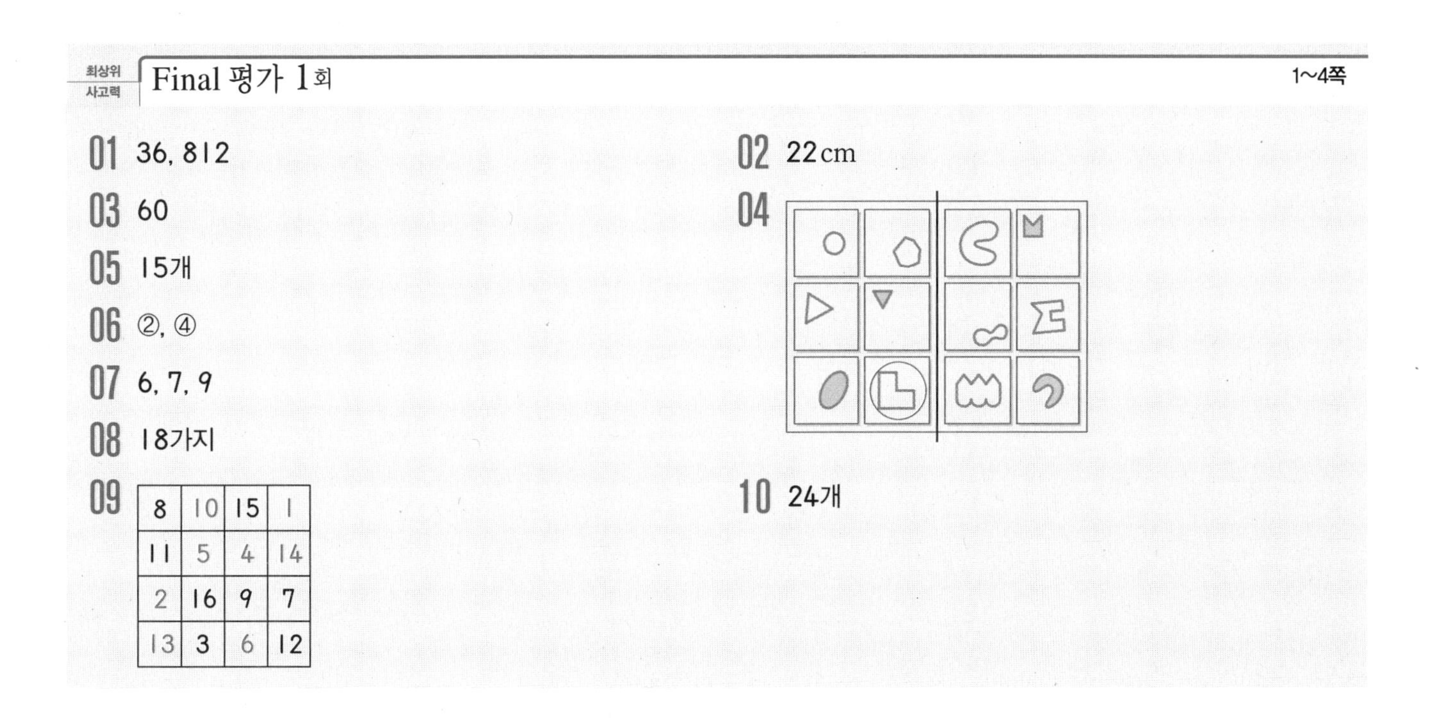

01 36, 812

02 22 cm

03 60

04

05 15개

06 ②, ④

07 6, 7, 9

08 18가지

09

8	10	15	1
11	5	4	14
2	16	9	7
13	3	6	12

10 24개

01 아즈텍 사람들이 사용한 수는 =1, =10, =15, =20, =400을 나타내고 이 기호의 수만큼 더하여 수를 나타내었습니다.

는 $20+15+1=36$이고,

는 $400+400+10+1+1=812$입니다.

> 주의
> 기호는 색칠한 곳에 따라 나타내는 수가 다릅니다.

02 셋째 줄의 연필과 클립의 순서를 바꿔 둘째 줄의 클립 3개와 길이를 비교합니다.

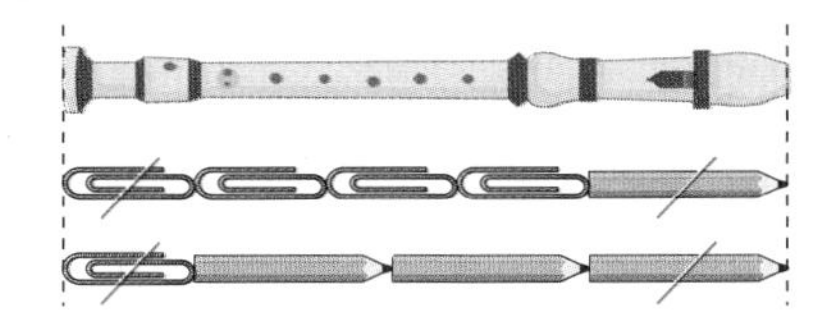

클립 3개의 길이와 연필 2자루의 길이가 같습니다.

(클립 3개의 길이)$=4\times3=12$(cm)이고, $6+6=12$이므로 연필 1자루의 길이는 6 cm입니다.

➡ (리코더의 길이)=(클립 4개의 길이)+(연필 1자루의 길이)$=16+6=22$(cm)

03 ㉠은 1, 3, 2, 4 네 개의 수가 반복되는 규칙입니다.

$4+4+4+4+4=20$이므로 네 개의 수는 20번째까지 모두 5번 나옵니다. $1+3+2+4=10$이므로 20번째까지 더한 수는 $\underbrace{10+10+10+10+10}_{5번}=50$입니다.

㉡은 같은 수가 2개씩 나오고, 다음 수는 1씩 커지는 규칙입니다.

20번째까지는 1부터 10까지의 수가 각각 2번씩 나오므로 덧셈의 순서를 바꾸어 두 묶음으로 계산합니다.

$(1+2+3+\cdots\cdots+9+10)+(1+2+3+\cdots\cdots+9+10)=55+55=110$

따라서 두 수의 차는 $110-50=60$입니다.

> 보충 개념

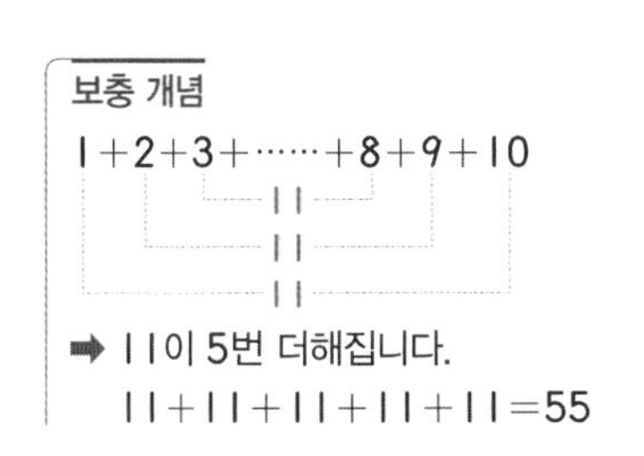

> $1+2+3+\cdots\cdots+8+9+10$
> ➡ 11이 5번 더해집니다.
> $11+11+11+11+11=55$

04 왼쪽 도형은 오목하게 들어간 부분이 없고, 오른쪽 도형은 오목하게 들어간 부분이 있습니다.

해결 전략
같은 쪽에 있는 도형들끼리 공통점을 찾고, 다른 쪽에 있는 도형들끼리는 차이점을 찾습니다. 공통점과 차이점을 찾을 때는 색깔, 개수, 모양, 위치 등의 다양한 속성으로 기준을 정하여 찾아보도록 합니다.

05 첫 번째, 세 번째, 두 번째 조건을 순서대로 이용하여 조건에 맞는 수를 찾습니다.

① 300보다 크고 800보다 작습니다.

➡ 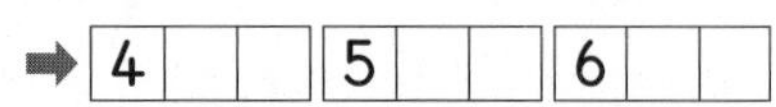

② 십의 자리 숫자는 일의 자리 숫자보다 큽니다.

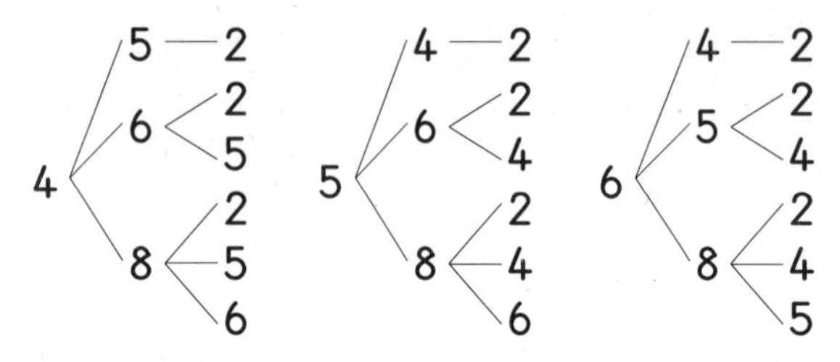

③ 짝수입니다.

➡ 452, 462, 482, 486, 542, 562, 564, 582, 584, 586, 642, 652, 654, 682, 684

따라서 만들 수 있는 수는 모두 15개입니다.

보충 개념
짝수는 일의 자리 숫자가 0, 2, 4, 6, 8인 수를, 홀수는 일의 자리 숫자가 1, 3, 5, 7, 9인 수를 말합니다.

06 삼각형은 세 변이 모두 평행하지 않는다는 특징에 주의하며 2개의 삼각형이 어떻게 놓였는지 선을 그어 찾아봅니다.

① 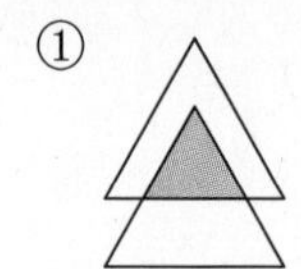 ③ 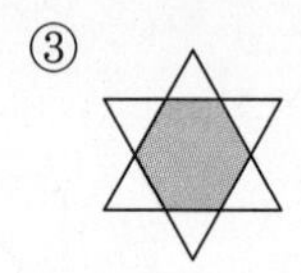 ⑤ 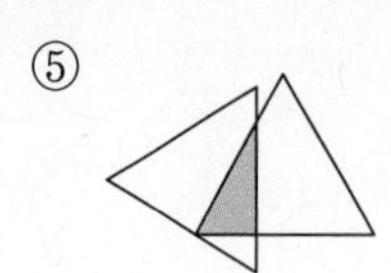 ⑥ 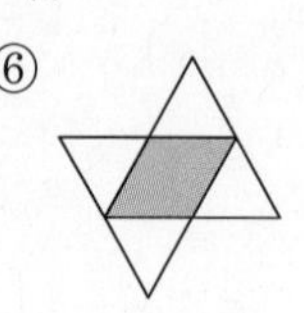

07 첫 번째 식에서 ●=5 또는 ●=6입니다.

① ●=5인 경우

$$\begin{array}{r} 5\ 5 \\ -\ \ ■ \\ \hline 5\ ▲ \end{array}$$ ➡ 5−■=▲, ■+▲=5입니다.

$$\begin{array}{r} 5\ ▲ \\ +\ \ ■ \\ \hline ▲\ 5 \end{array}$$ ➡ 일의 자리 계산에서 ■+▲=5이므로 받아올림이 없으므로 ▲=5가 되어 불가능합니다.

② ●=6인 경우

㉠ ▲≠6이므로 ▲=6+1=7입니다.

㉡ ▲+■=7+■=16이므로, ■=16−7=9입니다.

㉠ $$\begin{array}{r} 6\ ▲ \\ +\ \ ■ \\ \hline ▲\ 6 \end{array}$$ ▲=7 ➡ ㉡ $$\begin{array}{r} 6\ 7 \\ +\ \ ■ \\ \hline 7\ 6 \end{array}$$ ■=9 ➡ $$\begin{array}{r} 6\ 7 \\ +\ \ 9 \\ \hline 7\ 6 \end{array}$$

따라서 ●=6, ▲=7, ■=9입니다.

보충 개념
십의 자리로 1 받아올림 했으므로 ▲+■=10+●=10+6=16입니다.

08 막대를 길게 펴거나 겹쳐서 잴 수 있는 길이를 찾아봅니다.

길이(cm)	식
1	1
2	12−6−4=2
3	4−1=3
4	4
5	4+1=5
6	6
7	12−6+1=7
8	12−4=8
9	×
10	12−6+4=10
11	12−1=11
12	12
13	12+1=13
14	6+12−4=14
15	×
16	12+4=16
17	12+6−1=17
18	12+6=18
19	12+6+1=19
20	×
21	×
22	12+6+4=22

따라서 1 cm부터 22 cm까지의 길이 중에서 9 cm, 15 cm, 20 cm, 21 cm만 잴 수 없으므로 잴 수 있는 길이는 모두 22−4=18(가지)입니다.

09 겹치는 부분을 손가락으로 가리는 방법으로 풀어 봅니다.

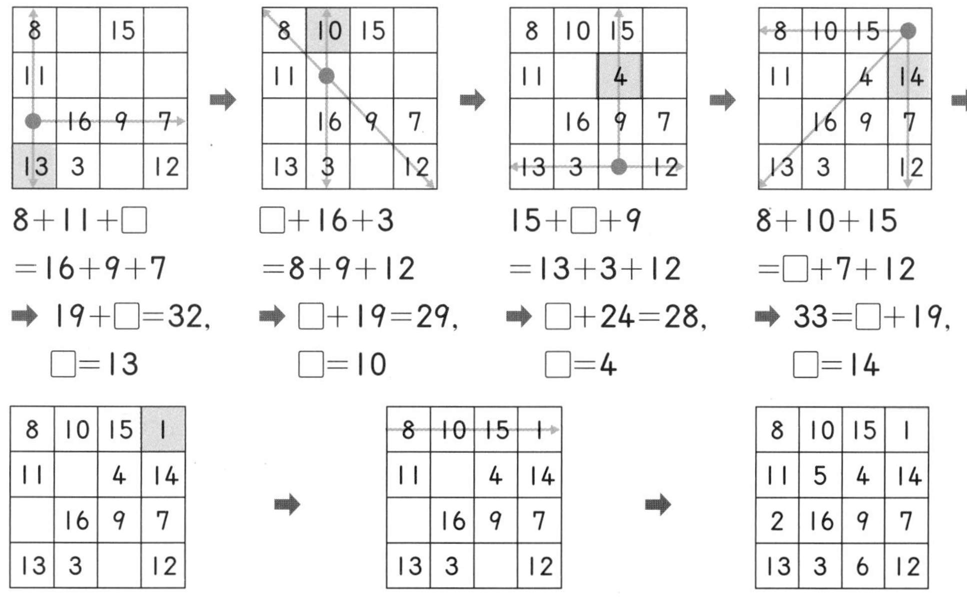

첫째 가로줄의 세 수의 합이 8+10+15=33이고, 네 수의 합이 35보다 작아야 하므로 색칠된 칸에는 1이 들어갑니다.

8+10+15+1=34이므로 가로, 세로, 대각선의 네 수의 합이 34가 되도록 빈칸에 알맞은 수를 써넣습니다.

10 포함하는 작은 도형의 수에 따라 크고 작은 삼각형을 세어 봅니다.

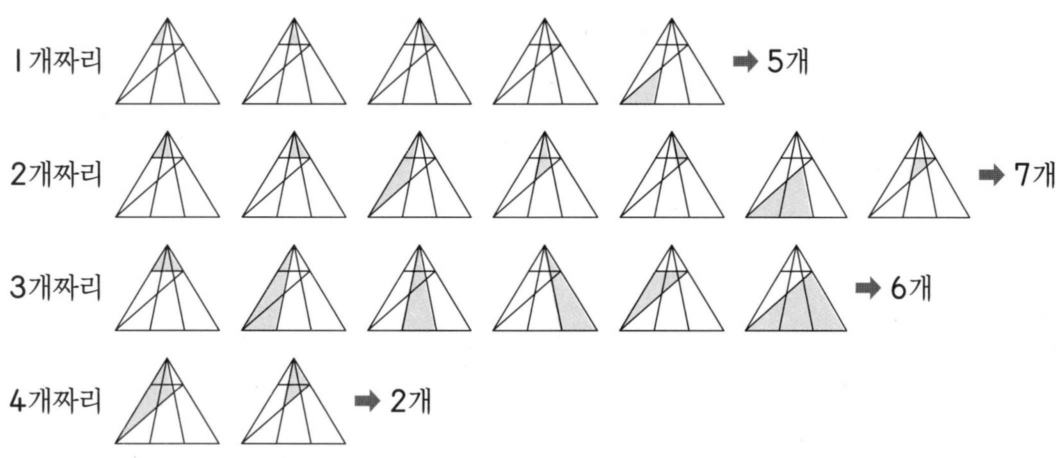

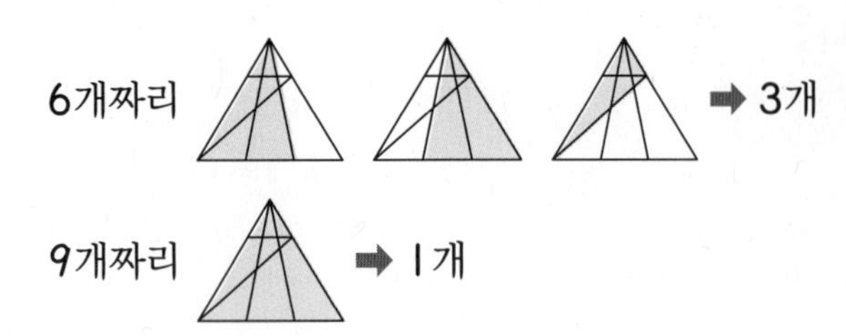

따라서 크고 작은 삼각형은 모두 $5+7+6+2+3+1=24$(개)입니다.

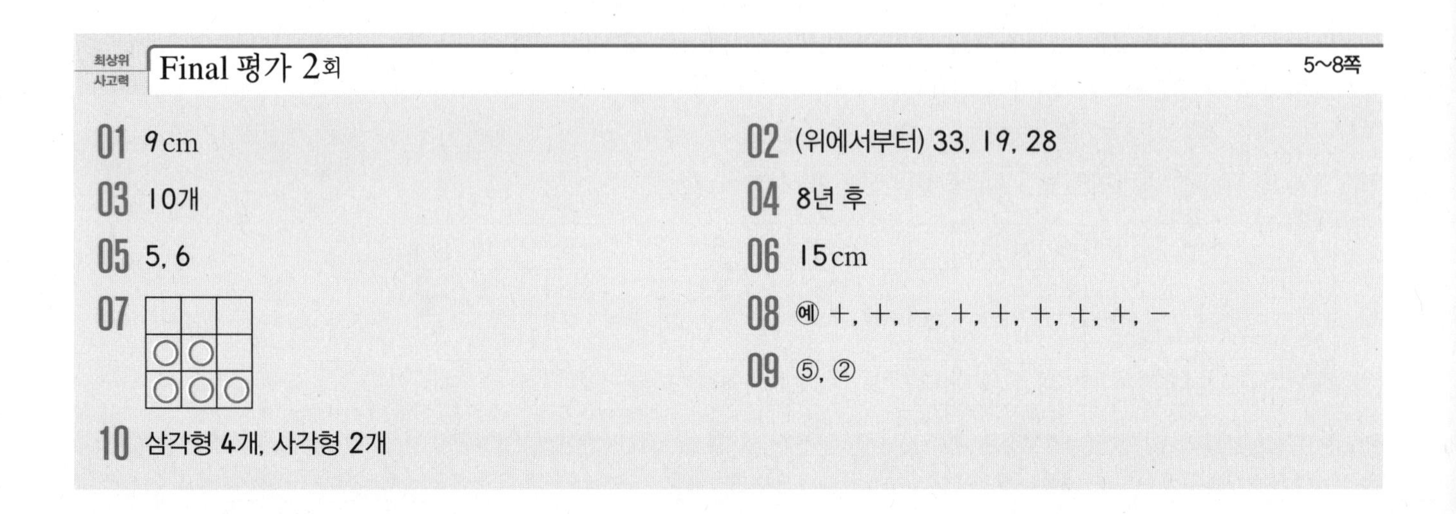

최상위 사고력

Final 평가 2회

5~8쪽

01 9 cm

02 (위에서부터) 33, 19, 28

03 10개

04 8년 후

05 5, 6

06 15 cm

07

○	○	
○	○	○

08 예 +, +, −, +, +, +, +, +, −

09 ⑤, ②

10 삼각형 4개, 사각형 2개

01 막대를 1개, 2개, 3개를 사용하는 경우, 막대를 옆으로 붙이는 경우, 막대를 위, 아래로 붙이는 경우로 생각하여 잴 수 있는 길이를 찾습니다.

> 해결 전략
> 막대로 가장 길게 잴 수 있는 길이는 세 막대를 옆으로 모두 붙였을 때인 12 cm입니다. 1 cm부터 12 cm까지의 길이를 모두 잴 수 있는지 찾아봅니다.

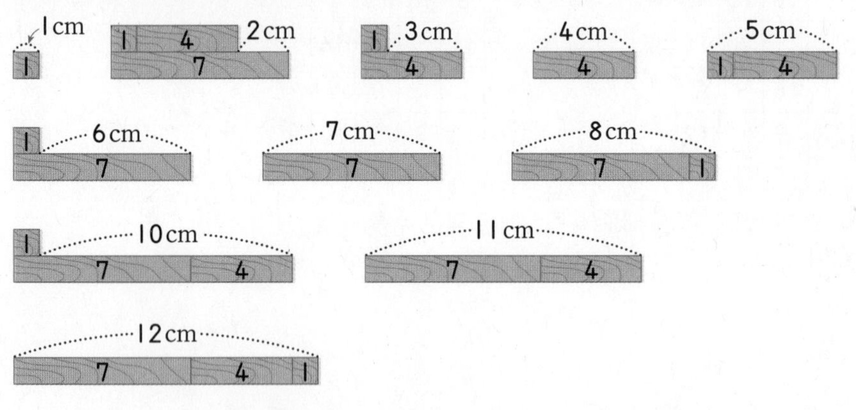

따라서 잴 수 없는 길이는 9 cm입니다.

02

				세로 넷째줄	
가로 첫째줄	★	●	●	●	22
가로 둘째줄	▲	▲	▲	▲	28
	★	■	▲	■	㉠
가로 넷째줄	★	★	▲	▲	22
	㉡	㉢	27	31	

- 가로 둘째 줄에서 ▲+▲+▲+▲=28이고 $7+7+7+7=28$이므로 ▲=7입니다.
- 가로 넷째 줄에서 ★+★+7+7=22, ★+★=8이고 $4+4=8$이므로 ★=4입니다.
- 가로 첫째 줄에서 4+●+●+●=22, ●+●+●=18이고 $6+6+6=18$이므로 ●=6입니다.

• 세로 넷째 줄에서

6+7+■+7=31, 20+■=31이므로 ■=11입니다.

따라서 □ 안에 들어갈 수는

㉠ ★+■+▲+■=4+11+7+11=33,

㉡ ★+▲+★+★=4+7+4+4=19,

㉢ ●+▲+■+★=6+7+11+4=28입니다.

03 크고 작은 삼각형은 모두 10개 만들 수 있습니다.

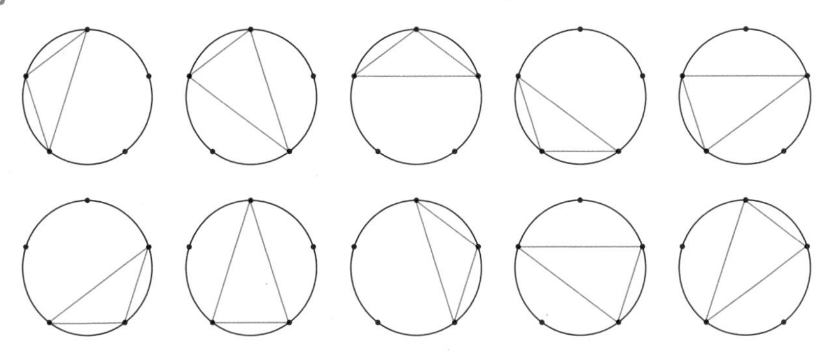

해결 전략

두 꼭짓점을 이은 하나의 곧은 선을 기준으로 나머지 한 점을 시계 반대 방향으로 옮겨가면서 삼각형을 그립니다.

04 현재 세 사람의 나이의 합은 36+33+9=78(살)이고

78+3+3+3+3+3+3+3=99(살)이므로 세 사람의 나이의 합이 처음으로 100살이 넘는 것은 8년 후입니다.

(3을 더한 횟수: 7번)

해결 전략

세 사람의 나이는 매년 똑같이 1살씩 늘어나므로 세 사람의 나이의 합은 매년 3살씩 늘어납니다.

05 □<4, 4<□<7, 7<□인 3가지 경우로 나누어 생각합니다.

	□<4	4<□<7	7<□
첫 번째로 큰 수	74□	7□4	□74
두 번째로 큰 수	7□4	74□	□47
세 번째로 큰 수	47□	□74	7□4

따라서 세 번째로 큰 수가 □74인 경우는 4<□<7일 때이므로

□=5 또는 6입니다.

주의

세 수가 모두 다르므로 □는 4와 7이 될 수 없습니다.

06 색 테이프의 양쪽 끝부분부터 접힌 부분을 차례로 펴서 생각합니다.

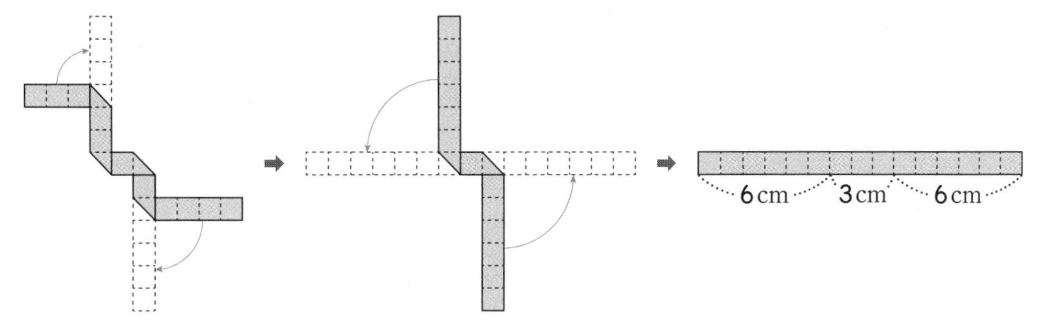

따라서 색 테이프의 길이는 6+3+6=15(cm)입니다.

07 도형의 각 칸이 나타내는 수는

1	4	16
1	4	16
1	4	16

입니다.

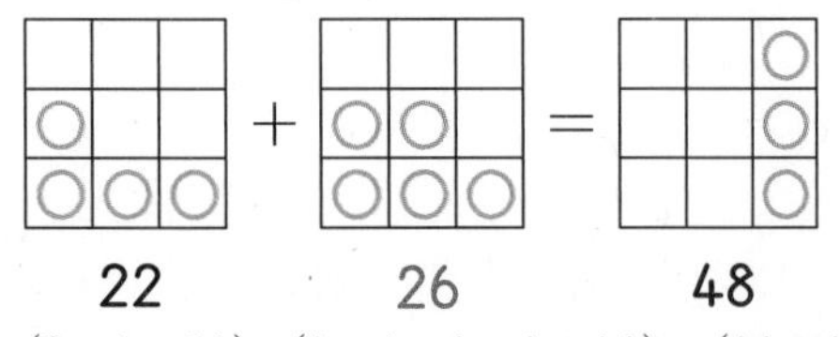

22 (2+4+16) 26 (1+1+4+4+16) 48 (16+16+16)

> **해결 전략**
> 도형이 나타내는 수를 구하기 위해서는 도형의 각 칸이 어떤 수를 나타내는지 먼저 모두 찾은 후 구하는 것이 편리합니다.

08 ○ 안의 부호가 모두 +라고 생각하여 계산하면
10+9+8+7+6+5+4+3+2+1=55입니다.
계산 결과 55를 39로 만들려면 16만큼을 빼야 합니다.
+를 −로 바꾸면 바꾼 수의 2배만큼 작아지므로 8만큼 빼면 됩니다.
합이 8이 되는 수는 (1, 7), (2, 6), (3, 5), (1, 2, 5), (1, 3, 4)로 5가지이므로 이 수들 앞에는 −를 써넣고 나머지 수들 앞에는 +를 써넣습니다.

10 ⊕ 9 ⊕ 8 ⊖ 7 ⊕ 6 ⊕ 5 ⊕ 4 ⊕ 3 ⊕ 2 ⊖ 1=39
10 ⊕ 9 ⊕ 8 ⊕ 7 ⊖ 6 ⊕ 5 ⊕ 4 ⊕ 3 ⊖ 2 ⊕ 1=39
10 ⊕ 9 ⊕ 8 ⊕ 7 ⊕ 6 ⊖ 5 ⊕ 4 ⊖ 3 ⊕ 2 ⊕ 1=39
10 ⊕ 9 ⊕ 8 ⊕ 7 ⊕ 6 ⊖ 5 ⊕ 4 ⊕ 3 ⊖ 2 ⊖ 1=39
10 ⊕ 9 ⊕ 8 ⊕ 7 ⊕ 6 ⊕ 5 ⊖ 4 ⊖ 3 ⊕ 2 ⊖ 1=39

> **보충 개념**
> 8+8=16이므로 8의 2배는 16입니다.
> 55−16=39
> ➡ 55−8−8=39

> **지도 가이드**
> 5가지 방법 중 1가지만 써도 정답으로 인정합니다.

09 우즐 카드 안에 있는 속성은 모양(⬡, 8), 색깔(빨강, 파랑), 구멍의 수(1개, 2개), 털(있음, 없음) 4가지가 있습니다.

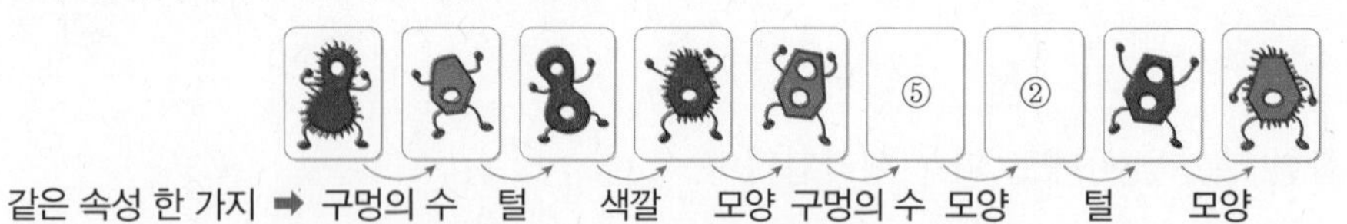

우즐 카드를 이어 놓은 규칙은 한 가지 속성만 같고 나머지 속성은 모두 다른 우즐 카드를 이어 놓은 것입니다.

10 마지막 접은 종이에서 접은 순서와 반대로 펼쳐가며 생각합니다.

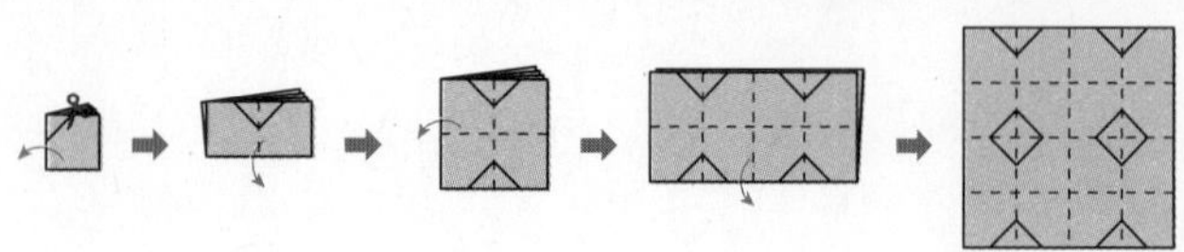

따라서 잘려 나간 부분은 △ 삼각형 4개, ◇ 사각형 2개입니다.

심화 완성 최상위 수학S, 최상위 수학

개념부터 심화까지

수학 좀 한다면 디딤돌

상위권의 힘, 사고력 강화

최상위 사고력

상위권의 기준

최상위 사고력

수학 좀 한다면

따라올 수 없는 자신감!
디딤돌 초등 라인업을 만나 보세요.

구분	교재	대상	특징
수준별 수학 기본서	**디딤돌 초등수학 원리**	3~6학년	교과서 기초 학습서
	디딤돌 초등수학 기본	1~6학년	교과서 개념 학습서
	디딤돌 초등수학 응용	3~6학년	교과서 심화 학습서
	디딤돌 초등수학 문제유형	3~6학년	교과서 문제 훈련서
	디딤돌 초등수학 기본+응용	1~6학년	한권으로 끝내는 응용심화 학습서
	디딤돌 초등수학 기본+유형	1~6학년	한권으로 끝내는 유형반복 학습서
상위권 수학 학습서	**최상위 초등수학 S**	1~6학년	심화 개념 · 심화 유형 학습서
	최상위 초등수학	1~6학년	심화 개념 · 심화 유형 학습서
	최상위 사고력	7세~초등 6학년	경시 · 영재 · 창의사고력 학습서
	3% 올림피아드	1~4과정	올림피아드 · 특목중 대비 학습서
연산학습 교재	**최상위 연산은 수학이다**	1~6학년	수학이 담긴 차세대 연산 학습서
국사과 기본서	**디딤돌 초등 통합본(국어·사회·과학)**	3~6학년	교과 진도 학습서
국어 독해력	**디딤돌 독해력**	1~6학년	수능까지 연결되는 초등국어 독해 훈련서